afgeschreven

Vlucht uit New York

Van dezelfde auteur

Bericht uit Parijs

Bezoek onze internetsite www.awbruna.nl voor informatie over onze boeken, volg @AWBruna op Twitter of bezoek onze Facebook-pagina Facebook.com/AWBrunaUitgevers.

Guillaume Musso

Vlucht uit New York

A.W. Bruna Uitgevers

Oorspronkelijke titel
Sept ans après
Copyright © XO Éditions 2012. All rights reserved.
Vertaling
Wim van der Zande
Omslagbeeld
Thinkstock
Omslagontwerp
Wil Immink Design
© 2014 A.W. Bruna Uitgevers, Utrecht

ISBN 978 94 005 0472 1
NUR 305

Dit boek is gedrukt op papier dat het keurmerk van de Forest Stewardship Council (FSC®) mag dragen. Bij dit papier is het zeker dat de productie niet tot bosvernietiging heeft geleid. Een flink deel van de grondstof is afkomstig uit bossen en plantages die worden beheerd volgens de regels van FSC. Van het andere deel van de grondstof is vastgesteld dat hiervoor geen houtkap in de laatste resten waardevol bos heeft plaatsgevonden. Daarom mag dit papier het FSC Mixed Sources label dragen. Voor dit boek is het FSC-gecertificeerde Munkenprint gebruikt. Dit papier is 100% chloor- en zwavelvrij gebleekt en wordt geleverd door Arctic Paper Munkedals AB, Zweden.

Deel een

A rooftop in Brooklyn

'Om zomaar wat te dwalen, moet je alleen zijn. Zodra je met zijn tweeën bent, ga je altijd ergens heen.'

– Alfred Hitchcock, *Vertigo*

1

Weggedoken onder haar dekbed bekeek Camille vanuit de hoek van haar bed de merel die voor het raam zat. Ze hoorde de herfstwind door het glas heen gieren en de zonnestralen speelden tussen de bladeren door, waarbij ze scherpe schaduwen wierpen op het glazen dak. Het had de hele nacht geregend, maar nu was de lucht strakblauw en beloofde het een mooie oktoberdag te worden.

Een blonde golden retriever lag op het voeteneinde van haar bed. Hij deed zijn kop omhoog en keek haar kant op.

'Hé Buck, lieverd, kom eens hier!' Camille riep de hond en sloeg uitnodigend met haar hand op het kussen.

Dat liet het dier zich geen twee keer zeggen. Met een grote sprong was hij bij zijn baasje voor zijn grote ochtendknuffel. De jonge meid fluisterde hem lieve woordjes toe en streelde zijn ronde kop met de hangende oren voordat ze zichzelf vermanend toesprak: 'Kom op slome, eruit nu!'

Zuchtend kroop ze uit haar warme nestje en met een paar soepele bewegingen trok ze een joggingpak aan, schoot in haar sportschoenen en knoopte haar blonde haren in een losse knot.

'Kom op Buck, overeind dikzak, we gaan een eindje rennen!' riep ze terwijl ze de trap afrende, die naar de woonkamer leidde.

De drie verdiepingen van het huis lagen om een ruim bemeten atrium, dat het licht van alle kanten naar binnen liet komen. De mooie stadsvilla van bruine baksteen was al drie generaties in het bezit van de familie Larabee.

Het huis had een modern en strak interieur. De kamers waren ruim en de muren waren opgesierd met schilderijen uit de jaren twintig van Marc Chagall, Tamara de Lempicka en Georges Braque. Afgezien van de schilderijen deed de minimalistische inrichting eerder denken aan de luxe huizen van SoHo en de wijk TriBeCa dan de meer behoudende Upper East Side.

'Pap? Ben je daar?' vroeg Camille terwijl ze de keuken in liep. Ze nam een glas water en keek om zich heen. Haar vader had al ontbeten. Op het gelakte keukenblad stond een halfleeg kopje en lagen de resten van een bagel naast *The Wall Street Journal*, de krant die Sebastian Larabee elke ochtend doorbladerde, en een exemplaar van *Strad 1*.

Toen ze even goed luisterde, hoorde Camille het geluid van de douche op dezelfde verdieping. Kennelijk was haar vader nog in de badkamer.

'Hé!' Ze gaf Buck een tikje en deed de deur van de koelkast dicht om te voorkomen dat haar hond er met de restanten van de gebraden kip vandoor ging.

'Jij krijgt straks pas te eten, schurk!'

Ze zette haar koptelefoon op, verliet het huis en liep in een rustig tempo de straat uit.

Het huis van het gezin Larabee lag tussen Madison en Park Avenue, aan een mooie dwarsstraat ter hoogte van 74th Street, die werd omzoomd door bomen. Ondanks het vroege uur was er al volop leven in de wijk. Taxi's en grote limousines reden af en aan voor de grote herenhuizen en de chique appartementengebouwen. De portiers in hun strakke uniformen voerden een prachtig ballet op met het aanroepen van de *yellow cabs*, het openen van de portieren en het inladen van de bagage in de kofferruimtes.

Camille kwam in een drafje op 5th Avenue uit en liep de Millionare's Mile op, die langs Central Park liep en waaraan de meest prestigieuze musea van de stad lagen: het Met, het Guggenheim en de Neue Galerie...

'Kom op, schat, nog een kleine inspanning en dan mogen we uitrusten!' riep ze tegen Buck terwijl ze haar tempo verhoogde en het wandelpad oprende.

Zodra hij zeker wist dat zijn dochter het huis had verlaten, verliet Sebastian Larabee de badkamer. Hij liep de kamer van Camille binnen voor zijn wekelijkse inspectieronde, waarmee hij was begonnen toen zijn dochter in de puberteit was gekomen. Met een sombere blik in zijn ogen en gefronste wenkbrauwen stond zijn gezicht op onweer. Hij vond Camille de laatste weken nogal geheimzinnig doen en hij had de indruk dat ze zich minder interesseerde voor haar vioolspel en haar school.

Sebastian keek de kamer rond: een ruime puberkamer in pastelkleuren, die een vredige en wat romantische sfeer uitademde. Bij het raam speelden de zonnestralen door de doorzichtige gordijnen. Op het grote bed lagen felgekleurde kussens en een opgerold dekbed. In gedachten verzonken schoof Sebastian het dekbed opzij en ging op de matras zitten. Hij pakte de smartphone die op het nachtkastje lag en toetste zonder schaamte de toegangscode in, die hij min of meer toevallig in handen had gekregen toen zijn dochter in zijn aanwezigheid het toestel had gebruikt zonder daarbij na te denken. Het toestel was nu gebruiksklaar en Sebastian voelde zijn adrenalinespiegel stijgen. Elke keer dat hij rondsnuffelde in het privéleven van Camille, was hij bang voor mogelijke nieuwe ontdekkingen. Tot nu toe had hij nog nooit iets bijzonders gevonden en toch ging hij ermee door...

Hij bekeek de laatste inkomende en uitgaande gesprekken. Hij kende alle nummers: van haar vriendinnen op het lyceum Johannes de Doper, van haar vioollerares, van haar tennispartner...

Geen vriendje. Geen onbekenden. Geen bedreigingen. Wat een opluchting!

Hij bekeek de foto's die ze de afgelopen tijd had gemaakt. Niets onrustbarends. Een paar foto's van het verjaardagsfeestje van de kleine McKenzie, de dochter van de burgemeester, met wie Camille samen op school zat. Om helemaal zeker te zijn van zijn zaak, zoomde hij in op de flessen om te zien of er geen alcohol werd gedronken. Alleen cola en vruchtensap.

De zoektocht ging verder met haar mail, sms'jes, WhatsApp-berichten en haar webgeschiedenis. Ook daar ontdekte hij niets opvallends; alle berichten gingen slechts over koetjes en kalfjes.

Zijn ongerustheid nam langzaam af en hij legde de smartphone weer terug. Vervolgens onderzocht hij alle papieren en voorwerpen op haar bureau. Voor de duidelijk zichtbare laptop had hij geen enkele belangstelling. Een halfjaar geleden had hij een *keylogger* geïnstalleerd op de computer van zijn dochter en die spyware gaf hem zowel een gedetailleerd verslag van alle internetactiviteiten van Camille als een volledige transcriptie van al haar mails en chatsessies. Vanzelfsprekend wist niemand iets van deze actie. Iedereen zou hem erom veroordelen en hem beschouwen als een slechte vader, een overdreven controlfreak. Dat kon hem geen zier schelen. Hij zag het als zijn taak als vader om zijn dochter te beschermen tegen alle potentiële gevaren. En daarom heiligde het doel de middelen.

Hij was bang verrast te worden door een vroegtijdige terugkeer van Camille en keek uit het raam voordat hij verderging met zijn zoektocht. Hij liep om het hoofdeind van het bed heen, dat diende als afscheiding van de inloopkast waar haar kleren lagen. Methodisch opende hij elke la en tilde elk stapeltje kleding op. Hij ergerde zich aan de voor haar leeftijd wel erg uitdagende beha op de houten paspop.

Toen hij de deur van de schoenenkast opende, zag hij een nieuw paar van het merk Stuart Weitzman: van gelakt leer en met hoge hakken. Ongerust bekeek hij de pumps: ze waren het pijnlijke bewijs voor de wil van zijn dochter om zich al op vroege leeftijd te ontpoppen. Boos zette hij ze weer terug op de plank. Toen zag hij een elegante, roze-zwarte boodschappentas staan met het logo van een beroemd lingerie-merk erop. Voorzichtig opende hij hem en ontdekte een satijnen setje ondergoed, bestaande uit een push-upbeha en een kanten slipje.

'Dit gaat te ver!' riep hij uit en hij gooide de tas weer terug in de kast. Kwaad smeet hij de deur van de hangkast dicht en nam zich voor om Camille eens even duidelijk te vertellen wat hij ervan vond. Toen bedacht hij zich opeens, en zonder duidelijke reden duwde hij de deur van de badkamer open. Minutieus doorzocht hij haar toilettas en vond een strip met pillen. De nummers erop gaven de volgorde aan waarmee ze moesten worden ingenomen. Een van de rijen was aangebroken. Sebastian voelde zijn handen trillen. Zijn woede sloeg om in paniek toen de waarheid langzaam tot hem doordrong: zijn dochter van vijftien was aan de pil.

2

'Kom Buck, we gaan naar huis!'

Na twee rondjes had de golden retriever er genoeg van. Hij zou veel liever een duik nemen in de enorme vijver, die achter het gaas lag. Camille deed er nog een schepje bovenop en beëindigde haar jogronde met een sprintje. Om in vorm te blijven ging ze drie keer per week een stuk rennen in Central Park, op het tweeënhalve kilometer lange parcours rond de grote vijver.

Toen ze klaar was, hijgde ze met haar handen op haar heupen even uit en vertrok daarna richting Madison, omgeven door wielrenners, skeeleraars en mensen met kinderwagens.

'Iemand thuis?' riep ze toen ze de deur van het huis openduwde. Zonder op antwoord te wachten liep ze met drie treden tegelijk de trap op naar haar kamer.

'Opschieten nu, anders kom ik te laat,' zei ze tegen zichzelf terwijl ze onder de douche stapte. Nadat ze zich had ingezeept, afgespoeld en afgedroogd, deed ze een parfum op en ging voor haar kledingkast staan om haar uniform uit te zoeken.

Het belangrijkste moment van de dag...

Haar lyceum, de Johannes de Doper High School, was een katholieke school voor meisjes. Een eliteopleiding voor de kinderen van rijke New Yorkers. Een instituut met strenge regels, die het dragen van een uniform voorschreven: plooirok, jasje met embleem, witte bloes, haarband.

Chique en sobere kleding, die gelukkig de keuze mogelijk maakte van enkele wat gewaagdere accessoires. Camille knoopte een sjaal om haar hals en smeerde met een vinger een vleugje rode lippenstift op haar lippen. Ze verfijnde de stijl van een *preppy* scholiere met de felroze *It Bag* die ze voor haar verjaardag had gekregen.

'Hallo, pap!' riep ze toen ze om de tafel die midden in de keuken stond liep.

Haar vader gaf geen antwoord. Camille keek naar hem. Hij zag er goed uit in zijn donkere pak van Italiaanse snit. Dat had ze hem zelf aangeraden: een perfect vallend jasje met afhangende schouders en een ingesneden taille. Hij stond roerloos voor het grote raam, staarde in het niets en zag er bezorgd uit.

'Alles in orde?' vroeg Camille ongerust. 'Wil je dat ik nog een kopje koffie voor je maak?'

'Nee.'

'Oké...' zei ze op luchtige toon.

De heerlijke geur van geroosterd brood vulde de keuken. Het meisje schonk een glas jus d'orange in en vouwde haar servet open... waar haar strip met pillen uit viel.

'Kun je... kun je me dat uitleggen?' vroeg ze met trillende stem.

'Jij hebt hier wat uit te leggen, dame!' bromde haar vader.

'Jij snuffelt rond in mijn spullen!' riep ze uit.

'Daar gaat het nu niet om! Wat doen die pillen in jouw toilettas?'

'Dat is mijn privéleven!' protesteerde ze.

'Je hebt geen privéleven op je vijftiende.'

'Je hebt het recht niet om me te bespioneren!'

Sebastian liep naar haar toe en priemde zijn wijsvinger in haar richting.

'Ik ben je vader en ik heb alle recht!'

'Maar geef me toch eens wat ruimte! Je controleert werkelijk waar alles: mijn vrienden, waar ik ga stappen, mijn post, de films waar ik heen ga, de boeken die ik lees...'

'Luister, ik voed je al zeven jaar alleen op en...'

'Omdat je dat zelf wilde!'

Opgewonden sloeg Sebastian met zijn vuist op tafel.

'Geef antwoord! Met wie ga je naar bed?'

'Dat gaat je niets aan! Daar hoef ik je geen toestemming voor te vragen! Dat is mijn zaak! Ik ben geen kind meer!'

'Je bent veel te jong voor een seksuele relatie. Dat is totaal onverantwoord! Wat wil je? Een paar dagen voor het Tsjaikovski-concours je leven vergooien?'

'Die viool kan me gestolen worden! En dat concours ook! Ik doe er trouwens niet aan mee, nooit! Dat krijg je er nu van!'

'Kijk aan! Tja, dat is natuurlijk veel gemakkelijker! In plaats van tien uur per dag te studeren om ook maar een schijn van kans te hebben, koop je lingerie voor domme blondjes en schoenen die een fortuin kosten!'

'Hou op met zo tekeer te gaan!'

'Hou jij maar eens op met je zo hoerig te kleden! Je lijkt wel... je lijkt je moeder wel!' brulde hij en hij verloor volledig zijn zelfbeheersing.

Van haar stuk gebracht door zijn woede ging Camille in de tegenaanval. 'Je bent een ziekelijke, oude zak!'

Dat was de spreekwoordelijke druppel. Buiten zichzelf van woede gaf hij haar een harde klap. Ze wankelde en de kruk waar ze tegenaan leunde viel om.

Totaal verbijsterd kwam Camille weer overeind en bleef enkele ogenblikken roerloos staan, nog helemaal ontdaan over wat er zojuist met haar was gebeurd. Toen kwam ze weer bij haar positieven. Ze pakte haar tas en was vastbesloten om geen seconde langer meer in het gezelschap van haar vader te blijven.

Sebastian probeerde haar tegen te houden, maar ze duwde hem opzij en liep het huis uit zonder zelfs maar de deur dicht te doen.

3

De coupé met getinte ramen reed via Lexington 73th Street op. Sebastian deed de zonneklep omlaag om te voorkomen dat hij werd verblind. Het was in de herfst van 2012 erg mooi weer. Nog onder de indruk van de heftige woordenwisseling met Camille, voelde hij zich helemaal van streek. Het was de eerste keer dat hij haar had geslagen. Hij was zich bewust van de vernedering die ze had ondergaan en had spijt van de klap, maar de kracht van zijn tik was net zo groot geweest als zijn teleurstelling.

Het feit dat zijn dochter een seksleven had, had een verpletterend effect op hem.

Ze was nog veel te jong! Het bracht alle plannen in gevaar die hij voor haar had. Het vioolspel, haar opleiding, de verschillende beroepen die voor haar openlagen: het was allemaal gepland en uitgeschreven, net als een stuk muziek. Er was geen ruimte voor andere zaken...

Hij probeerde tot rust te komen door diep adem te halen en naar buiten te kijken, naar het prachtige schouwspel van de herfst op deze winderige ochtend. De straten van de Upper East Side waren bedekt met felgekleurde bladeren. Sebastian hield van deze wijk met zijn aristocratische en tijdloze karakter, waar de hogere klasse van de New Yorkse samenleving woonde. In deze enclave van luxe was de wereld rustig en in orde en was niets te merken van alle opwinding en hectiek die in de rest van de stad heerste.

Hij kwam uit op 5th Avenue, sloeg af in zuidelijke richting en reed peinzend langs Central Park.

Hij had zich natuurlijk erg bezitterig gedragen, maar was dat niet een manier om zijn liefde voor zijn dochter te tonen? Ook al was die misschien wat onhandig? Kon hij een balans vinden tussen zijn plicht om haar te beschermen en haar onmiskenbare behoefte aan meer zeggenschap over haar eigen leven? Een paar seconden dacht hij dat het allemaal heel eenvoudig was en dat hij het over een andere boeg zou gooien. Maar toen herinnerde hij zich de strip met de pil en vergat hij zijn goede voornemens weer net zo snel als ze gekomen waren.

Sinds zijn scheiding had hij Camille alleen opgevoed. Hij was er trots op dat hij haar alles had gegeven wat ze nodig had gehad: liefde, aandacht, opvoeding. Hij had haar altijd voorkomend behandeld en in haar waarde gelaten. Hij was er altijd geweest en had zijn taak altijd serieus genomen, elke dag weer. Van het huiswerk tot de vioollessen en het paardrijden.

Natuurlijk was er weleens wat misgegaan en had hij fouten gemaakt, maar hij had zijn best gedaan. Tijdens die moeilijke periode had hij vooral geprobeerd haar waarden bij te brengen. Hij had haar afgeschermd tegen slechte mensen, haar behoed voor onverschilligheid, cynisme en middelmatigheid. Jarenlang hadden ze een sterke en hechte band gehad. Camille vertelde hem alles en vroeg hem vaak naar zijn mening, ze luisterde naar zijn goede raad. Zij was zijn trots: een intelligente jonge meid, slim en ijverig, die uitblonk op school en die misschien op de drempel stond van een glansrijke carrière als violiste. Maar sinds een paar maanden hadden ze meer en meer onenigheid en hij moest toegeven dat hij zich steeds minder geschikt voelde om haar te begeleiden in de gevaarlijke oversteek van haar kindertijd naar de volwassenheid.

Een taxi toeterde om hem te waarschuwen dat het verkeerslicht op groen was gesprongen. Sebastian slaakte een diepe zucht. Hij begreep de mensen niet meer, de jongeren niet en deze tijd ook niet. Het maakte hem wanhopig en bang. De wereld danste op de rand van een vulkaan, overal loerde het gevaar.

Natuurlijk moest je meegaan met je tijd en je niet laten ontmoedigen, maar niemand geloofde nog ergens in. De mensen hadden geen houvast meer, de idealen waren verdwenen. De economische crisis, de milieucrisis, de sociale crisis. Het hele systeem ging ten gronde en alle deelnemers hadden zich daarbij neergelegd: politici, ouders en leraren. Wat er gebeurde met Camille, ging in tegen al zijn principes en versterkte zijn natuurlijke angsten.

Sebastian had zich teruggetrokken in zichzelf, in zijn eigen wereld. Tegenwoordig kwam hij nauwelijks meer buiten zijn eigen wijk, en vrijwel nooit meer buiten Manhattan. Als beroemde vioolbouwer, die hield van de eenzaamheid, sloot hij zich steeds vaker op in zijn atelier. Daar bleef hij dagen achtereen met alleen de muziek als gezelschap en werkte hij aan zijn instrumenten. Hij stelde hun timbre en hun klank bij en maakte van elk instrument een uniek exemplaar, waar hij trots op was. Zijn werk werd verkocht in Europa en Azië, maar zelf kwam hij daar nooit. Hij ontmoette maar weinig mensen, hoofdzakelijk een kleine kring bekenden uit de wereld van de klassieke muziek en leden van de oude, bourgeoise families, die al generaties lang in de Upper East Side woonden.

Hij keek op zijn horloge en gaf gas. Ter hoogte van de Grand Army Plaza kwam hij langs de lichtgrijze voorgevel van het voormalige Savoy Hotel en slalomde tussen de auto's en de koetsen met toeristen door naar Carnegie Hall. Hij parkeerde zijn wagen in de parkeergarage tegenover de beroemde concertzaal en nam de lift naar zijn atelier.

De firma Larabee & Son was opgericht door zijn grootvader Andrew Larabee, aan het einde van de jaren twintig van de vorige eeuw. In de loop der tijd had het bescheiden werkplaatsje een internationale reputatie opgebouwd en was het een van de belangrijkste adressen geworden voor de vervaardiging van nieuwe en de restauratie van oude snaarinstrumenten. Sebastian ontspande zich zodra hij het atelier binnenkwam. Hier was het rustig en vredig en leek de tijd stil te hebben gestaan. De aangename geuren van esdoorn-, wilgen- en sparrenhout mengden zich met de wat scherpere lucht van vernis en oplosmiddelen. Hij hield van de bijzondere sfeer van dit ambacht uit vroeger tijden. In de achttiende eeuw had de opleiding in Crémona de kunst van het vioolbouwen tot haar absolute hoogtepunt gebracht. Sinds die tijd was de techniek nauwelijks meer verbeterd. In een wereld die voortdurend veranderde gaf deze stabiliteit een vorm van zekerheid.

Gezeten aan hun werktafels, werkten de vioolbouwers en de leerlingen aan verschillende instrumenten. Sebastian groette Joseph, zijn chef werkplaats, die bezig was de schroeven van een altviool af te stellen.

'De mensen van Farasio hebben gebeld over de Bergonzi. De overdracht is twee dagen eerder dan gepland,' zei Joseph, terwijl hij de houtkrullen van zijn leren voorschoot veegde.

'Die hebben lef! Dat wordt erg lastig voor ons om die deadline te halen,' antwoordde Sebastian ongerust.

'Bovendien willen ze graag vandaag de authenticiteitsverklaring van je ontvangen. Denk je dat dat lukt?'

Sebastian was niet alleen een begenadigd vioolbouwer, maar ook een erkend expert op dat gebied.

Hij kreeg een vermoeide uitdrukking op zijn gezicht. Dit was de belangrijkste verkoop van het jaar. Het was ondenkbaar dat die niet doorging.

'Ik moet mijn aantekeningen nog afmaken en dan het rapport schrijven, maar als ik nu onmiddellijk aan de slag ga, dan hebben ze het vanavond.'

'Goed, dan laat ik ze dat weten.'

Sebastian liep door naar de grote ontvangstruimte, waarvan de wanden waren bekleed met purper velours. Aan het plafond hingen een stuk of vijftig violen en altviolen, die de ruimte een bijzondere sfeer gaven. De zaal had een uitstekende akoestiek en had al vele bekende vioolspelers uit alle hoeken van de wereld ontvangen om een instrument te kopen of te laten repareren.

Sebastian ging aan zijn werktafel zitten en zette zijn dunne bril op voordat hij het instrument oppakte dat hij moest beoordelen. Het was een zeldzaam exemplaar: het was het eigendom geweest van Carlo Bergonzi, de meest begaafde leerling van Stradivarius. Het instrument dateerde uit het jaar 1720 en verkeerde in uitstekende staat. Het veilinghuis Farasio wilde het voor meer dan een miljoen dollar verkopen op de aanstaande grote herfstveiling.

Als expert met een wereldwijde reputatie kon Sebastian zich geen enkele misstap veroorloven bij zo'n belangrijke gebeurtenis. Net als wijnproevers of parfummakers deden, had ook hij duizenden details van alle grote vioolbouwscholen opgeslagen in zijn geheugen: Crémona, Venetië, Milaan, Parijs, Mirecourt... Maar ondanks al die kennis en ervaring bleef het moeilijk om met zekerheid de authenticiteit van een instrument vast te stellen. En met elke beoordeling zette Sebastian zijn reputatie op het spel.

Voorzichtig klemde hij de viool tussen zijn schouder en zijn kin, tilde de strijkstok op en speelde de eerste maten van een suite van Bach. De klank was buitengewoon mooi. In elk geval tot het moment dat een van de snaren plotseling brak en als een elastiek in zijn gezicht sloeg. Verstijfd van schrik legde hij het instrument neer. Hij had al zijn nervositeit en zijn gespannenheid in zijn spel gelegd! Het incident van die ochtend speelde door zijn hoofd en hij kon zich absoluut niet concentreren. De verwijten van Camille echoden door zijn hoofd en hij maakte ze nog heftiger dan ze al waren. Hij moest toegeven dat er een kern van waarheid zat in wat ze had gezegd. Deze keer was hij te ver gegaan. Hij was doodsbang dat hij haar zou kwijtraken en wist dat hij zo snel mogelijk weer met haar in gesprek moest komen, ook al was dat niet gemakkelijk. Hij keek op zijn horloge en pakte zijn mobieltje. De lessen waren nog niet begonnen en met een beetje geluk... Hij probeerde haar te bellen, maar kreeg meteen haar voicemail.

Het zat niet mee...

Hij wist nu zeker dat de strategie van de rechtstreekse confrontatie tot mislukken gedoemd was. Hij zou de teugels moeten laten vieren, in elk geval ogenschijnlijk. En daarvoor had hij hulp nodig. Van iemand die hem kon helpen het vertrouwen van Camille weer terug te winnen. Terwijl hij hun relatie herstelde, kon hij zien wat er allemaal aan de hand was en zijn dochter weer op het juiste pad brengen. Maar wie zou hij om hulp vragen?

In gedachten liet hij de verschillende mogelijkheden de revue passeren. Een goede vriend? Hij kende genoeg mensen, maar had met niemand een voldoende vertrouwelijke band voor zo'n persoonlijk probleem. Zijn vader was vorig jaar overleden en zijn moeder blonk niet bepaald uit in vooruitstrevendheid. Zijn vriendin Natalia? Ze verbleef op dit moment in Los Angeles met het New York City Ballet. Bleef over Nikki, de moeder van Camille...

4

Nikki...

Nee, dat was geen serieuze optie. Ze hadden elkaar al zeven jaar niet meer gesproken. Hij zou liever creperen van ellende dan hulp vragen aan Nikki Nikovski!

Nu hij erover nadacht, was het misschien zelfs mogelijk dat zij Camille de pil had gegeven. Tenslotte was Nikki een fervent aanhangster van vrije omgang met allerlei zeden en zogenaamd progressieve ideeen: emancipatie van kinderen, hen blind vertrouwen, niet straffen, niet autoritair behandelen, tolerant blijven ten koste van alles en hun totale vrijheid geven, op het onverantwoordelijke en naïeve af. Hij vroeg zich af of Camille misschien haar moeder om raad had gevraagd in plaats van hem. Maar zelfs bij zo'n intiem onderwerp als voorbehoedsmiddelen leek hem dat weinig waarschijnlijk. Allereerst omdat Nikki en haar dochter elkaar nauwelijks zagen, al dan niet uit eigen wil, maar ook omdat Nikki zich nauwelijks had bemoeid met Camilles opvoeding.

Elke keer als hij aan zijn ex-vrouw dacht, voelde Sebastian een mengeling van bitterheid en woede. Die woede was vooral gericht tegen zichzelf, omdat de mislukking van hun relatie al was voorgeprogrammeerd. Het huwelijk was de grootste fout geweest die hij ooit had gemaakt. Hij had er zijn illusies door verloren, zijn kalmte en zijn levensvreugde. Ze hadden elkaar nooit moeten tegenkomen in het leven en helemaal niet van elkaar moeten houden. Ze kwamen niet uit hetzelfde sociale milieu, hadden niet dezelfde opleiding en zelfs niet eens hetzelfde geloof. Ook wat betreft karakter en temperament waren ze elkaars tegenpolen. En ondanks alles hadden ze van elkaar gehouden!

Toen Nikki vanuit New Jersey, waar ze was geboren, was neergestreken in Manhattan, was ze begonnen als mannequin en droomde van een carrière als musicalactrice op Broadway. Ze leefde bij de dag, zorgeloos en ongedwongen. Ze was levendig, extravert, hartstochtelijk en innemend, en maakte gebruik van haar charmes om haar doel te bereiken. Maar ze was erg veeleisend en had een enorme behoefte aan aandacht en liefde. Ze leefde van de blikken die mannen in haar richting wierpen, speelde voortdurend met vuur en ging erg ver in de bevestiging van haar aantrekkingskracht. Ze was precies het tegenovergestelde van Sebastian.

Hij was ingetogen en discreet, het product van een elitaire en burgerlijke opvoeding. Hij gaf er de voorkeur aan om vooruit te kijken, zijn leven te plannen en te werken aan zijn toekomstprojecten. Zijn ouders en zijn vrienden hadden hem in een vroeg stadium gewaarschuwd en hem duidelijk gemaakt dat Nikki geen meisje was voor hem. Maar hij was eigenwijs geweest. Een onweerstaanbare kracht had hen tot elkaar aangetrokken. Ze lieten zich leiden door het bekende en naïeve verhaal dat juist tegenpolen elkaar aantrekken en dachten dat het hen wel zou lukken. In een opwelling waren ze getrouwd en vrijwel meteen was Nikki zwanger geraakt en was de tweeling geboren: Camille en Jeremy. Na een chaotische jeugd was Nikki op zoek naar stabiliteit en het moederschap. Hij had een zeer conservatieve opvoeding achter de rug en dacht in deze relatie een uitweg te vinden uit de verstikkende greep van zijn familie. Beiden beleefden ze deze liefdesrelatie als een uitdaging en hadden ze de wil om grenzen te overschrijden die verboden waren. De terugslag was hard geweest. De onderlinge verschillen, die hun relatie in het begin hadden gevoed, werden snel de oorzaak van voortdurende meningsverschillen. Zelfs na de geboorte van de tweeling waren ze er niet in geslaagd om een gemeenschappelijke basis te vinden om vooruit te komen in het leven. De noodzaak om samen hun kinderen op te voeden vanuit een gezamenlijk idee, versterkte juist hun conflicten. Nikki wilde een opvoeding die was gebaseerd op vrijheid en zelfbeslissingsrecht. Sebastian was het niet met haar eens en vond dat veel te gevaarlijk. Hij had geprobeerd haar ervan te overtuigen dat alleen strikte regels de persoonlijkheid van een kind tot ontwikkeling brachten. Hun verschillende standpunten waren onverenigbaar en ze wilden beiden geen centimeter toegeven. Niets aan te doen. Je kunt een persoonlijkheid niet fundamenteel veranderen, net zo min als mensen zelf.

Uiteindelijk gingen ze uit elkaar na een moeilijke periode, die door Sebastian werd gezien als verraad. Nikki was verder gegaan dan hij kon verdragen. De gebeurtenissen hadden hem kapotgemaakt en waren een duidelijk signaal geweest om een punt te zetten achter hun huwelijk, dat geen enkele zin meer had.

Om de kinderen te redden van deze ondergang en de zeggenschap over hen te krijgen, nam Sebastian een advocaat in de arm die was gespecialiseerd in scheidingen en familierecht. Hij was een oude rot in het vak en hij had Nikki op haar knieën gedwongen en haar ertoe gebracht af te zien van het grootste deel van haar ouderlijke rechten. Maar de zaken lagen toch moeilijker dan het aanvankelijk leek.

Uiteindelijk had Sebastian een ongewoon voorstel gedaan aan zijn toekomstige ex-vrouw: hij zag af van de zorg voor Jeremy als hij de zeggenschap kreeg over Camille. Om te voorkomen dat ze in een juridische strijd de kans liep om alles te verliezen, ging Nikki akkoord met die verdeling.

Daarom leefden Camille en Jeremy sinds zeven jaar in twee verschillende huizen onder de verantwoordelijkheid van twee ouders, die hun kinderen op volstrekt tegenovergestelde wijze opvoedden. De bezoekjes aan de 'andere' ouder waren schaars en streng gereglementeerd. Camille zag haar moeder slechts één zondag per twee weken, als Jeremy bij Sebastian op bezoek was.

Zijn huwelijk met Nikki had veel weg gehad van een tocht door de hel, maar sindsdien was de situatie volkomen veranderd. Sebastian had zijn leven weer op de rails gekregen en Nikki was niet meer dan een nare herinnering uit het verleden. Af en toe hoorde hij via Camille nog weleens wat over haar. Haar loopbaan in de modewereld was niet van de grond gekomen en die van actrice was niet eens begonnen. Volgens de laatste berichten was ze gestopt met de fotoshoots en de castings en ze had haar dromen over het theater opgegeven om zich volledig te wijden aan de schilderkunst. Ze was erin geslaagd haar doeken te exposeren in tweederangsgalerieën in Brooklyn, maar verder wilde het met haar bekendheid niet erg vlotten. De mannen kwamen en gingen in haar leven: steeds een ander, maar nooit de juiste. Ze leek een bijzonder talent te hebben om mannen aan te trekken die haar leed berokkenden. Die haar zwakke plekken wisten te vinden, wisten waar ze kwetsbaar was en daar hun voordeel mee deden. Toch leek het erop dat ze met de jaren op zoek was naar meer stabiliteit in haar liefdesleven. Volgens Camille had Nikki sinds een paar maanden een verhouding met een agent van de NYPD, de politie van New York. Natuurlijk was de man tien jaar jonger dan zij. Bij Nikki was niets eenvoudig.

De ringtone van zijn mobiel rukte Sebastian weg uit zijn gedachten. Hij keek op het scherm en zijn ogen werden groot van verbazing. 'Nikki Nikovski' stond er. Was het toeval of...

Even wist hij niet wat hij moest doen. Hij had bijna geen contact meer met zijn ex. Het eerste jaar na hun scheiding hadden ze elkaar steeds gezien bij de 'overdracht', maar tegenwoordig beperkten hun contacten zich tot wat zakelijke sms'jes over de organisatie van de tweewekelijkse bezoekjes van hun kinderen. Als Nikki de moeite nam om hem te bellen, dan was er iets ernstigs aan de hand.

Camille... dacht hij toen hij opnam.

'Nikki?'

'Hallo Sebastian.'

Hij hoorde onmiddellijk de bezorgdheid in haar stem.

'Heb je een probleem?'

'Het gaat om Jeremy. Heb je iets van hem gehoord de afgelopen dagen?'

'Nee, hoezo?'

'Ik begin me ongerust te maken. Ik heb geen idee waar hij is.'

'Hoe bedoel je?'

'Hij is niet naar school gegaan. Gisteren niet en vandaag ook niet. Hij neemt zijn mobiel niet op en heeft niet thuis geslapen sinds...'

'Wat is dat voor onzin!' onderbrak hij haar. 'Hij slaapt buitenshuis?'

Ze gaf niet meteen antwoord. Ze was voorbereid op zijn woede en zijn verwijten.

Uiteindelijk gaf ze toe. 'Hij is al drie nachten niet thuis geweest.'

De adem stokte in Sebastians keel. Hij kneep zijn mobieltje bijna fijn.

'Heb je de politie gewaarschuwd?'

'Ik denk niet dat dat een goed idee is.'

'Waarom niet?'

'Kom maar hierheen, dan zal ik het je uitleggen.'

'Ik kom eraan,' zei hij en hij hing op.

5

Sebastian vond een parkeerplek op de kruising van Van Brunt en Sullivan Street. Door het drukke verkeer had hij er bijna drie kwartier over gedaan om in Brooklyn te komen.

Na de scheiding was Nikki met Jeremy in het westelijke deel van South Brooklyn gaan wonen, in de wijk Red Hook, het voormalige bastion van de maffia en havenarbeiders. Het gebied was een enclave en had slechte verbindingen van het openbaar vervoer, en was lange tijd geïsoleerd en erg onveilig geweest. Maar het gevaarlijke verleden was voorbij en tegenwoordig leek Red Hook in niets meer op de vervallen wijk uit de jaren tachtig en negentig. Net als veel andere plaatsen in Brooklyn was Red Hook een moderne en hippe buurt geworden, die erg in trek was bij artiesten en andere creatieve beroepsgroepen.

Sebastian kwam hier slechts hoogstzelden. Soms bracht hij Camille zaterdags hierheen, maar hij was nog nooit binnen geweest in het appartement van zijn ex. Bij elk bezoek aan Brooklyn was hij verbaasd geweest over de snelheid waarmee de veranderingen zich in de wijk voltrokken. De vervallen opslagplaatsen en dokken maakten in razend tempo plaats voor galerieën en biologische restaurants.

Sebastian deed zijn wagen op slot en liep de straat in tot de rode bakstenen voorgevel van een voormalige papierfabriek, die was omgebouwd tot een appartementengebouw. Hij ging het kleine gebouw binnen en liep met twee treden tegelijk de trappen op tot de op een na hoogste etage. Nikki stond hem op te wachten op de drempel van een metalen branddeur, die tevens als voordeur fungeerde.

'Hallo Sebastian.'

Terwijl hij zijn emoties onder controle probeerde te houden bekeek hij haar. Ze had nog altijd een slank figuur en zag er afgetraind uit: brede schouders, een smalle taille, lange benen en strakke, ronde billen. Haar gezicht met de hoge jukbeenderen, de fijn gevormde neus en de katachtige ogen was nog altijd even mooi. Ze had echter de neiging om dit moois te verbergen achter een air van gespeelde onverschillig-heid. Haar lange, rood geverfde haren waren in twee vlechten gedraaid en opgestoken in een wrong. Haar amandelvormige, groene ogen wa-ren bedekt met te veel zwarte oogschaduw, haar slanke lichaam stak in een te grote broek en haar borsten waren opgesloten in een veel te laag uitgesneden T-shirt.

'Hallo Nikki,' zei hij toen hij het appartement binnenging zonder te wachten op haar uitnodiging. Hij kon de neiging niet onderdrukken om de ruimte aandachtig te bekijken.

De oude fabriek bood onderdak aan een grote loft, die met trots het industriële verleden liet zien: een witgeverfde, oude houten vloer, zichtbare houten balken, gietijzeren pilaren en dakbalken, een muur van oude bakstenen en een verhoging van grijs beton. Overal tegen de muren stonden op de vloer geplaatste, grote schilderijen te drogen. Abstracte schilderijen, die Nikki de afgelopen tijd had gemaakt. Se-bastian bekeek de bij elkaar geraapte, vreemd aandoende inrichting, die waarschijnlijk afkomstig was uit kringloopwinkels en van vlooi-enmarkten en die uiteenliep van een oude Chesterfield-bank tot een verroeste deur op een paar schragen. Mogelijk zat er een esthetische logica in het geheel, maar die ontging hem dan volledig.

'Goed, vertel het maar,' zei hij op gebiedende toon.

'Ik heb het je al uitgelegd. Sinds zaterdagmorgen heb ik niets meer van Jeremy gehoord.'

Hij schudde zijn hoofd.

'Zaterdag? Het is nu dinsdag!'

'Ik weet het.'

'En nu pas word je ongerust?'

'Ik heb je gebeld omdat ik je hulp nodig heb, niet om me met allerlei verwijten om de oren te laten slaan.'

'Maar in wat voor een wereld leef jij? Weet je hoe moeilijk het is om een kind meer dan achtenveertig uur na zijn verdwijning nog terug te vinden?'

Ze onderdrukte een schreeuw en greep hem krachtig bij de kraag van zijn jasje in een poging hem eruit te gooien.

'Sodemieter op! Als je niet gekomen bent om me te helpen, ga dan alsjeblieft naar huis!'

Verrast door de heftigheid van haar aanval lukte het hem zich los te maken, Nikki's handen te pakken en haar vast te houden.

'Leg me dan eens uit waarom je me niet eerder hebt gewaarschuwd!'Ze keek hem strak aan. Haar irissen hadden goudbruine aderen en in haar ogen lag een uitdagende blik.

'Als je wat meer belangstelling had gehad voor je zoon, dan had ik misschien niet zo geaarzeld!'

Sebastian accepteerde het verwijt zonder tegensputteren en reageerde op aanzienlijk kalmere toon: 'Ik beloof je dat we Jeremy terugvinden, maar je moet me het hele verhaal vertellen, vanaf het begin.'

Wantrouwig wachtte Nikki een paar seconden voordat ze haar ogen neersloeg.

'Ga zitten, dan ga ik even koffiezetten.'

6

'Ik heb Jeremy zaterdagochtend rond tien uur voor het laatst gezien, net voordat hij naar boksles vertrok.'

Nikki's stem klonk zorgelijk.

Sebastian fronste zijn wenkbrauwen.

'Sinds wanneer doet hij aan boksen?'

'Al ruim een jaar. Wist je dat soms niet?'

Hij trok een ongelovig gezicht. Het kostte hem moeite om zich Jeremy met zijn slungelige puberlijf voor te stellen in een boksring.

'We hebben samen ontbeten,' ging Nikki verder. 'Toen hebben we onze spullen ingepakt. We hadden haast want Lorenzo wachtte beneden op me. We zouden een weekendje naar de Catskills gaan en...'

'Lorenzo?'

'Lorenzo Santos, mijn vriend.'

'Nog steeds die politieagent of is het weer een ander?'

'Verdomme, Sebastian, waar ben je op uit?' reageerde ze geïrriteerd.

Hij maakte een verontschuldigend gebaar en ze ging verder: 'Net voordat ik het huis verliet, vroeg Jeremy of hij die nacht bij zijn vriend Simon kon logeren. Ik vond het goed, want het gebeurde regelmatig op zaterdagavond dat de een bij de ander logeerde, het was bijna een gewoonte.'

'Het eerste nieuwtje.'

Ze reageerde niet.

'Hij gaf me een zoen en vertrok. Ik hoorde verder niets van hem tijdens het weekend, maar daarover maakte ik me niet ongerust.'

'Kijk eens aan...'

'Hij is vijftien en geen kind meer. Bovendien is Simon bijna volwassen.'

Sebastian sloeg zijn ogen op, maar zei niets.

'Zondagavond kwam ik terug in Brooklyn. Omdat het al laat was, ben ik bij Santos blijven slapen.'

Sebastian wierp haar een kille blik toe en vroeg toen: 'En maandag-ochtend?'

'Tegen negen uur ben ik hier even langsgegaan. Rond die tijd is hij meestal vertrokken naar school. Dus het was niet vreemd dat hij er niet was.'

Sebastian werd ongeduldig. 'En toen?'

'Ik heb de hele dag gewerkt aan de expositie van mijn schilderijen in het BWAC, een gebouw bij de kades, waarin een kunstenaarscollectief zit...'

'Oké, Nikki, bespaar me de details!'

''s Middags hoorde ik op mijn voicemail een berichtje van school dat Jeremy had gespijbeld.'

'Heb je de ouders van die vriend gebeld?'

'Gisteravond had ik Simons moeder aan de lijn. Ze vertelde me dat haar zoon een paar dagen eerder was vertrokken voor een studiereis. Jeremy had dit weekend dus niet bij hen geslapen.'

Sebastians mobieltje trilde in zijn zak en hij keek op het scherm: het was iemand van Farasio, die zich waarschijnlijk druk maakte over de expertise van hun viool.

'Op dat moment werd ik echt bang,' ging Nikki verder. 'Ik wilde naar het politiebureau gaan, maar ik wist niet zeker of ze me wel serieus zouden nemen.'

'Hoezo?'

'Om eerlijk te zijn, dit is niet de eerste keer dat Jeremy niet thuis slaapt...'

Sebastian slaakte een diepe zucht. Hij viel bijna om van verbazing.

'In augustus was Jeremy twee dagen van de aardbodem verdwenen. Ik was in alle staten en bracht het politiebureau van district 1 in Bush-wick op de hoogte van zijn verdwijning. Uiteindelijk dook hij op dag drie weer op. Hij was alleen maar een paar dagen gaan wandelen in Adirondack Parc.'

'Wat een klootzak!' Sebastian sprong uit zijn vel van woede.

'Je kunt je de reactie van de agenten voorstellen. Die vonden het leuk om me onder mijn neus te wrijven dat ik hun tijd verspilde en dat ik niet in staat was om mijn zoon onder de duim te houden.'

Sebastian zag het tafereel voor zich. Hij wreef over zijn ogen.

'Deze keer bel ik wel. Maar niet met een van die onderknuppels. Ik ken de burgemeester, zijn dochter zit in dezelfde klas als Camille en ik heb de viool van zijn vrouw gerepareerd. Ik vraag hem me in contact te brengen met...'

'Wacht even, Sebastian, je weet nog niet alles...'

'Er is nog meer?'

'Jeremy had al eerder een probleempje: hij heeft een strafblad.'

Sebastian keek haar zwijgend en vol ongeloof aan.

'Dat meen je toch niet? En dat heb je me nooit verteld?'

'Hij heeft de laatste tijd een aantal stommiteiten begaan.'

'Wat voor stommiteiten?'

'Zes maanden geleden is hij door surveillerende agenten betrapt terwijl hij een vrachtwagen met graffiti bespoot in een hangar van IKEA.'

Ze nam een slok van haar koffie en schudde wanhopig haar hoofd.

'Alsof die idioten niets anders te doen hebben dan achter kinderen aan te zitten die van kunst houden!' riep ze uit.

Sebastian keek verbaasd. Ze beschouwde graffiti als kunst? Nikki had duidelijk een heel andere kijk op bepaalde zaken dan hij.

'Is hij veroordeeld?'

'Ja. Hij kreeg een werkstraf van tien dagen. Maar drie weken geleden is hij gepakt voor winkeldiefstal.'

'Wat heeft hij gestolen?'

'Een videogame. Maar maakt dat wat uit? Had jij soms liever gezien dat hij een boek had gestolen?'

Sebastian negeerde de provocerende opmerking. Een tweede veroordeling was een ramp. In het kader van het zerotolerancebeleid kon zijn zoon nu voor het minste of geringste naar de gevangenis worden gestuurd.

'Ik ben als een bezetene tekeergegaan tegen de eigenaar van die winkel om te voorkomen dat ze aangifte zouden doen,' stelde Nikki hem gerust.

'Ongelofelijk! Wat is er met die jongen aan de hand?'

'Kom op zeg, het is niet het einde van de wereld. Iedereen heeft weleens iets gestolen in zijn leven. Dat is normaal als je opgroeit...'

'Het is normaal om te stelen?' Opnieuw schreeuwde Sebastian het uit.

'Dat hoort nu eenmaal bij het opgroeien. Toen ik jong was, pikte ik lingerie, kleren en parfum. We hebben elkaar zelfs op die manier ontmoet, weet je dat wel?'

Was dat maar nooit gebeurd, dacht Sebastian, en hij stond op. Hij probeerde zijn gedachten op een rijtje te zetten. Moesten ze zich echt ongerust maken? Als Jeremy er een gewoonte van had gemaakt om er af en toe tussenuit te knijpen...

Alsof ze zijn gedachten had geraden, ging Nikki verder: 'Ik ben ervan overtuigd dat het nu serieus is, Sebastian. Jeremy heeft na de vorige keer gezien hoe ellendig ik me voelde en heeft me beloofd dat hij me zou laten weten waar hij was.'

'Wat wil je dat we doen?'

'Geen flauw idee. Ik heb de Spoedeisende Hulp van de belangrijkste ziekenhuizen gebeld, ik...'

'Heb je niets raars gevonden toen je zijn kamer doorzocht?'

'Hoe bedoel je, zijn kamer doorzocht?'

'Heb je dat niet gedaan?'

'Nee, dat is zijn privéterrein, dat is...'

'Privéterrein? Maar Nikki, hij is al drie dagen spoorloos!' riep Sebastian en hij liep naar de trap die naar de bovenverdieping leidde.

7

'Toen ik tiener was, had ik er een ontzettende hekel aan als mijn moeder in mijn spullen rondsnuffelde.'

Ondanks haar bezorgdheid had Nikki er zichtbaar moeite mee om de privézaken van haar zoon te doorzoeken.

'Doorzoek jij Camille's kamer?'

'Elke week,' antwoordde Sebastian zonder enige blijk van emotie.

'Dan heb je echt een groot probleem, zeg...'

Kan zijn, dacht hij kwaad toen hij aan de slag ging, maar zij is in elk geval niet spoorloos verdwenen.

De kamer van Jeremy was groot, dankzij de bijzondere architectuur van de voormalige fabriek. Het was het hol van een nerd en het maakte een nogal chaotische indruk, met posters van cultfilms aan de muren: *Wargames, Back to the Future, Innerspace, Tron.* Tegen een van de wanden stond een *fixie*, een fiets met een vaste versnelling. In een hoek van de kamer stond een zuil in de vorm van Donkey Kong uit de jaren tachtig. De afvalbak puilde uit met bakjes van kipnuggets, pizzadozen en blikjes Red Bull.

'Wat een onbeschrijfelijke rotzooi!' riep Sebastian. 'Ruimt hij ooit weleens zijn kamer op?'

Nikki wierp hem een dodelijke blik toe, maar hield zich in en ging verder met haar zoektocht. Ze opende een hangkast.

'Kennelijk heeft hij zijn rugzak meegenomen,' stelde ze vast.

Sebastian liep naar het bureau. Drie grote schermen stonden opgesteld in een halve cirkel en waren verbonden met een flinke server. Verder stond er ook nog een complete dj-uitrusting: draaitafels, mengpaneel, versterker, basspeakers. Allemaal professionele spullen met logo's van grote merken.

Waar haalde hij in vredesnaam het geld vandaan om dit soort dingen te kunnen betalen?

Hij bekeek de schappen, die doorbogen onder het gewicht van stapels stripboeken: *Batman, Superman, Kick-Ass, X-Men*. Met een afkeurende blik bladerde hij het bovenste exemplaar van de stapel door: een *Spiderman*, waarin Peter Parker was vervangen door een tiener met Afro-Amerikaanse en Spaanstalige ouders. '*The times they are a-changin*' zong Dylan toch...

Op een ander schap vond hij een hele rij boeken over de theorie van het pokeren en een aluminium koffertje met tien rijen fiches en twee stokken kaarten.

'Het lijkt hier wel een speelhol.'

'Ik heb dat koffertje niet voor hem gekocht,' verdedigde Nikki zich. 'Maar ik weet dat hij de laatste tijd veel pokerde.'

'Met wie?'

'Ik denk met zijn vrienden van school.'

Sebastian trok een grimas. Niets voor hem. Gelukkig zag hij dat er ook nog een paar 'echte' boeken op de plank stonden: *In de ban van de Ring, Dune, The Time Machine, Blade Runner*, de *Foundation*-cyclus van Isaac Asimov...

Naast alle noodzakelijke bezittingen voor een echte nerd die zijn naam eer aan wilde doen, stond er ook een dozijn boeken over scenario schrijven en biografieën over Stanley Kubrick, Quentin Tarantino, Christopher Nolan en Alfred Hitchcock.

'Heeft hij belangstelling voor films?' vroeg Sebastian verbaasd.

'Dat kun je toch wel zien! Hij droomt ervan om regisseur te worden. Heeft hij je nooit zijn zelfgemaakte filmpjes laten zien? Je weet waarschijnlijk niet eens dat hij een camera heeft?'

'Nee,' gaf Sebastian toe.

Enigszins bedroefd realiseerde hij zich dat hij zijn zoon eigenlijk nauwelijks kende. En dat lag niet zozeer aan het feit dat hij hem weinig zag, maar wel dat ze vrijwel niet met elkaar praatten. Ze maakten zelfs geen ruzie. Het was vooral onverschilligheid. Sebastian was tot de conclusie gekomen dat Jeremy niet de zoon was die hij zich had gewenst. Hij leek te veel op zijn moeder. Daarom had hij zich nauwelijks geïnteresseerd voor zijn ontwikkeling, zijn school en zijn ambities. Langzaam maar zeker had hij de handdoek in de ring gegooid, zonder al te veel schuldgevoel.

'Ik kan zijn paspoort ook nergens vinden,' zei Nikki bezorgd, terwijl ze de laden van het bureau doorzocht.

Peinzend drukte Sebastian op de enterknop van het toetsenbord. Jeremy speelde erg graag rollen in onlinegames. Het scherm ging aan en liet het laatste beeld zien voordat het was afgesloten: *World of Warcraft*. De game vroeg om het wachtwoord.

'Dat heeft geen zin,' probeerde Nikki hem af te schrikken. 'Hij is compleet paranoïde voor alles wat met zijn computer te maken heeft en hij weet meer van informatica dan jij en ik samen.'

Jammer, want op deze manier kreeg hij geen toegang tot misschien wel belangrijke informatie. Sebastian wilde net de raad van zijn ex opvolgen toen hij een externe harde schijf ontdekte, die met de computer was verbonden. Misschien was de randapparatuur niet beveiligd.

'Heb je een laptop? We kunnen proberen of we hem aan de praat krijgen.'

'Ik zal hem even halen.'

Terwijl Nikki weg was, bekeek Sebastian de achterste wand van de kamer, waarop Jeremy in graffiti een kleurrijke en mystieke 'fresco' had gemaakt, waarin een vriendelijk uitziende Christusfiguur in een blauwgroene hemel zweefde. Hij liep naar de schildering toe en bekeek de spuitbussen verf, die voor de muur op de grond stonden. Ondanks het open raam hing de sterke geur van oplosmiddelen nog altijd in de lucht. Het werk was pas kortgeleden gemaakt.

'Is hij een beetje de mystieke kant op gegaan?' vroeg hij toen Nikki weer terugkwam in de kamer.

'Niet dat ik weet. Maar ik vind het erg mooi.'

'Meen je dat echt? Of verblindt de ouderliefde je...'

Ze gaf hem de laptop en keek hem boos aan.

'Misschien was ik verblind toen ik jou ontmoette, maar...'

'Maar wat?'

Nikki zag af van de confrontatie. Er waren belangrijkere dingen te doen. Sebastian pakte de notebook, sloot de harde schijf erop aan en bekeek de inhoud. Hij stond vol met films en muziekbestanden, die van internet waren gedownload. Kennelijk was Jeremy een fervent liefhebber van de rockband The Shooters. Sebastian bekeek een paar seconden van een opname van een van hun concerten: beetje idiote garagerock, een slap aftreksel van The Strokes of The Libertines.

'Ken je deze bullshit?'

'Dat is een groep hier uit Brooklyn, Jeremy gaat vaak naar hun concerten.'

Wat een bagger, dacht Sebastian toen hij de songtekst hoorde.

Terwijl hij de bestanden doorzocht ontdekte hij tientallen tv-series waarvan hij nog nooit had gehoord en allerlei films met titels die weinig te raden overlieten en die stijf stonden van de *fucks*, de *boobs* en de *milfs*. Voor alle zekerheid opende hij een van de bestanden. Een rondborstige verpleegkundige verscheen op het scherm en opende smachtend haar uniformbloes voordat ze de onderbuik inclusief geslachtsdeel van haar 'patiënt' begon te strelen.

'Zo is het wel genoeg,' walgde Nikki. 'Wat een rotzooi!'

'Ach, maak je toch niet zo druk,' probeerde Sebastian haar te kalmeren.

'Jij vindt het niet erg dat je zoon naar porno kijkt?'

'Nee, en eerlijk gezegd vind ik het ook een geruststellend idee.'

'Geruststellend?'

'Met die androgyne kleren van hem en zijn nichterige gedrag begon ik me serieus af te vragen of hij niet homo is.'

Nikki staarde hem verbijsterd aan. 'Meen je dat nou werkelijk?'

Hij reageerde niet en ze ging door: 'Zelfs als hij gay zou zijn, dan nog zie ik het probleem niet!'

'Omdat hij het niet is, heeft het geen zin om erover te discussiëren.'

'Wat betreft ruimdenkendheid bevind je je nog steeds in de negentiende eeuw. Erg zorgwekkend, hoor.'

Sebastian ging niet in op die opmerking, maar dat weerhield Nikki er niet van om hem nog meer verwijten naar zijn hoofd te slingeren. 'Je bent niet alleen homofoob, maar je keurt ook nog eens dit soort films goed waarin vrouwen worden vernederd.'

'Ik ben niet homofoob en ik keur niets goed,' verdedigde Sebastian zich voorzichtig.

Hij opende de bovenste la van het bureau. Die lag vol met tientallen gekleurde snoepjes die uit een groot pak M&M's waren gevallen. Tussen het snoepgoed vond hij een visitekaartje van een tattooshop in Williamsburg, dat aan een schets van een draak was geniet.

'Een tattoo-ontwerp. Blijkbaar wil hij ons niets besparen. Kennelijk circuleert er onder tieners een lijst met alle denkbare en mogelijke stommiteiten die je kunt uithalen om je ouders te zieken.'

Nikki onderbrak haar zoekwerk om beter in de la te kunnen kijken. 'Heb je dat gezien?' Ze wees naar een pakje condooms waar het cellofaan nog omheen zat.

'Heeft je beschermeling een vriendinnetje?'

'Voor zover ik weet niet.'

Sebastian dacht even aan de strip met de pil, die hij twee uur eerder in de kamer van Camille had gevonden. De pil voor de één, condooms voor de ander: of hij dat nu wilde of niet, zijn kinderen werden groot. Wat betreft Jeremy was hij daar blij mee, maar voor zijn dochter was het tegendeel waar. Hij vroeg zich af of hij die gebeurtenis aan Nikki moest vertellen, maar juist op dat moment zag hij een half opgerookte joint liggen.

'Ik maak me meer zorgen om die shit dan om de porno! Wist je dat hij die troep rookte?'

Nikki werd volledig in beslag genomen door het doorzoeken van de kledingkast en haalde slechts haar schouders op.

'Ik vroeg je iets!'

'Wacht! Kijk hier eens.'

Toen ze een stapel sweaters optilde, had ze een mobieltje gevonden.

'Jeremy zou nooit weggaan zonder zijn mobiel.'

Ze gaf het toestel aan Sebastian. Toen hij het toestel uit zijn etui liet glijden, ontdekte hij een creditcard, die zat ingeklemd tussen de mobiel en het omhulsel. Hij zou ook nooit zijn vertrokken zonder zijn credit-card, dachten ze beiden terwijl ze elkaar ernstig aankeken...

8

De geur van rozemarijn en wilde bloemen hing in de lucht. Een frisse bries deed de rijen lavendel en struiken ruisen. Het dak van de voormalige fabriek was omgetoverd in een biologische groentetuin en bood een verrassend uitzicht op de East River, de skyline van Manhattan en het Vrijheidsbeeld.

Nikki was zenuwachtig en had zich teruggetrokken op het dak om een sigaret te roken. Leunend tegen een uit bakstenen opgetrokken schoorsteen zag ze Sebastian wandelen tussen de plantenbakken van teakhout, waarin pompoenen, courgettes, aubergines, artisjokken en kruiden groeiden.

'Mag ik er ook een van je?' vroeg hij toen hij bij haar kwam staan. Hij deed zijn das los en maakte zijn overhemd los om de nicotinepleister van zijn schouderblad te halen.

'Ik denk niet dat dat een goed idee is.'

Hij sloeg geen acht op de goede raad van zijn ex, stak de sigaret aan en nam een stevige trek voordat hij zich in zijn ogen wreef. Gekweld door een diepe bezorgdheid liet hij zijn gedachten gaan over alles wat hij zojuist gezien had tijdens het doorzoeken van de kamer van zijn zoon. Jeremy had gelogen toen hij had gevraagd of hij bij Simon mocht slapen, want hij wist dat zijn vriend weg was voor een studiereis. Hij was vertrokken met zijn rugzak en zijn paspoort, wat wees op een verre reis, misschien zelfs met het vliegtuig. Bovendien had hij noch zijn mobieltje noch zijn creditcard meegenomen, die zijn moeder hem had gegeven. Beide zouden zijn verblijfplaats verraden zodra de politie naar hem op zoek ging...

'Hij is er niet alleen vandoor gegaan, maar hij wil duidelijk ook niet dat hij wordt gevonden.'

'Waarom doet hij zoiets?' vroeg Nikki.

'Hij begaat opnieuw een stommiteit, dat is zo klaar als een klontje. En ongetwijfeld iets ernstigs,' antwoordde Sebastian.

Nikki kreeg tranen in haar ogen en voelde haar keel langzaam dicht-geknepen worden door een steeds heftigere angst die vanuit haar buik omhoogkwam. Haar zoon was intelligent en zelfredzaam, maar ook erg naïef en dromerig. Ze vond het niet leuk dat hij dingen stal, maar het feit dat hij verdwenen was vond ze ronduit verschrikkelijk! Voor de eerste keer in haar leven had ze er spijt van dat ze hem met zoveel vrij-heid had opgevoed, met als belangrijkste waarden grootmoedigheid, tolerantie en openheid ten opzichte van anderen. Sebastian had gelijk. De huidige wereld was te gevaarlijk en gewelddadig voor dromers en idealisten. Hoe kon je overleven zonder een flinke dosis cynisme, sluw-heid en hardheid?

Sebastian nam een nieuwe trek van zijn sigaret en ademde de rook uit in de kristalheldere lucht. Achter hem snorde de uitlaatpijp van de airco als een kat. Zijn angst stond in schril contrast met de vredige at-mosfeer van dit moderne tafereel. Hoog boven de huizen en op flinke afstand van Manhattan had je geen last van het geluid en de drukte van de stad. Een zwerm bijen was druk bezig om een voorraad aan te leg-gen voor de winter en zoemde rond een bijenkast. De door de struiken gefilterde zonnestralen toverden een bleek licht op een kleine, houten kuip met verroeste ijzeren ringen.

'Vertel me eens iets over de vrienden van Jeremy.'

Nikki drukte haar sigarettenpeuk uit in een bak met zand.

'Hij gaat altijd met dezelfde twee jongens om.'

'Die fameuze Simon...' raadde Sebastian.

'... en Thomas, zijn beste vriend.'

'Heb je hem al gesproken?'

'Ik heb een bericht voor hem ingesproken, maar hij heeft nog niet gereageerd.'

'Goed, waar wachten we nog op?'

'We kunnen hem opwachten bij de uitgang van de school,' consta-teerde Nikki terwijl ze op haar horloge keek.

Op hetzelfde moment liepen ze weg van hun plek over het betegelde pad dat tussen de plantenbakken door slingerde. Voordat ze het dak verlieten ontdekte Sebastian een klein bouwsel van zwart plastic.

'Wat bewaar je daarin?'

'Niets bijzonders,' antwoordde ze net iets te snel. 'Alleen wat gereed-schap.'

Hij keek haar wantrouwend aan. Hij was niet vergeten hoe haar stem veranderde als ze loog. En dat was nu het geval. Hij schoof een van de stukken plastic opzij en wierp een blik in de tent. Uit het zicht stond een dozijn cannabisplanten in aarden bloempotten. Het bouwsel was uitgerust met professionele spullen: daglichtlampen, luchtverversings-installatie, waterslangen met automatische dosering, zakken mest en andere state-of-the-arttuinbouwbenodigdheden.

'Neem toch eens je verantwoordelijkheid!' schreeuwde Sebastian verbijsterd.

'Wind je toch niet zo op vanwege een beetje wiet!'

'Een beetje wiet? Je bent drugs aan het telen!'

'Nou, als jij af en toe eens een joint zou roken, zou je een stuk minder gestrest zijn!'

Sebastian zag er de humor niet van in en werd alleen maar kwader.

'Zeg alsjeblieft niet dat je die rotzooi ook nog verkoopt, Nikki!'

Ze probeerde hem te kalmeren. 'Ik verkoop helemaal niets, het is alleen voor mijn persoonlijk gebruik. Honderd procent pure, biologische en ambachtelijk geteelde wiet. Een stuk beter dan de hars die allerlei dealers je aansmeren.'

'Totaal onverantwoord! Je zou de bak in kunnen draaien.'

'Hoezo? Ga jij me soms aangeven?'

'En die mooie vent van je, die Santos? Ik dacht dat hij bij de afdeling Narcotica werkte?'

'Die hebben andere dingen te doen, neem dat maar van mij aan.'

'En Jeremy? En Camille?'

'De kinderen komen hier nooit.'

'Hou toch op!' Hij wees op een fonkelnieuw basketbalbord dat kortgeleden aan het gaas was opgehangen.

Met een diepe zucht haalde Nikki haar schouders op.

'Hou op met je gezeur!'

Sebastian wendde zijn blik af en haalde diep adem in een poging zijn kalmte terug te vinden, maar de woede overspoelde hem als een golf, vol nare herinneringen en de pijn van slecht geheelde wonden. Ze lieten hem weer Nikki's ware gezicht zien: van een vrouw die nooit betrouwbaar was geweest en die je ook nooit zou kunnen vertrouwen. In een vlaag van woede greep hij haar bij de keel en duwde haar tegen een stalen rek.

'Als jij mijn zoon op de een of andere manier in contact hebt gebracht met drugs, dan maak ik je kapot. Begrepen?'

Hij greep haar nog steviger vast en duwde zijn duimen in haar hals om haar het ademen te beletten.

'Heb je dat begrepen?' herhaalde hij.

Ze stikte bijna en kon geen antwoord geven. Sebastian was buiten zichzelf van woede en drukte nog harder.

'Zweer dat de verdwijning van Jeremy niets te maken heeft met die dope van je!'

Terwijl Sebastian probeerde haar de baas te blijven, voelde hij opeens zijn benen onder zich weggeslagen worden. Nikki bevrijdde zichzelf met een verdedigingstechniek en greep bliksemsnel een verroeste snoeischaar die ze op de borst van haar ex-man zette.

'Als je me nog één keer aanraakt, maak ik je af. Ben ik duidelijk?'

9

De South Brooklyn Community High School was een groot gebouw van bruine baksteen, dat uitkeek over Conover Street. Het was lunchtijd, maar als je het aantal fastfoodwagens voor de deur in ogenschouw nam, kon het eten van de kantine niet veel bijzonders zijn.

Wantrouwig naderde Sebastian een van de 'eetkarren', die sinds enkele jaren overal in de stad opdoken om de honger van de New Yorkers te stillen. Elke wagen had zijn eigen specialiteit: hotdogs met kreeft, taco's, dim sum, falafel... Vanwege zijn obsessie voor hygiëne vermeed Sebastian normaliter dit soort lekkernijen, maar hij had sinds vanmorgen niets meer gegeten en hij voelde zijn maag rammelen.

'Die Zuid-Amerikaanse hapjes kun je beter niet nemen,' waarschuwde Nikki hem.

Uit pure recalcitrantie sloeg hij de goede raad in de wind en bestelde een portie *ceviche*, een Peruviaans recept met rauwe vis in citroensap.

'Hoe ziet die Thomas eruit?' vroeg hij toen de bel het einde van de lessen aankondigde en de leerlingen naar buiten stroomden.

'Ik geef je wel een seintje,' antwoordde Nikki terwijl ze turend naar de uitgang keek om de jongen niet te missen.

Sebastian betaalde zijn bestelling en proefde de vis. Hij slikte een hap door en de gekruide saus brandde in zijn keel. Hij vertrok zijn gezicht tot een grimas.

'Ik heb je gewaarschuwd,' verzuchtte Nikki.

Om het vuur in zijn keel te blussen dronk hij het hele glas *horchata* leeg, de bruine melkdrank van aardamandelen met de misselijkmakende zoete smaak van vanille, dat de verkoper hem had gegeven. Hij moest er bijna van overgeven.

'Kijk, daar heb je hem,' riep Nikki en ze wees op een jongeman in de menigte.

'Wie is het? Die puistenkop of dat joch met die pet?'

'Laat mij het woord doen, oké?'

'We zullen zien...'

Merkspijkerbroek, Wayfarer-bril, nauwsluitend zwart jasje, nonchalante houding, haar zorgvuldig door de war, openstaand wit overhemd met smalle borstkas: Thomas besteedde duidelijk veel aandacht aan zijn uiterlijk. Hij bracht elke morgen waarschijnlijk uren door in de badkamer om zijn image van jeugdige rocker te perfectioneren.

Nikki haalde hem in bij het omheinde basketbalveld.

'Hé, Thomas!'

'*Hello, m'dame*,' zei hij, terwijl hij een weerbarstige krul uit zijn gezicht veegde.

'Je hebt niet gereageerd op mijn berichtjes.'

'Ach ja, ik had geen tijd en zo.'

'Heb je niets gehoord van Jeremy?'

'Nee. Ik heb hem sinds vrijdag niet meer gezien.'

'Geen mailtjes, berichtjes, niet gebeld?'

'Niets.'

Sebastian bekeek de jongen aandachtig. Hij hield niet van de toon, noch van de houding van die kleine etter, die een paar gothic ringen droeg, parelmoeren kettingen en armbanden. Hij hield zijn afkeer echter voor zich en vroeg: 'Heb je enig idee waar hij zou kunnen zijn?'

Thomas keek naar Nikki.

'Wie is dat?'

'Ik ben de paus, lullo!'

De jongen deinsde even terug, maar gaf toch antwoord.

'De laatste tijd zagen we elkaar nauwelijks. Hij kwam niet meer naar de repetities van onze band.'

'Waarom niet?'

'Hij speelde liever poker.'

'Echt?' zei Nikki ongerust.

'Ik denk dat hij geld nodig had. Volgens mij heeft hij zelfs zijn basgitaar verkocht en zijn digitale camera op eBay gezet.'

'En waarvoor had hij dat geld nodig?' vroeg Nikki.

'Geen idee. Goed, ik moet ervandoor.'

Sebastian greep de jongen echter bij zijn schouder.

'Niet zo vlug. Met wie speelde hij poker?'

'Geen idee. Met gasten op internet...'

'Online?'

'Dat moet je aan Simon vragen,' probeerde hij de vraag te ontwijken.

40

'Simon is op studiereis, dat weet je heel goed,' zei Nikki.

Sebastian schudde de jongen wat door elkaar.

'Vertel op!'

'Hé! Raak me niet aan! Ik ken mijn rechten, hoor!'

Nikki probeerde haar ex te kalmeren, maar Sebastian verloor nu zijn geduld. Dat arrogante ventje werkte hem op zijn zenuwen.

'Met wie speelde Jeremy poker?'

'Met een stel rare gozers, *rounders...*'

'Wat zijn dat?'

'Gasten die *cash games* in de gaten houden en op zoek zijn naar gemakkelijke winst,' legde Thomas uit.

'Ze azen op minder ervaren spelers en plukken die vervolgens kaal. Is dat wat je bedoelt?'

'Ja,' bevestigde de jongen. 'Jeremy vond het leuk om als lokeend te fungeren en ze dan te grazen te nemen. Zo verdiende hij behoorlijk wat poen.'

'Hoe hoog was de inzet?'

'Nou, dat viel wel mee. We zitten hier niet in Las Vegas. Die lui speelden om hun rekeningen te betalen en hun kredieten af te lossen.'

Nikki en Sebastian keken elkaar bezorgd aan. Dit hele verhaal stonk behoorlijk: illegale gokspelen met minderjarigen, weglopen, mogelijke schulden...

'Waar werd er gespeeld?'

'In verlopen bars in Bushwick.'

'Heb je adressen?'

'Nee, ik hou me daar niet mee bezig.'

Sebastian wilde hem opnieuw door elkaar schudden, maar Nikki hield hem tegen. Volgens haar sprak de jongen deze keer de waarheid.

'Goed, ik ben nu weg. Bovendien barst ik van de honger!'

'Nog één ding, Thomas. Heeft Jeremy een vriendinnetje?'

'Zeker weten!'

Nikki leek verbaasd.

'Weet je hoe ze heet?'

'Het is een oudere vrouw.'

'Echt waar?'

'Een weduwe.'

Sebastian fronste zijn wenkbrauwen.

'We vroegen hoe ze heet.'

'Mevrouw Rukmedan,' antwoordde hij lachend.

Nikki zuchtte. Sebastian greep de jongen bij zijn hals en trok hem naar zich toe.

'Ik ben die pubergrapjes van jou helemaal zat! Heeft hij een vriendin, ja of nee?'

'Vorige week vertelde hij me dat hij een meisje had ontmoet op internet. Een Braziliaanse, geloof ik. Hij heeft me foto's laten zien. Een echte stoot. Maar volgens mij schepte hij vooral op. Jeremy zou nooit zo'n mooie meid kunnen versieren.'

Sebastian liet Thomas los, er viel niets meer te halen bij de jongen.

'Als je iets hoort, bel je me dan?' vroeg Nikki.

'Natuurlijk, m'dame,' zei hij terwijl hij wegliep.

Sebastian wreef over zijn slapen. Die melkmuil had hem uitgeput met zijn stem, zijn taalgebruik en zijn belachelijke uiterlijk. Wat een verschrikking.

'Wat een eikel, die gozer,' verzuchtte hij. 'We moeten in het vervolg maar beter in de gaten houden met wie onze zoon omgaat.'

'Dan zullen we hem eerst moeten vinden,' mompelde Nikki.

10

Ze staken de straat over naar de oude motor met zijspan van Nikki. Het was een antieke BMW 2-serie, uit de jaren zestig. Ze gaf hem de helm die hij op de heenweg had gedragen.

'En nu?'

Nikki's gezicht stond gespannen. Het begon er steeds meer op te lijken dat Jeremy ervandoor was gegaan. Om aan geld te komen had hij zijn basgitaar verkocht en zijn camera te koop gezet. Hij was vertrokken en had alle maatregelen genomen die nodig waren om niet gevonden te worden. En daarnaast had hij ook nog eens drie dagen voorsprong op hen.

'Als hij op deze manier is vertrokken, dan is hij bang,' constateerde ze. 'Heel bang.'

Sebastian spreidde zijn armen ten teken van onmacht.

'Maar bang voor wat dan? En waarom heeft hij ons niets verteld?'

'Omdat jij nu niet bepaald een toonbeeld van begrip bent.'

'En Camille dan? Misschien weet zij iets van haar broer?'

Nikki's gezicht fleurde op. Die mogelijkheid was het onderzoeken waard. Ook al zag de tweeling elkaar niet vaak, in de afgelopen maanden leken ze hun band wat aangehaald te hebben.

'Probeer haar eens te bellen.'

'Ik?' zei Nikki verbaasd.

'Dat lijkt me beter, ik leg het je nog wel uit...'

Terwijl Nikki het nummer van haar dochter intoetste, belde Sebastian naar zijn bedrijf. Joseph, zijn chef werkplaats, had twee berichten ingesproken en gevraagd of hij zo snel mogelijk wilde terugbellen.

'We hebben een groot probleem, Sebastian. Farasio heeft een aantal keer geprobeerd je te bereiken en ze vinden het heel vervelend dat je niet reageert op hun telefoontjes.'

'Ik was niet in de gelegenheid. Er is iets onverwachts gebeurd.'

'Luister, ze zijn onaangekondigd langsgekomen bij de werkplaats en zagen dat je niet aan het werk was. Ze willen voor één uur vanmiddag een bevestiging van je hebben dat je vanavond nog je eindverslag inlevert.'

'En anders?'

'En anders geven ze de expertiseopdracht aan Furstenberg.'

Sebastian slaakte een diepe zucht. Vanmorgen had hij het deksel van de beerput gehaald en nu wist hij niet meer hoe hij hem erop moest krijgen. Zo kalm mogelijk probeerde hij de situatie te analyseren. Dankzij de provisie die hij kreeg, kon de verkoop van de Carlo Bergonzi hem tot wel honderdvijftigduizend dollar opleveren. Dat bedrag had hij al opgenomen in zijn begroting en hij had het nodig om zijn bedrijf te kunnen laten draaien. Maar afgezien van de financiële kant van de zaak, zou het verlies van de Bergonzi veel reputatieschade opleveren. De vioolwereld was klein en dergelijk nieuws verspreidde zich snel.

Deze verkoop was een prestigieuze aangelegenheid en als Furstenberg, zijn grote concurrent, de kans kreeg om ermee aan de haal te gaan, dan zou hij die kans niet laten lopen en er zijn voordeel mee doen.

Sebastian wist waar Abraham de mosterd haalde. Hij werkte al meer dan twintig jaar met artiesten: wispelturige mensen, onrustig, vol twijfel. Musici die net zo onzeker waren als geniaal, met enorme ego's, die alleen wilden samenwerken met de allerbeste vioolbouwer. En de allerbeste vioolbouwer was hij! In nog geen twintig jaar had hij van Larabee & Son de beroemdste vioolbouwer van de Verenigde Staten gemaakt. Men erkende niet alleen zijn vakmanschap, maar vooral ook zijn gave, zijn absolute gehoor en zijn invoelingsvermogen richting zijn klanten, dat hem in staat stelde hun een instrument voor te stellen dat het best paste bij hun persoonlijkheid en hun spel. In blind uitgevoerde testen versloegen zijn violen regelmatig instrumenten van Stradivarius en Guarneri. De ultieme bekroning was dat zijn naam een 'excellent' label was geworden. Tegenwoordig kwamen musici naar zijn atelier om een 'Larabee' te kopen. Dankzij deze naam kon hij tientallen vioolspelers uit de internationale top tot zijn klantenkring rekenen. Langzaam, stap voor stap, was hij erin geslaagd hen ervan te overtuigen dat hij de aangewezen persoon was om hun instrument te verzorgen of om een nieuw exemplaar voor hen te bouwen. Maar hij was zich er terdege van bewust dat die positie kwetsbaar was. Ze was gebaseerd op onmiskenbaar vakmanschap, maar had ook te maken met de tijdgeest, het wankele evenwicht tussen communicatie en goede mond-tot-mond-reclame. In deze economisch moeilijke tijden loerden Furstenberg en de andere vioolbouwers nog meer op hun kansen dan anders en elk foutje werd genadeloos afgestraft. Het verlies van dit contract was dus uitgesloten. Einde discussie.

'Bel ze op namens mij,' zei hij Joseph.

'Ze willen met jou spreken.'

'Zeg hen dat ik ze over drie kwartier bel. Zo lang heb ik nodig om naar het atelier te komen. Ze ontvangen hun expertise nog voor vanavond.'

Hij was op hetzelfde moment klaar met bellen als Nikki.

'Camille neemt niet op. Ik heb een bericht ingesproken. Waarom wilde je haar zelf niet bellen?'

In plaats van antwoord te geven, liet hij weten wat hij van plan was. 'Luister Nikki, ik moet nu terug naar mijn atelier.'

Ze keek hem vol verbazing aan.

'Terug naar je atelier? Je zoon is verdwenen en jij gaat gewoon weer aan het werk?'

'Ik ben doodongerust, maar ik ben geen rechercheur. Er is onderzoek nodig...'

'Ik bel Santos wel,' onderbrak ze hem. 'Hij weet tenminste precies wat er moet gebeuren.'

De daad bij het woord voegend belde ze haar minnaar en vertelde in grote lijnen wat er was gebeurd rond de verdwijning van Jeremy.

Sebastian keek haar onbewogen aan. Ze probeerde hem te provoceren, maar hij trapte er niet in. Wat moest hij doen? In welke richting moest hij zoeken? Hij was niet in staat om een beslissing te nemen en voelde zich bang en machteloos. In deze situatie was de politie misschien een uitkomst en sowieso waren ze eigenlijk al te laat met het op de hoogte brengen van de autoriteiten. Terwijl hij wachtte op het einde van het gesprek, klom hij vast op de plek van de aap, de bijrijder die de motor in wedstrijden in evenwicht hield, en zette de grote pilotenbril en de leren helm op, die vast niet voldeed aan de geldende voorschriften. Hij voelde zich terneergeslagen door alles wat er was gebeurd. Wat deed hij hier in de zijspan van een idiote machine, uitgedost in potsierlijke kledij? Door welk duivels mechanisme leek zijn hele leven opeens in elkaar te storten? Waarom was hij ertoe veroordeeld om op deze manier weer met zijn ex in contact te komen? Waarom haalde zijn

45

zoon de ene stommiteit na de andere uit? Waarom moest zijn vijftien jaar oude dochter zo nodig met jongens naar bed? Waarom liep hij het gevaar dat zijn bedrijf ten onder ging?

Nikki hing op en kwam zonder een woord te zeggen naast hem zitten. Ze startte de motor, gaf gas en liet de motor brullen voordat ze wegreed richting de havens. Met zijn gezicht in de wind, zijn mond stijf dicht en zijn billen tegen elkaar geknepen, klemde Sebastian zich vast aan zijn zitplaats. Hij had zijn regenjas in het appartement laten liggen en rilde van de kou in zijn elegante, maar erg dunne kostuum.

In tegenstelling tot zijn ex was hij meer een huismus en zeker geen avonturier. Hij verkoos het comfort van zijn Jaguar boven dit rammelende voertuig. Mede omdat Nikki er een satanisch genoegen in leek te scheppen om voor elk gat in de weg nog eens een extra dot gas te geven. Eindelijk kwamen ze aan bij het voormalige fabrieksgebouw waarin het appartement van Nikki gelegen was.

'Ik loop even met je mee naar boven om mijn regenjas te halen,' zei hij, terwijl hij zichzelf uit de bak hees. 'Daarin zitten ook mijn autosleutels.'

'Je doet maar,' zei ze zonder hem aan te kijken, 'ik wacht op Santos.'

Hij volgde haar de trap op. Boven aangekomen deed ze de metalen deur open die toegang gaf tot de loft. Ze liep het appartement binnen en gilde toen van verbazing.

11

De bank was opengesneden, meubels waren omgesmeten, de kasten kapotgeslagen. Tijdens hun afwezigheid was het hele appartement verwoest, dat stond als een paal boven water. Met haar hart bonkend in haar keel nam Nikki de schade op. Alles lag ondersteboven. De tv was van de muur gerukt, de schilderijen over de vloer gegooid, laden omgekeerd en papier lag overal verspreid door de ruimte.

Ze stond te trillen op haar benen bij de aanblik van haar verwoeste interieur, haar geschonden privacy.

'Wat hebben ze meegenomen?' vroeg Sebastian.

'Dat is moeilijk te zeggen. Mijn laptop in elk geval niet, die staat nog op de keukenbar. Vreemd.'

Op een van de weinige stellingkasten die nog overeind stond ontdekte Sebastian een mooi versierd kistje.

'Is dat van waarde?'

'Zeker, mijn sieraden zitten erin.'

Hij opende het kistje. Het bevatte onder andere ringen en armbanden die hij haar vroeger had geschonken. Erg dure spullen, afkomstig van Tiffany.

'Welke dief is zo stom om een laptop en een juwelenkistje te laten staan die je niet over het hoofd kunt zien?'

'Sst!' beet ze hem toe en ze legde haar vinger op haar mond.

Hij zweeg zonder te begrijpen waarom, tot ze beiden gekraak hoorden. Er was nog iemand in het appartement! Met een handgebaar vroeg ze hem om niet te bewegen en ze liep de metalen trap op die naar boven ging. Aan de gang boven lag eerst haar eigen slaapkamer.

Die was leeg.

Daarnaast was die van Jeremy.

Te laat.

Het schuifraam dat uitkeek op de binnenplaats lag aan stukken. Nikki hing uit het raam en zag een zwaar silhouet vluchten over de gietijzeren brandtrap. Ze wilde net door het raam stappen om hem achterna te gaan...

'Beter van niet,' zei Sebastian en hij pakte haar vast bij haar arm. 'Hij is misschien gewapend.'

Ze gaf het op en onderzocht alle kamers een voor een. De inbreker of inbrekers hadden de woning van onder tot boven overhoopgehaald. Bij de aanblik van al haar over de grond verspreide spullen kwam Nikki tot de conclusie dat ze niets hadden meegenomen.

'Ze zijn niet gekomen om te stelen, maar waren duidelijk op zoek naar iets.'

Sebastian was vooral geïnteresseerd in Jeremy's kamer waar zo op het eerste gezicht niets weg leek te zijn. Min of meer automatisch zette hij de schermen weer in een halve cirkel. Hij had een bijna ziekelijke afkeer van wanorde, op de grens van professionele deformatie. Een maniakale behoefte aan netheid. Hij zette de fixie weer overeind, schoof de stellingkast die dreigde om te vallen weer op de juiste plek en verzamelde de op de vloer gevallen speelkaarten. Toen hij het koffertje met de pokerspullen oppakte, wachtte hem een verrassing: de fiches waren aan elkaar gelijmd. Elk stapeltje vormde een rond buisje, dat vanbinnen hol was. Hij keek erin: kleine plastic zakjes zaten ingeklemd tegen de binnenkant. Hij trok er één uit, het zal vol met wit poeder.

Nee, dat kon niet waar zijn...

Wanhopig draaide hij de twee buisjes om en een dozijn plastic zakjes vielen op het bed.

Cocaïne!

Hij geloofde zijn ogen niet.

'Verdomme!' riep Nikki toen ze de kamer binnenkwam.

Ze keken elkaar stomverbaasd aan.

'Dat zochten die dieven. Het is minstens een kilo!'

Nog steeds weigerde Sebastian het te geloven.

'Dat kan toch niet waar zijn. Het is te veel. Het is misschien... een rollenspel of een grap.'

Nikki schudde haar hoofd en maakte een vertwijfeld gebaar. Ze maakte een klein gaatje in een van de zakjes en proefde een beetje poeder. De bittere en prikkelende smaak had een verdovend effect op haar tong.

'Dat is cocaïne, Sebastian. Dat is één ding wat zeker is.'

'Maar hoe...'

Hij werd onderbroken door het geluid van een vrolijk tingelend carillon. Er belde iemand aan.

'Santos!' riep Nikki uit.

Zowel verbazing als verwarring was van hun gezicht af te lezen. Voor het eerst sinds jaren voelden ze zich verbonden door een gemeenschappelijk doel: hun zoon beschermen. Hun harten sloegen in hetzelfde ritme, ze voelden hetzelfde zweet en dezelfde angst.

De bel klingelde voor de tweede keer. De politieagent werd ongeduldig. Er was geen tijd meer voor getreuzel. Ze moesten een beslissing nemen en snel. Hier lag erg hard bewijs tegen Jeremy. Het was een dodelijke fout om hun ontdekking geheim te houden voor de politie, maar toegeven dat hun zoon een kilo cocaïne bewaarde in zijn kamer, betekende dat hij voor lange tijd in de gevangenis zou belanden. Dat zou hem zijn studie en zijn toekomst kosten. Hij zou terechtkomen in de hel van het gevangenisleven.

'We moeten...' begon Sebastian.

'... die dope laten verdwijnen,' vulde Nikki aan.

Samenwerking als laatste verdedigingslinie tegen het gevaar. Opgelucht over het feit dat ze het met elkaar eens waren, greep Sebastian verschillende zakjes coke en gooide ze in de toiletpot in de badkamer, die naast de slaapkamer lag. Nikki hielp hem en gooide de andere helft van de 'lading' in de pot.

De bel ging voor de derde keer.

'Ga maar opendoen! Ik kom eraan.'

Ze deed wat hij zei en terwijl ze de trap afliep trok Sebastian voor de eerste keer het toilet door. Het water had moeite om al het poeder weg te spoelen. In plaats van te verdwijnen in het riool, verstopten de plastic zakjes de afvoer. Sebastian trok opnieuw door, maar zonder succes. In paniek zag hij het witte water onverbiddelijk omhoogkomen tot aan de bril. Het dreigde eroverheen te lopen.

12

'Nou, dat duurde lang!' zei Santos. 'Ik begon me al ongerust te maken.'

'Ik had de bel niet gehoord,' loog Nikki.

Ze deed een stap opzij om hem binnen te laten, maar hij hield abrupt zijn pas in toen hij het verwoeste appartement zag.

'Wat is er hier in vredesnaam gebeurd? Is er een tornado door je woonkamer getrokken of zo?'

Verrast door de vraag had Nikki zo snel geen pasklaar antwoord bij de hand. Ze voelde haar hart tekeergaan en het zweet brak haar uit.

'Ik... ik was een beetje aan het opruimen, dat is alles.'

'Denk je dat ik gek ben? Even serieus, Nikki.'

Ze wist niet meer wat ze moest zeggen. Gezien de staat van het appartement, klonk haar verhaal niet heel overtuigend.

'Wat is er aan de hand?' zei Santos nadrukkelijk.

De overtuigende stem van Sebastian kwam als een opluchting. 'We hadden ruzie, dat kan gebeuren, nietwaar?'

Verrast draaide Santos zich om naar de onbekende. Om zijn rol van jaloerse ex nog wat aan te dikken, had Sebastian een agressieve uitdrukking op zijn gezicht.

'Noemen jullie dat ruzie?' zei de politieagent, terwijl hij naar de vernielde woonkamer wees.

Gegeneerd stelde Nikki de twee aan elkaar voor. De beide mannen begroetten elkaar met een kort hoofdknikje. Sebastian probeerde zijn verbazing te verbergen, maar hij was onder de indruk van de verschijning van Santos. De man was zeker een kop groter dan hij, had brede schouders, een getinte huid en fijne gelaatstrekken. Hij leek in geen enkel opzicht op de harde en domme smeris die hij zich voorgesteld had. Zijn goed gesneden pak moest de helft van zijn maandsalaris hebben gekost, zijn haar zat strak in model, hij was gladgeschoren en dat verzorgde uiterlijk maakte een vertrouwenwekkende indruk.

'Er is geen seconde meer te verliezen,' zei hij terwijl hij de beide ouders aankeek. 'Ik wil jullie niet bezorgd maken, maar drie dagen zonder enig teken van leven is erg lang voor een tiener.'

Zonder erbij na te denken deed hij zijn jasje los. Op erudiete toon ging hij verder: 'Verdwijningen zijn een zaak van de lokale autoriteiten, behalve als het onderzoek zich uitstrekt tot buiten de grenzen van de staat of als het om de verdwijning van een minderjarige gaat. In dat geval komt de FBI in actie via de CARD, de *Children Abduction Rapid Deployment*. Ik ken iemand van die organisatie en ik heb hem gebeld om hem op de hoogte te brengen van de verdwijning van Jeremy. Ze verwachten ons op hun bureau in Midtown, in het MetLife Building.'

'Oké, we gaan met je mee,' zei Nikki.

'Ik pak mijn eigen auto,' zei Sebastian om de spanning enigszins te doorbreken.

'Onzin. Ik ben met mijn dienstwagen en dankzij het zwaailicht zullen we geen last hebben van de files.'

Sebastian wierp een snelle blik op Nikki.

'We zien je daar, Lorenzo.'

'Wat een geweldig plan!' zei Santos ironisch. 'Laten we nog meer tijd verliezen!'

Hij begreep dat hij ze niet op andere gedachten kon brengen en liep naar de deur.

'Het is uiteindelijk jullie kind,' zei hij toen hij de deur achter zich dichtsloeg.

Het vertrek van de politieman maakte geen einde aan de spanning en verwarring die in de woning heersten. Nikki en Sebastian wisten nog altijd niet wat ze moesten doen en waren doodsbang dat ze de verkeerde beslissing zouden nemen. Ze vonden het lastig om alle informatie die aan het licht was gekomen goed te analyseren: de verdwijning van Jeremy, zijn voorliefde voor het pokeren, de ontdekking van de verdovende middelen...

In een reflex liepen ze weer terug naar de kamer van hun zoon. Op het allerlaatste moment was Sebastian erin geslaagd het toilet te ontstoppen met de steel van de wc-borstel. De sporen van de drugs waren nu verdwenen, maar daarmee kwam er geen einde aan de nachtmerrie waarin ze terechtgekomen waren.

Op zoek naar aanwijzingen onderzochten ze het aluminium koffertje en de inhoud ervan zorgvuldig. Het had geen dubbele bodem, geen bijzondere opschriften en ook op de speelkaarten en de fiches was niets te vinden. De binnenkant was bekleed met schuimrubber en had een insteekhoes. Sebastian voelde erin met zijn hand. Leeg... afgezien van een kartonnen bierviltje. Op de ene kant stond de reclame van een biermerk, op de andere een gestileerde tekening van een mes, en het logo en adres van een café:

Bar De Boemerang
  17 Frederick Street, Bushwick
  Eigenaar: Drake Decker

Hij gaf het viltje aan Nikki.
  'Ken jij die tent?'
  Ze schudde ontkennend haar hoofd.
  'Ongetwijfeld speelde hij daar poker.'
  Hij probeerde haar aan te kijken, maar ze wendde haar blik af. Bleek en rillend, met een starende blik in haar ogen, leek Nikki het contact met de realiteit te verliezen.
  'Nikki!' schreeuwde Sebastian.
  Plotseling rende ze de kamer uit. Op de trap kreeg hij haar te pakken en volgde hij haar naar de badkamer, waar ze een paar tranquillizers innam. Sebastian pakte haar stevig bij haar schouders.
  'Kom op! Beheers je, alsjeblieft!'
  Hij probeerde haar op kalme toon zijn plan uit te leggen. 'Dit is wat we gaan doen. Jij haalt de zijspan van je motor en rijdt zo snel mogelijk naar Manhattan. Daar vang je Camille op bij de uitgang van haar school.'
  Sebastian keek op zijn horloge.
  'Ze is om twee uur klaar. Als je nu vertrekt, ben je waarschijnlijk nog net op tijd. Dat gaat alleen lukken op een motor.'
  'Waarom ben je bezorgd om haar?'
  'Ik heb geen flauw idee wat die coke in de kamer van Jeremy deed, maar de gasten die vinden dat het van hen is, willen het terug, dat lijkt me wel duidelijk.'
  'Ze weten wie wij zijn.'
  'Ja. Ze kennen jouw adres en ongetwijfeld ook het mijne. Dus zijn we allemaal in gevaar: jij, ik, Jeremy en Camille. Ik hoop echt dat ik het bij het verkeerde eind heb, maar we nemen geen enkel risico.'
  Vreemd genoeg leek het onder woorden brengen van deze nieuwe

bedreiging Nikki terug te brengen in de werkelijkheid.

'Waar wil je dat ik haar heen breng?'

'Naar het station. Je zet haar op de trein naar East Hampton en stuurt haar...'

'... naar je moeder,' raadde ze.

'Daar zal ze veilig zijn.'

13

Het gebouw van de Johannes de Doper High School leek op een Griekse tempel. Het was perfect symmetrisch en de gevel van grijs marmer was versierd met twee driehoekige frontons en fijn gebeeldhouwde Dorische zuilen. Het devies van de school, *Scientia potestas est*, weten is kunnen, stond aan beide kanten van de monumentale trap trots in het steen gegraveerd. Het geheel gaf de school de allure van een tempel. De kille uitstraling van de stenen werd verzacht door het gezang van vogels en de zonnestralen, die werden gefilterd door de oranje bladeren. Het aristocratische gebouw ademde kalmte, cultuur en wetenschap uit en je kon je nauwelijks voorstellen dat je hier midden in Manhattan was, op slechts een paar passen van de lawaaierige en populaire attracties van Times Square.

Maar binnen een paar seconden kwam er een einde aan de kloosterachtige rust. Er verscheen een leerling op de bovenste treden van de trap en daarna verspreidden zich kleine groepjes meisjes over het trottoir. Overal klonk gelach en geschreeuw. Ondanks de schooluniformen en de teruggeslagen ronde boord van hun bloes gingen de gesprekken over minder beschaafde onderwerpen: ze hadden het over jongens, uitgaan, shoppen, diëten, Twitter en Facebook.

Nikki stond tegen het zadel van haar motor geleund en kneep haar ogen tot spleetjes terwijl ze tussen de honderden meisjes naar het slanke silhouet van Camille zocht. Ondanks haar opperste concentratie kreeg ze toch flarden van de gesprekken mee van de jeugd om haar heen. 'Ik vind Stephen vet cool!', 'Ik ben *grave* in love', 'Ik ben totaal geflipt!'

Eindelijk zag ze tot haar grote opluchting haar dochter.

'Wat doe jij hier, mam?' vroeg Camille verbaasd. 'Ik zag dat je een bericht voor me had ingesproken.'

'Ik heb niet veel tijd om het je uit te leggen, schat. Heb jij de afgelopen dagen misschien iets gehoord van Jeremy?'

'Nee,' verzekerde ze haar moeder.

Nikki vertelde haar over de verdwijning van haar broer, maar om haar niet onnodig bang te maken, zei ze niets over de vernieling van het appartement en over de vondst van de harddrugs.

'In afwachting van de afloop van dit hele gebeuren, zou pap het heel fijn vinden als je een paar dagen bij je oma zou doorbrengen.'

'Maar dat gaat absoluut niet. Ik heb deze week een heleboel proefwerken! En bovendien ga ik uit met mijn vriendinnen.'

Nikki probeerde haar te overtuigen.

'Luister, Camille. Ik zou hier niet staan als je niet in gevaar was.'

'Hoezo in gevaar? Mijn broer is verdwenen, nou en? Dat is niet de eerste keer, hoor.'

Nikki zuchtte en keek op haar horloge. Over nog geen halfuur vertrok er een trein naar East Hampton, maar dat was de laatste tot halfzes.

'Zet deze op!' beval ze haar dochter en ze gaf haar een helm.

'Maar...'

'Niks maar... Ik ben je moeder. Als ik je iets zeg, dan doe je dat, einde verhaal! En zonder tegenstribbelen.'

'Je lijkt pa wel!' klaagde Camille terwijl ze achter op de motor ging zitten.

'En beledig me niet, alsjeblieft!'

Nikki startte haar motor en verliet de Upper East Side. Ze volgde Lexington door de kloof van glas en beton en reed zo snel als ze kon terwijl ze zich concentreerde op het verkeer.

Geen ongeluk veroorzaken, vooral nu niet...

Vanwege de scheiding was de relatie tussen haar en Camille niet heel erg hecht geweest. Ze hield veel van haar, maar ze had niet de kans gehad om een goede band met haar op te bouwen. Dat was natuurlijk te wijten aan die idiote voorwaarden die Sebastian haar bij de scheiding had opgedrongen. Maar er was ook een heel andere, minder voor de hand liggende reden: ze had een complex ten opzichte van haar dochter. Camille was een briljante jonge meid met een klassieke culturele opvoeding. Op zeer jonge leeftijd had ze al honderden boeken gelezen en alle belangrijke films gezien. Wat dat betreft had Sebastian haar perfect opgevoed. Dankzij hem was ze opgegroeid in een zeer bevoorrecht milieu. Hij had haar meegenomen naar het theater, naar concerten en exposities...

Camille was een fijne meid, eerder bescheiden en niet neerbuigend, maar toch voelde Nikki zich vaak de mindere als ze het tijdens hun gesprekken over 'echte' cultuur had. Een moeder die geen benul had, die niet goed genoeg was. Elke keer als ze daaraan dacht sprongen de tranen in haar ogen, ondanks het feit dat ze veel moeite deed om haar verdriet te verdringen.

Vol gas reed ze langs het Grand Central en keek snel in haar spiegel voordat ze schakelde om een brandweerwagen in te halen. Het overweldigende gevoel van snelheid. Ze hield net zoveel van deze stad als dat ze hem haatte. Het gekrioel en de eeuwige beweging benamen haar de adem en verdoofden haar. Als een minuscuul stipje tussen de steile, glazen wanden van de kloof, schoot de motor vooruit. Loeiende sirenes, wolken uitlaatgas, nerveuze taxi's, claxons en geschreeuw.

Nikki schakelde terug, nam een ruime bocht en kwam op 39th Street uit, waarna ze het verkeer op Fashion Avenue in dook. De beelden flitsten aan haar voorbij: de dichte menigte, het gescheurde asfalt, de gebutste wagens van de hotdogverkopers, de metalen schitteringen van de grote gebouwen, een paar spillebenen, die in het groot waren afgebeeld op een gevel. Ze kwam aan op Pennsylvania Avenue en slaagde erin haar motor tussen twee auto's te persen.

New York was de hel voor alles wat op twee wielen reed: de wegen waren slecht en je mocht nergens parkeren.

'We zijn er, iedereen uitstappen!'

Camille sprong op de stoep en hielp haar moeder met het hangslot van de BMW.

Het was zes minuten voor halfdrie, de trein vertrok over tien minuten.

'Schiet op, lieverd.'

Ze staken de straat over te midden van het drukke verkeer en gingen het lelijke gebouw binnen waaronder Penn Station lag. Als je de foto's moest geloven die in de hal hingen van het drukste station van de Verenigde Staten, dan was het vroeger een schitterend bouwwerk geweest, dat versierd was met zuilen van roze graniet. De enorme hal met het glazen dak had de afmetingen van een kathedraal en was voorzien van waterspuwers, glas-in-loodramen en marmeren beelden. Maar die mooie tijd was allang voorbij. Onder druk van bouwbaronnen en de entertainmentindustrie was het gebouw in het begin van de jaren zestig gesloopt. In plaats daarvan was er een gebouw gekomen zonder ziel, maar met kantoren, hotels en bioscoopzalen.

Nikki en Camille werkten zich met behulp van hun ellebogen naar het loket.

'Een enkele reis East Hampton, alstublieft.'

De loketbediende, een vrouw met de omvang van een boeddha, nam alle tijd om een kaartje te maken. Het station leek wel een bijenkorf en was een kruispunt van lijnen die Washington en Boston met elkaar verbond, maar had ook verbindingen met veel stations in New Jersey en op Long Island.

Vierentwintig dollar. De trein zou over zes minuten vertrekken. Nikki nam het wisselgeld aan en pakte Camille bij de hand om haar mee naar beneden te nemen, waar de perrons lagen. Op de trappen was het overvol en verdrukten de mensen elkaar bijna. Schreeuwende kinderen, tegen elkaar duwende schouders, koffers die tegen je benen stootten, de geur van transpiratie.

'Perron 12, die kant op!'

Nikki trok haar dochter aan haar hand mee. Ze holden verder tot ze bij de goede trein waren.

'Vertrek over drie minuten,' riep de conducteur.

'Je belt ons zodra je er bent, oké?'

Camille knikte bevestigend. Toen Nikki vooroverboog om haar dochter te omhelzen, merkte ze dat die zich niet op haar gemak voelde.

'Je houdt iets voor me verborgen, klopt dat?'

Camille voelde zich aan de ene kant betrapt maar aan de andere kant ook opgelucht omdat er een last van haar schouders viel toen ze toegaf: 'Het gaat om Jeremy. Hij heeft me laten beloven dat ik er niet met je over zou praten, maar...'

'Heb je hem onlangs nog gezien?' raadde Nikki.

'Ja. Hij heeft me zaterdagmiddag opgezocht, na afloop van mijn tennisles.'

Zaterdag, drie dagen geleden...

'Hij leek erg ongerust,' ging Camille verder, 'en hij had ook erg veel haast. Hij zat in de problemen, dat was zonneklaar.'

'Heeft hij verteld wat voor problemen?'

'Hij heeft alleen gezegd dat hij geld nodig had.'

'Heb je hem wat gegeven?'

'Omdat ik vrijwel niets bij me had, is hij meegegaan naar huis.'

'Je vader was er niet?'

'Nee, die was aan het lunchen met Natalia.'

De trein stond op het punt om de deuren te sluiten. De laatste passagiers trokken een sprintje om nog in de wagon te kunnen springen. Aangemoedigd door haar moeder ging Camille verder:

'Ik heb Jeremy de tweehonderd dollar gegeven die ik in mijn kamer had, maar dat was niet genoeg voor hem. Hij wilde dat ik de kluis van pap openmaakte.'

'Weet je de combinatie?'

'Gemakkelijk: onze geboortedata!'

Een geluidssignaal kondigde het vertrek van de trein aan.

'Er lag vijfduizend dollar cash in de kluis,' zei het meisje terwijl ze in de trein sprong. 'Jeremy beloofde me dat hij het geld zou terugleggen voordat pap het ontdekte.'

Nikki bleef op het perron staan met een lijkbleek gezicht.

Bezorgd vroeg Camille wat er aan de hand was.

'Denk je dat hem iets overkomen is, mam?'

Op dat moment sloten de deuren van de trein zich.

14

Het weer was plotseling verslechterd.

Binnen een paar minuten was de lucht betrokken en waren er zwarte wolken ontstaan die de horizon bedekten.

Op de Brooklyn-Queens Express reden de auto's bumper aan bumper. Op weg naar het adres dat Santos had aangegeven, trok Sebastian in gedachten een lijn tussen de informatie die hij aan de FBI wilde vertellen en dat wat hij liever verzweeg. Het was een lastige keuze. Sinds hij in zijn auto was gestapt, probeerde hij tevergeefs een puzzel op te lossen waarin te veel stukjes ontbraken. Eén vraag bleef maar continu door zijn hoofd malen: waarom verstopte Jeremy in vredesnaam een kilo cocaïne in zijn kamer? Hij had maar één mogelijk antwoord: omdat hij die had gestolen. Ongetwijfeld van de eigenaar van die bar, De Boemerang. Daarna was hij in paniek geraakt over wat hij had gedaan en was hij gevlucht om aan de dealer te ontsnappen.

Maar hoe was hij om te beginnen in die nachtmerrie terechtgekomen? Zijn zoon was niet op zijn achterhoofd gevallen. Zijn recente akkefietjes met het OM waren in feite onbeduidend en hadden in de verste verte niets van doen met zware criminaliteit.

Plotseling begon het verkeer weer te rijden. De stadsautoweg dook een lange tunnel in en kwam weer boven de grond bij de kades langs de East River. Het mobieltje van Sebastian trilde in zijn zak. Het was Joseph.

'Het spijt me ontzettend, maar we zijn de opdracht kwijt,' zei de chef werkplaats. 'Furstenberg doet de expertise van de Bergonzi.'

Sebastian hoorde het vonnis aan zonder ook maar een spier te vertrekken. Op dit moment kon het hem allemaal nauwelijks iets schelen. Hij maakte van de gelegenheid gebruik om Joseph te overvallen met een vraag: 'Weet jij toevallig wat een kilo cocaïne kost?'

'Pardon? Je maakt zeker een grapje? Wat is er met je aan de hand?'

'Dat is een lang verhaal. Ik leg het je nog wel uit. Maar heb je enig idee hoeveel dat kost?'

'Ik heb totaal geen idee,' bekende Joseph. 'Ik loop hoofdzakelijk op single malt van een jaar of twintig...'

'Ik heb geen tijd voor grapjes, Joseph.'

'Oké... Ik denk dat de prijs afhangt van de kwaliteit en waar het spul vandaan komt...'

'Dat had ik zelf ook al bedacht. Kun je even voor me op internet speuren?'

'Wacht even, ik kijk even op Google. Tja, wat zal ik intoetsen?'

'Kan me niet schelen, maar schiet alsjeblieft een beetje op.'

Met zijn mobiel tegen zijn oor gedrukt kwam Sebastian in een strook met wegwerkzaamheden terecht. Een wegwerker regelde het verkeer en gaf hem een teken een omweg te nemen. Een scherpe bocht leidde hem in zuidelijke richting, waar een nieuwe file de afslag blokkeerde.

'Ik heb een artikel gevonden dat je verder kan helpen,' zei Joseph na een paar seconden. Luister: "In een parkeergarage in Washington Heights is negentig kilo cocaïne gevonden, met een geschatte straatwaarde van 5,2 miljoen dollar."'

Sebastian begon snel te rekenen: 'Als negentig kilo 5,2 miljoen dollar waard is, dan kost een kilo...'

'... iets minder dan zestigduizend dollar,' vulde Joseph aan. 'Kun je me nu vertellen...'

'Later, Joseph. Ik moet ophangen, bedankt.'

Er gloorde hoop in de ogen van Sebastian. Hij had een plan. Het was een groot bedrag, maar niet onoverkomelijk veel. Hij kon er in elk geval snel aan komen in contanten. Hij zou naar de bar De Boemerang gaan en Drake Decker een voorstel doen 'dat hij niet kon weigeren'. Hij zou hem de volledige waarde van de dope terugbetalen plus een premie van veertigduizend dollar als schadeloosstelling voor het ongemak en de belofte om Jeremy verder met rust te laten.

'Geld is de enige macht waarmee je nooit in discussie gaat.' Dat was het devies van zijn familie. Zijn grootvader had het citaat ooit uit een boek gehaald en het als een soort mantra herhaald en er in de loop van tientallen jaren de leidraad van de familie Larabee van gemaakt. Lange tijd had Sebastian dit een verachtelijke manier van denken gevonden, maar nu vond hij er op zijn beurt houvast aan. Hij had weer volledig vertrouwen in de toekomst. Het kwam allemaal weer op zijn pootjes terecht. Hij zou de dealer betalen om zijn familie uit de greep van de bedreiging te halen. En als hij zijn zoon weer terug had, zou hij zich bezighouden met zijn opvoeding en zijn vrienden. Het was nog niet te laat. Uiteindelijk zou deze periode alleen maar een heilzame werking hebben.

Zijn besluit stond vast. Er was geen minuut meer te verliezen.

Hij kwam bij de afslag die naar de oprit van de Manhattan Bridge leidde. Maar in plaats van de brug op te rijden, keerde hij om en reed terug richting Brooklyn. Op weg naar De Boemerang.

15

'Flikker op, klootzak!'

Deze scheldkanonnade kreeg Sebastian naar zijn hoofd geslingerd toen hij een groep daklozen voorbijreed die de vuilnisbakken van de Pizza Hut in Frederick Street doorzochten. Lurkend aan hun bierblikje, dat was verstopt in een plastic zakje, verdedigden ze hun territorium door passanten en autobestuurders uit te schelden die hun kant op keken.

'Rattenkop!'

Een vol bekertje koffie knalde op zijn voorruit. Sebastian deed zijn raam dicht en zette de ruitenwissers aan.

Aardige mensen hier...

Dit was de eerste keer dat hij in dit deel van de stad kwam. En hopelijk ook de laatste, dacht hij.

De geuren van de Porto Ricaanse keuken hingen in de vervuilde lucht. Uit de ramen klonk het ritme van Caraïbische muziek en Dominicaanse vlaggen versierden de balkons. Het was voor iedereen meteen duidelijk dat Bushwick een echt latinobolwerk was. De wijk strekte zich in alle richtingen uit over tientallen huizenblokken en had nog altijd een explosief karakter. De nieuwe rijken die zich in Williamsburg hadden gevestigd, hadden deze wijk nog niet ontdekt. Hier zag je nog geen poenige jongeren, hippe artiesten en biologische restaurantjes, maar rijen vervallen opslagplaatsen, huizen met golfplaten daken, bakstenen appartementengebouwen, muren vol graffiti en braakliggende terreinen vol verwilderde plantengroei.

De straat was breed en vrijwel verlaten. Sebastian vond De Boemerang, maar gaf er de voorkeur aan om de Jaguar in een zijstraat te parkeren. Hij deed de wagen op slot en liep terug naar Frederick Street, toen de eerste regendruppels vielen. Bushwick werd somber en grijs.

De Boemerang was bepaald geen gezellige en trendy tent. Het was een duistere kroeg in een achterstandswijk, sinister en vuil, waar men goedkope whisky schonk en sandwiches maakte met vleeswaren van twee dollar per kilo. Op het ijzeren rolluik was een stuk karton geplakt, waarop stond te lezen dat de kroeg pas om vijf uur 's middags openging. Toch was het rolluik voor driekwart omhoog en kon je bij de voordeur van het café komen. Sebastian tikte tegen de getinte ruit toen de regen harder begon te vallen.

Geen reactie.

Hij vatte moed, schoof het rolluik helemaal omhoog en probeerde de deur te openen.

Die bood geen weerstand.

Drijfnat door de regenbui, aarzelde Sebastian een moment. Dit was geen aantrekkelijke plek en de ruimte was donker. Uiteindelijk besloot hij naar binnen te gaan en sloot daarna zorgvuldig de deur, om niet het risico te lopen dat hij werd betrapt door voorbijgangers.

'Is er iemand?' riep hij terwijl hij behoedzaam doorliep. Na enkele stappen bracht hij zijn hand naar zijn mond. Een vieze stank benam hem de adem en bezorgde hem een wee gevoel in zijn maag. IJzerhoudende dampen, agressieve geuren...

Bloed.

Hij kreeg de neiging om te vluchten, maar onderdrukte zijn angst. Hij liep langs de muur en zocht op de tast naar de lichtknop. Toen het lugubere licht zich in de ruimte verspreidde, was hij verbijsterd door wat hij zag.

De bar droop van het bloed. De vloer zat vol zwarte, plakkerige vlekken. De bakstenen muren waren bedekt met een purperen, kleverige vloeistof. Het houtwerk droop van het vuil. Er zaten spetters op de schappen achter de bar, die uitpuilden van de flessen.

Een ware slachtpartij.

Achter in de ruimte lag een man in een enorme plas bloed.

Drake Decker?

Sebastian voelde zijn hart in zijn keel bonken. Ondanks zijn paniek en zijn gevoel van walging schuifelde hij richting het lichaam. Het enorme, verminkte lijk lag op de rug en het bloed liep eruit. De biljarttafel waarop het dode lichaam lag leek op een altaar, een soort offerblok waarop een rituele slachting werd verricht. De dode was een kale kolos met een snor, die zeker meer dan honderd kilo woog. De zwaar behaarde en dikke man had veel weg van een lid van de Bears, een erg mannelijk uitgedoste homogroep.

De stof van zijn kakikleurige broek was nu doordrenkt met zwart bloed. Het ruitjeshemd om zijn bovenlichaam stond grotendeels open en was bedekt met ingewanden. De darmen, de lever en de maag lagen door elkaar en vormden een visachtige en stroperige massa.

Meer kon Sebastian niet verdragen. Met zijn handen op zijn knieën gaf hij over en een gelige, bittere vloeistof kwam omhoog uit zijn lege maag. Een paar seconden bleef hij zo staan, drijfnat van het zweet, met een gloeiend gezicht, happend naar adem.

Toch slaagde hij erin zichzelf weer onder controle te krijgen. Uit het overhemd stak een portefeuille. Sebastian trok het leren etui eruit en bekeek het rijbewijs: het was inderdaad Drake Decker.

Terwijl hij probeerde de portefeuille terug te stoppen, ging er een schok door het lichaam van Drake. Sebastian schrok zich een ongeluk en voelde het bloed tegen zijn slapen kloppen. Een laatste stuiptrekking na de dood? Hij boog zich voorover naar het bloederige gezicht. Het 'lijk' opende plotseling de ogen. Sebastian schrok en schreeuwde het uit.

'Verdomme!'

Drake stond misschien op het punt om dood te gaan, maar zijn adem vermengde zich met een dun straaltje bloed dat uit zijn mond liep. Wat moest hij doen?

Paniek, een verdoofd en verstikkend gevoel.

Hij pakte zijn mobiel en belde het alarmnummer. Hij wilde niet zeggen wie hij was maar vroeg om een ambulance op Frederick Street nummer 17. Hij hing op en dwong zichzelf opnieuw naar het gezicht en het lichaam van Drake te kijken. De Bear was blijkbaar gemarteld zonder enige vorm van medelijden. Het bloed was in de wollen deken getrokken die over de leistenen plaat van het biljart lag. De stootranden van de tafel fungeerden als goten die de stroom bloed naar de zakken van het biljart leidden. Op dit moment was de man beslist dood.

De zure vloeistof brandde in zijn keel. Sebastian had een droge mond en stond te trillen op zijn benen. Er schoten allerlei gedachten door zijn hoofd.

Hij moest maken dat hij hier wegkwam. Nadenken kon hij altijd later nog. Toen hij rondkeek om te zien of hij niets had achtergelaten, zag hij op de bar een fles bourbon staan met een halfvol glas ernaast. Een schijfje sinaasappel en twee flinke ijsblokken dreven in de whisky. Vooral het laatste intrigeerde hem. Wie had er uit dat glas gedronken?

Zonder enige twijfel de slager die Drake had mishandeld. Maar als de ijsblokjes nog niet waren gesmolten, dan betekende dat dat de dader niet ver weg kon zijn. Misschien was hij zelfs nog hier...

Terwijl hij voorzichtig richting de deur liep, hoorde hij gekraak. En als Jeremy nu zat opgesloten in dit rattenhol?

Hij draaide zich om en zag een schaduw bewegen achter een gelakt kamerscherm.

Achter het houten scherm dook plotseling een reusachtige gestalte op die zijn kant op kwam. Hij had een koperkleurige huid, was breedgeschouderd en had een gezicht vol tatoeages, wat Sebastian aan een Maorikrijger deed denken. In zijn hand hield hij een groot, dubbelsnedig mes.

Sebastian bleef als aan de grond genageld staan. Hij deed zelfs zijn armen niet ter bescherming omhoog toen het mes op hem neerkwam.

16

'Laat dat!' schreeuwde Nikki toen ze de ruimte binnenstormde.

Stomverbaasd bleef de reus staan en Nikki profiteerde van het ver-rassingsmoment om de Maori een trap in zijn zij te geven. Die bracht hem echter niet uit zijn evenwicht en de moordenaar was snel weer bij de les. Deze twee tegenstanders boezemden hem totaal geen angst in.

Integendeel, aan de glimlach op zijn gezicht te zien, was de komst van de jonge vrouw eerder een leuke bijkomstigheid in dit gevecht.

Sebastian had van de situatie gebruikgemaakt om naar de achterkant van de zaal te vluchten. Niet zozeer uit angst, maar meer omdat hij geen idee had hoe hij in dit soort situaties moest handelen. Hij had in zijn leven nog nooit gevochten en hij had ook nog nooit een klap uitgedeeld noch gekregen.

Nikki verdedigde zichzelf en ontweek het mes met soepele bewe-gingen. Een kleine sprong, een schijnbeweging met haar lichaam, een draai. Alles wat ze ooit op de sportschool over boksen had geleerd, haalde ze nu uit de kast. Maar de reus zou niet oneindig in het luchtle-dige blijven zwaaien. Ze moest hem hoe dan ook ontwapenen.

Niet denken aan de geur van het bloed. Vergeet het gevoel van de dood die door de zaal waart. Niet aan Jeremy denken. Ik heb niet het recht om te sterven voordat ik mijn zoon weer heb teruggevonden.

Ze greep een biljartkeu die tegen de tafel stond. Die was misschien niet zo efficiënt als een mes, maar hij maakte het wel moeilijker voor de aanvaller om bij haar te komen. Gewapend met het stuk hout maaide ze door de lucht en een van haar aanvallen raakte de Maori. Hij stiet een boze kreet uit ten teken dat het nu lang genoeg had geduurd. Met een snelle, ronddraaiende beweging brak hij de biljartkeu doormid-den. Verrast smeet Nikki hem de twee stukken hout in zijn gezicht. Hij sloeg ze weg met een armgebaar.

Sebastian zag dat Nikki in de moeilijkheden zat en putte daaruit nieuwe kracht. Hij greep een brandblusser die aan de muur hing en rukte de verzegelingsring eruit.

'Hier! Probeer dit eens!' schreeuwde hij, terwijl hij het schuim tegen het hoofd van de aanvaller spoot.

Verrast probeerde de crimineel zijn ogen te beschermen, maar zijn mes liet hij niet los. Nikki profiteerde van het moment dat de reus niets kon zien en gaf hem een trap tussen zijn benen, terwijl Sebastian hem met alle kracht die hij in zich had met de brandblusser sloeg. Een van de slagen trof de getatoeëerde man vol op het hoofd, wat hem nog kwader maakte. Hij bevrijdde zich en wierp zijn mes in Nikki's richting. Ze kon het mes ternauwernood ontwijken. Het wapen miste zijn doel en kletterde tegen de muur.

Sebastian was de angst vanwege zijn benarde situatie inmiddels compleet vergeten en raakte nu in een soort euforie. In een vlaag van overmoedigheid besloot hij tot een frontale aanval op de Maori, maar hij gleed uit over een plas bloed. Hij krabbelde overeind en maakte een vuist om een kaakslag uit te delen. Maar het was al te laat; een geweldige slag recht op zijn gezicht wierp hem over de bar. In een poging zijn val te breken greep hij zich vast aan de schappen en sleepte de flessen en de grote spiegel met zich mee, die met een enorm gerinkel aan scherven vielen. Verdoofd door het geweld van de klap, bleef hij op de vloer liggen, niet in staat om op te staan.

De kolos was nu de bovenliggende partij en wilde er zo snel mogelijk een eind aan maken. Hij greep Nikki bij haar keel en gooide haar op de biljarttafel. Haar haren hingen in een plas bloed. Ze schreeuwde het uit van afgrijzen toen ze op een paar centimeter van het lijk van Drake terechtkwam. De Maori bewerkte haar gezicht met zijn vuisten en sloeg haar keer op keer.

Door het geweld verloor Nikki langzaam haar bewustzijn. Met haar laatste krachten strekte ze haar arm om het eerste het beste voorwerp te grijpen waar ze bij kon.

De gebroken biljartkeu.

Uitgeput gooide ze haar laatste restje energie in de strijd in een ultieme poging om te overleven. Als een speerpunt bereikte de stok het gezicht van de reus en gleed omlaag van zijn voorhoofd naar een van de wenkbrauwen. De punt raakte het vlees en boorde zich met een dof geluid in de oogbol.

De cycloop brulde van de pijn en liet zijn prooi los. Hij trok de puntige stok uit zijn oog en wankelde om zijn eigen as in het rond. Het laatste wat hij zag was Sebastian, die gewapend met een stuk gebroken spiegel op hem af kwam gestormd. Het glimmende stuk glas was zo scherp als een scheermes en sneed met één haal zijn halsslagader door.

17

'Nikki, we moeten hier weg!'

De lucht was zwaar en verstikkend.

Het bloed van de Maori, die tegen de bar in elkaar was gezakt, kwam in golven uit zijn halsslagader en de liters bloed veranderden het café in een macaber slachthuis. Het weerzinwekkende hol van een waanzinnige slachter, waar twee karkassen lagen te wachten om te worden uitgebeend.

Buiten sloeg de regen tegen de ramen. De wind gierde maar was niet luid genoeg om de sirene van de ambulance die de straat in kwam rijden te overstemmen.

'Sta op,' stamelde Sebastian. 'De ambulance komt eraan en de politie staat binnen een paar minuten voor de deur.'

Hij hielp Nikki overeind en pakte haar vast bij haar middel.

'Er is vast een achteruitgang.'

Via een deur achter in de bar leidde hij haar naar een binnenplaats die uitkwam op een steegje. Ontsnapt uit de hel, voelden de frisse buitenlucht en de stromende regen aan als een zegen van boven. Na alles wat ze zojuist hadden meegemaakt, hadden ze een enorme behoefte aan een urenlange douche om het bloed weg te wassen dat diep in hun vlees was getrokken.

Sebastian trok Nikki in de Jaguar, startte de motor en scheurde weg, terwijl de blauwe zwaailichten zich vermengden met het lugubere grijs van Bushwick.

Hij reed een flink eind door om buiten gevaar te zijn en stopte toen bij een schutting om een bouwput, in een verlaten straat in Bedford Stuyvesant. Hij zette de motor af. De wagen verdween onder een dik regengordijn.

'Wat deed je daar, verdomme!' riep Nikki, die op was van de zenuwen. 'We hadden afgesproken dat we elkaar op het bureau zouden zien!'

'Blijf in godsnaam rustig! Ik dacht dat ik het wel in mijn eentje kon regelen. Maar daar heb ik me duidelijk in vergist... Maar jij dan, hoe wist jij...'

'Ik wilde die plek zien voordat ik door die lui van de CARD door de mangel gehaald zou worden. Dat bleek achteraf bezien niet zo'n slecht idee volgens mij.'

Nikki trilde over haar hele lichaam.

'Wie waren die kerels?'

'Die grote baardaap was Drake Decker. Ik heb geen idee wie dat getatoeëerde monster was.'

Ze deed de zonneklep omlaag en bekeek zichzelf in het spiegeltje. Haar gezicht was opgezwollen, haar haren plakten aan elkaar door het bloed en haar kleren waren gescheurd.

'Hoe is Jeremy in vredesnaam in deze nachtmerrie terechtgekomen?' vroeg ze met verstikte stem. Toen ze haar ogen sloot brak er iets in haar binnenste. Haar lichaam schokte en ze barstte in huilen uit. Sebastian legde een hand op haar schouder om haar te troosten, maar ze duwde hem weg.

Hij zuchtte en wreef in zijn ogen, zijn hoofd voelde zwaar. Hij barstte van de koppijn en rilde in zijn doorweekte overhemd. Hij kon het zich maar nauwelijks voorstellen dat hij net een man had gedood door hem de keel door te snijden. Hoe had hij het voor elkaar gekregen om zich zo snel door de gebeurtenissen te laten meeslepen?

Vanmorgen was hij opgestaan in zijn comfortabele huis. De zon scheen in zijn kamer en alles was in orde geweest. Nu had hij bloed aan zijn handen, stond hij met één been in de gevangenis en had hij werkelijk waar geen idee waar zijn zoon was. Ondanks de verschrikkelijke, misselijkmakende pijn in zijn hoofd, probeerde hij zijn gedachten op een rijtje te krijgen. Zijn hersenen werden overspoeld met allerlei beelden: de terugkeer van Nikki in zijn leven, de ontdekking van de cocaïne, het verminkte lijk van Drake, het beestachtige geweld van de Maori, het stuk glas dat hij in zijn keel had gestoken...

De donder gromde en de regen viel met bakken uit de hemel. De auto werd heen en weer geschud door de wind als een notendop midden in een storm. Met zijn mouw veegde Sebastian het condens weg dat zich aan de binnenkant van de ruit had gevormd. Het zicht was nog geen drie meter.

Hij wendde zich tot zijn ex-vrouw: 'De informatie die we hebben, kunnen we niet achterhouden voor de politie.'

Nikki schudde haar hoofd. 'We hebben verdorie net iemand gedood! We kunnen niet meer terug. Het is absoluut uitgesloten dat we hun ook maar iets vertellen!'

'Nikki, Jeremy bevindt zich in veel groter gevaar dan we ooit hadden kunnen denken.'

Ze veegde de krullen uit haar gezicht.

'De politie gaat ons niet helpen, Sebastian, maak je maar geen illusies. Die zitten met twee lijken in hun maag en zoeken een schuldige.'

'Maar het was pure zelfverdediging!'

'Bewijs dat maar eens! Dat wordt knap lastig, geloof me. En de media vinden het geweldig om een beroemdheid aan het kruis te nagelen.'

Sebastian dacht na over haar argumenten. Diep in zijn hart wist hij dat ze gelijk had. Wat zich in de bar had afgespeeld voor hun komst, had niets van doen met een simpele afrekening tussen een stel dealers. Het was een ware slachtpartij geweest. En ook al hadden ze geen idee welke rol Jeremy in dit drama speelde, het was zo klaar als een klontje dat de problemen nu van een heel ander kaliber waren. Ze liepen niet alleen het risico dat ze hun zoon in de gevangenis zagen belanden, maar ze waren nu ook bang dat ze hem dood zouden terugvinden...

Hun mobieltjes gingen op hetzelfde moment over. Een suite van Bach op die van hem, een riff van Jimi Hendrix op die van haar. Nikki keek op haar scherm. Het was Santos, die zich op het bureau van de CARD, de afdeling van de FBI, waarschijnlijk ongerust maakte. Ze besloot de oproep te negeren en hem pas later op de hoogte te brengen.

Ze wierp een blik op het mobieltje van Sebastian. Het nummer gaf aan dat het gesprek afkomstig was uit het buitenland. Hij fronste zijn wenkbrauwen om aan te geven dat hij het nummer niet kende. Na een korte aarzeling besloot hij toch op te nemen en zette het toestel op de luidspreker.

'Meneer Larabee?' vroeg een mannenstem met een buitenlands accent.

'Daar spreekt u mee.'

'Ik denk zomaar dat u graag iets wilt horen over uw zoon.'

Sebastian voelde dat zijn keel werd dichtgeknepen.

'Wie bent u? Wat hebt u gedaan met...'

'Geniet maar van de video, meneer Larabee!' onderbrak de stem hem waarna hij de verbinding verbrak.

Onthutst en zwijgend keken ze elkaar aan, net zo bezorgd als verward.

Ze schrokken wakker uit hun verdoving door een piepend geluid. Op de smartphone van Nikki kwam een mail binnen. De afzender was onbekend en de mail was leeg, maar de bijlage die erbij zat had veel tijd nodig om binnen te komen.

'Een video,' constateerde Nikki. Met bevende vingers drukte ze op de knop om het bestand te openen. Onbewust legde ze haar hand op de arm van Sebastian.

De video startte. Ze was voorbereid op het ergste.

Buiten sloeg de stortregen onophoudelijk op het dak van de Jaguar.

18

De afdeling van de FBI die gespecialiseerd was in de verdwijning van minderjarigen, had haar kantoren gevestigd op de zesenvijftigste verdieping van het MetLife Building, een gigantische wolkenkrabber, die met zijn massieve en hoekige architectuur Park Avenue domineerde. Lorenzo Santos schoof ongeduldig heen en weer op zijn stoel in de wachtkamer, een lange gang van chroom en glas, die uitkeek over het oostelijke deel van Manhattan.

De inspecteur van de New York Police Department keek nerveus op zijn horloge. Hij wachtte nu al ruim een halfuur op Nikki. Zag ze misschien af van de aangifte van de verdwijning van haar zoon? Maar waarom dan? Ze gedroeg zich een beetje vreemd. Vanwege haar sloeg hij straks een modderfiguur bij zijn collega's van de FBI, bij wie hij deze urgente afspraak had geregeld.

Santos pakte zijn telefoon en sprak opnieuw een bericht in voor Nikki. Dit was zijn derde poging, maar blijkbaar drukte ze zijn oproepen weg en dat maakte hem woedend. Hij wist zeker dat het aan Sebastian Larabee lag, die jaloerse ex, die tot zijn ongenoegen plotseling was opgedoken. Verdomme! Er was geen denken aan dat hij Nikki zou opgeven. Sinds zes maanden was hij smoorverliefd op haar en lette hij op alles wat ze deed en op elke beweging van haar. Hij probeerde haar gedachten te lezen en analyseerde elk woord. Hij was altijd op zijn hoede en teerde nu weg van angst en verlangen. Deze vrouw had een onweerstaanbare aantrekkingskracht op hem en had hem veranderd in een armzalige junk die voortdurend hunkerde naar liefde.

Santos voelde een knoop in zijn maag van angst. Hij had het warm en transpireerde. Nikki was geen rustige en leuke geliefde, ze riep een hartstocht in hem op die hem gek maakte, hij kon alleen nog maar denken aan haar huid, de geur van haar lichaam en de blik in haar ogen. Hij was totaal verslaafd aan haar, geen enkele drug zou dezelfde uitwerking op hem hebben. Ze maakte hem zwak en machteloos, maar hij kon niet meer terug.

Verdoofd door bezorgdheid en woede stond hij op en liep naar het raam. De wachtruimte was kil en onpersoonlijk, maar het uitzicht was adembenemend. Je zag de stalen pijl en de gestileerde vleugels van het Chrysler Building, de kabels van de brug naar Williamsburg, de veerponten die over de East River gleden en in de verte strekten de daken van Queens zich uit tot aan de horizon.

De politieman slaakte een diepe zucht. Hij wilde zich zo graag losmaken van deze vrouw. Waarom had Nikki deze uitwerking op hem? Waarom zij? Wat had zij wat anderen niet hadden? Zoals zo vaak probeerde hij rationeel te zijn, maar hij wist dat dat tijdverspilling was. Zo'n betovering viel niet te beredeneren. Nikki was ontembaar en onafhankelijk en in haar ogen brandde een vlam die je vertelde: 'Ik zal altijd vrij zijn. Nooit zal ik van jou zijn.' En die vlam maakte hem gek.

Hij sloot zijn ogen. Het was opgehouden met regenen, de lucht was vol blauwe vlekken. Aan het begin van deze spannende avond gingen overal in de stad een voor een de lampen aan. Tweehonderd meter boven de grond leek New York leeg en vredig. Een enorm schip, dat ronddobberde in een schijnsel van licht.

Santos balde zijn vuist en duwde hem tegen het glas. Hij was geen gevoelig of romantisch type. Hij was erin geslaagd om snel zijn plek te vinden binnen de NYPD. Hij was erg ambitieus, kende zijn werkterrein goed en had in zijn district al heel wat lastige zaken opgelost, waarbij hij het geen probleem had gevonden om samen te werken met criminelen om op die manier een uitstekend netwerk van informanten op te bouwen. Narcotica was een moeilijke en gevaarlijke afdeling, maar hij had een dikke huid en was in staat om zich staande te houden in een weinig aantrekkelijk milieu. Hoe was het dan in godsnaam mogelijk dat een vent zoals hij zich zo had laten inpakken door de liefde? Hij was bepaald niet het type dat overal over klaagde en jammerde, maar hij moest bekennen dat hij op dit moment bang was. Hij was bang dat hij Nikki zou kwijtraken, of erger nog, dat een andere man haar van hem zou afpakken.

De ringtone van zijn mobiel deed hem opschrikken. Helaas, het was Mazzantini, zijn assistent.

'Met Santos,' zei hij toen hij opnam.

74

Door het geloei van de sirene en het lawaai van het verkeer op de achtergrond kon hij zijn assistent nauwelijks verstaan.

'We hebben een noodgeval, inspecteur: een dubbele moord in Bushwick. Ik ben onderweg.'

Een dubbele moord...

Het politie-instinct van Santos nam onmiddellijk het heft in handen. 'Welk adres?'

'De Boemerang, een bar in Frederick Street.'

'De bar van Drake Decker?'

'Volgens het ambulancepersoneel is het een ware slachtpartij geweest.'

'Ik kom er nu aan.'

Hij verbrak de verbinding, liep de gang uit en drukte op de liftknop om naar de parkeergarage te gaan en zijn dienstwagen op te halen.

Halfzes.

Een ramp om op dit tijdstip Manhattan uit te komen met de auto. Om door het verkeer te komen, zette Santos zijn zwaailicht en de sirene aan.

Union Square, Greenwich Village, Little Italy.

Twee lijken bij Drake Decker...

Sinds hij in Bushwick werkte, had Santos 'Grizzly Drake' een paar keer te pakken gehad, maar de eigenaar van De Boemerang was geen grote dealer. In de piramide van de drugshandel was hij niet een van de grote jongens die bevelen gaven. Hij was eerder een voorzichtige, beetje laffe leverancier, die regelmatig informatie doorgaf aan de politie.

Dit nieuws nam Santos' gedachten een poosje in beslag, maar het duurde niet lang voordat het beeld van Nikki weer opdoemde in zijn gedachten en hem afleidde. Hij keek op het scherm van zijn mobieltje. Ze had nog altijd niet gebeld.

Vervuld van angst reed hij over de Brooklyn Bridge. Er spookten allerlei vragen door zijn hoofd. Waar was ze op dit moment? Met wie? Hij móést het weten.

Natuurlijk moest hij zich nu concentreren op zijn onderzoek, maar toen hij aan de andere kant van de brug was, besloot hij dat die twee lijken wel even konden wachten en sloeg hij af naar Red Hook, de wijk waar Nikki woonde.

19

Brooklyn

Nikki en Sebastian waren teruggekeerd naar het vernielde appartement en zaten nu aan de houten bar in de keuken, met de laptop voor zich. Nikki stak de stekker in het stopcontact en opende haar mailbox om de video binnen te halen. Na de eerste beelden waren de vragen gekomen en hadden ze geprobeerd de video te ontcijferen, maar op het kleine schermpje van de smartphone was dat een vrijwel onmogelijke opgave geweest.

Nikki verplaatste het bestand naar een programma voor digitale beeldbewerking.

'Waar heb je dat geleerd?' vroeg Sebastian, die was verrast met hoeveel gemak Nikki de computer bediende.

'Ik hou me bezig met amateurtoneel in Williamsburg,' legde ze hem uit. 'Ik film de scènes die deel uitmaken van de voorstelling.'

Sebastian luisterde aandachtig. Hij had gehoord van deze nieuwe werkwijze, maar was niet overtuigd van het nut van het gebruik van videotechniek op het toneel. Dit was echter niet het moment om daarover een discussie te beginnen.

Nikki startte de video op het volledige scherm. Zo sterk uitvergroot was het beeld erg korrelig en ze paste de grootte aan om een bruikbare kwaliteit te krijgen. De video had geen geluid, was schokkerig en had een groene zweem. Waarschijnlijk waren het beelden van een bewakingscamera.

Opnieuw bekeken ze de beelden op normale snelheid. De opname duurde nog geen veertig seconden, maar de korte duur van het tafereel maakte het niet minder pijnlijk. De camera had een vaste, hoge positie en bewaakte een metrostation of het perron van een trein naar de buitenwijken. De opname begon bij de aankomst van een treinstel op het station. De deuren waren nauwelijks open of een jongeman stormde de wagon uit en rende weg. Je zag dat hij zich een weg baande door de menigte, terwijl hij werd achtervolgd door twee mannen. De achtervolging duurde maar een meter of dertig en eindigde onder aan de trap met een gewelddadige valpartij. In de laatste seconden van de registratie was het gezicht van een van de aanvallers zichtbaar, die met een onheilspellende glimlach recht in de camera keek. Toen eindigde de opname en stond het beeld op grijs.

De angst sloeg Nikki om het hart, maar ze probeerde haar emoties te onderdrukken. Dat was een absolute voorwaarde om de gegevens van de opname boven water te krijgen.

'Waar denk je dat het is?' vroeg ze.

Sebastian krabde zich achter zijn oren.

'Geen idee. Dat kan overal zijn.'

'Goed. Ik zal de opname nu vertraagd afspelen en zo nodig beeld voor beeld, om er zo veel mogelijk aanwijzingen uit te halen.'

Sebastian knikte en concentreerde zich.

Nikki was nauwelijks begonnen toen Sebastian naar het scherm wees. Rechts onderaan in het beeld stond de datum van de opname.

'Dertien oktober,' las hij terwijl hij zijn ogen tot spleetjes kneep. 'Dat was gisteren.'

Op de voorgrond was de metrowagon zichtbaar, die bij het perron tot stilstand kwam. Nikki drukte op de pauzeknop om het beeld beter te bekijken en de wagon aandachtiger te kunnen onderzoeken.

'Kun je inzoomen?'

Ze deed wat Sebastian vroeg. Kennelijk was het treinstel van een ouder bouwjaar. De wagons waren wit met groen en hadden verchroomde handgrepen.

'Er staat een logo op! Onder aan de wagon.'

Met behulp van de muis selecteerde ze dat deel van het beeld en zoomde in. Het logo was wazig, maar je kon duidelijk een gestileerd gezicht zien dat omhoogkeek.

'Komt het je bekend voor?' vroeg Sebastian.

Ze schudde ontkennend haar hoofd, maar begon toen te twijfelen.

'Tenminste, dat denk ik niet.'

Nikki startte de video opnieuw. De deuren gingen open en een jongeman in een leren jasje met imitatiebont werd zichtbaar. Ze zoomde weer in. De jongen keek omlaag en zijn gezicht was verborgen onder een honkbalpet van de Mets.

'We weten niet eens zeker of het Jeremy wel is,' constateerde Sebastian.

Nikki wist het echter zeker. 'Hij ziet er zo uit. Het zijn zijn pet en zijn kleren.'

Sebastian boog zich voorover naar het scherm, hij twijfelde nog steeds. De tiener droeg een skinny jeans, een T-shirt en een paar Converse-gympen, net als alle andere jongeren...

'Vertrouw nu maar op mijn moederinstinct,' hield Nikki vol.

Om haar gelijk te bewijzen, zoomde Nikki nog wat verder in op het T-shirt van de jongen en bewerkte het beeld zo goed mogelijk. In rode letters op een zwarte achtergrond werden langzaam de woorden THE SHOOTERS op het kledingstuk zichtbaar.

'Dat is de favoriete rockband van Jeremy!' riep Sebastian uit.

Nikki knikte zwijgend en ging verder met het onderzoeken van het beeld. In de verwarring sprong Jeremy uit de wagon in de menigte, om aan zijn achtervolgers te ontkomen. Uiteindelijk kwamen de beide mannen in het zicht van de camera. Hoogstwaarschijnlijk kwamen ze uit een andere wagon, maar ze waren alleen van achteren te zien. Ze bekeken de scène meerdere malen geconcentreerd, maar door de drukte en de afstand was het beeld niet scherp.

Daarna kwam het meest pijnlijke deel van de opname, waarop hun zoon aan het eind van het perron met veel geweld tegen de grond werd gewerkt, net voor de trappen. De laatste vijf seconden waren het meest opvallend: een van de aanvallers draaide zich om en zocht bewust de camera op voor zijn uitdagende glimlach.

'Die smeerlap weet dat hij wordt gefilmd!' riep Sebastian uit. 'Hij drijft de spot met ons!'

Nikki selecteerde het beeld en haalde alle technische mogelijkheden uit de kast om het zo scherp mogelijk te maken. De kerel zag er belachelijk uit met zijn sardonische lach, zijn wilde baard, het lange, vette haar, de donkere zonnebril en tot over de oren omlaag getrokken skimuts. Toen ze het beeld scherp had, zette Nikki de printer aan voor een afdruk.

Terwijl ze daarop wachtten, vroeg Sebastian zich af waarom ze de video hadden gekregen. 'Hij bevat geen instructies, ze vragen niet om losgeld, ik vind het allemaal nogal vreemd.'

'Misschien komt dat later nog.'

Hij pakte de foto van de printer en onderzocht het gezicht van de aanvaller op aanwijzingen die iets zouden verraden over zijn identiteit. Het leek wel of de man was geschminkt. Kende hij hem? Waarschijnlijk niet, maar het beeld was zo vaag dat hij het niet zeker wist. Bovendien was het gezicht verborgen achter de zonnebril, de muts en de onnatuurlijk aandoende baard.

Opnieuw startte Nikki de opname.

'Laten we ons concentreren op de plek en de omgeving. We móéten weten waar het is.'

Sebastian vergat de gezichten en de bewegingen en richtte al zijn aandacht op het station. Het was een ondergronds station met een gewelfd dak, dat twee sporen had. De wanden waren bedekt met witte tegeltjes en reclameborden.

'Kun je inzoomen op die poster?'

Nikki deed wat hij vroeg en zoomde in op een affiche met een rode fuchsia, een reclame voor de musical *My Fair Lady*. Terwijl ze het beeld stabiliseerde, ontcijferde ze de tekst: 'Châtelet. Het musicaltheater van Parijs.'

Sebastian was met stomheid geslagen.

Parijs...

'Wat doet Jeremy in vredesnaam in Frankrijk? Dit is absurd...'

En toch...

Toen herinnerde Sebastian zich opeens waar hij het logo met het omhoogkijkende gezicht eerder had gezien: tijdens zijn enige reis naar Parijs, zeventien jaar geleden. Hij opende een nieuw scherm op de laptop en toetste 'metro Parijs' in op Google. Twee muisklikken later zat hij op de site van de RATP, het vervoersbedrijf van Parijs.

'Het logo op de wagon is inderdaad dat van de Parijse metro.'

'Ik zal het station identificeren,' zei Nikki, en ze wees op een blauw bord op de achtergrond van het scherm, waarop in witte letters de metrohalte stond vermeld. Dat had echter heel wat voeten in de aarde: de lange en 'lastige' naam van het station verscheen slechts een fractie van een seconde in beeld, en dan ook nog maar gedeeltelijk. Na wat speurwerk op internet kwamen ze tot de conclusie dat het waarschijnlijk ging om Barbès-Rochechouart, een station in het noorden van de hoofdstad.

Sebastian raakte steeds meer in verwarring. Hoe was deze video bij hen terechtgekomen? In de gangen en op de perrons van de Parijse metro hingen net als in New York duizenden bewakingscamera's. De beelden daarvan waren echter niet vrij toegankelijk. De camera's waren verbonden met computers die de beelden normaal gesproken uitsluitend doorstuurden naar de politie in het geval van een justitieel onderzoek.

'Probeer nog eens dat nummer te bellen,' stelde Nikki voor.

Ze bedoelde het nummer dat op het scherm van het mobieltje was verschenen voordat ze de bedreiging hadden gekregen waarin de video werd aangekondigd. In de auto hadden ze geprobeerd terug te bellen nadat de video was binnengekomen, maar dat was niet gelukt.

Maar nu lag dat anders.

Nadat de telefoon drie keer was overgegaan, nam er iemand op en klonk een opgewekte stem: '*Allô! La Langue au chat.*'

Sebastian sprak slechts zeer gebrekkig Frans, maar begreep na paar keer uitleggen van degene aan de andere kant van de lijn dat La Langue au chat een café was in het vierde arrondissement van Parijs. De persoon met wie hij sprak was slechts de eigenaar van een bistro, die niets met de hele zaak te maken had. Waarschijnlijk had iemand een uur eerder vanuit zijn café gebeld. De man begreep er niets van en Sebastian werd boos.

'Ze houden ons voor de gek! Ze nemen een loopje met ons!'

'In elk geval leidt het spoor naar Parijs,' stelde Nikki vast.

Ze keek op haar horloge.

'Heb je je paspoort bij je?'

Sebastian knikte, maar toen hij begreep waar ze heen wilde, waarschuwde hij haar: 'Je wilt toch zeker niet vandaag nog naar Parijs gaan?'

'Dat is het enige wat we kunnen doen! Jij denkt wel veel na, maar je doet niets!'

'Wacht eens even! Denk je niet dat we nu een beetje te hard van stapel lopen? We weten niet wie die mensen zijn en we weten niet wat ze willen. Als we precies doen wat ze van ons verwachten, dan lopen we rechtstreeks in de val.'

Nikki was echter vastbesloten. 'Jij doet maar wat je wilt, Sebastian, maar ik ga.'

Hij greep uit onmacht met zijn handen naar zijn hoofd en wist niet meer wat hij moest doen. Hij besefte heel goed dat hij Nikki er niet van kon overtuigen om van de reis af te zien. Maar had hij een alternatief voor haar?

'Ik ga onze tickets bestellen,' zei hij uiteindelijk en hij zocht verbinding met de website van Delta Airlines.

Ze bedankte hem met een hoofdknikje en liep toen naar haar slaap-kamer om snel haar koffer te pakken.

Bevestig uw bankgegevens.

In deze rustige periode kostte het Sebastian geen enkele moeite om twee plaatsen te boeken voor de vlucht van tien voor tien. Hij betaalde online en printte de tickets en de boardingkaarten uit. Hij stond net op het punt om naar Nikki toe te lopen, toen het klingelende carillon hem deed opschrikken. In een reflex deed hij de laptop dicht en sloop toen op zijn tenen naar de voordeur en keek door het kijkgaatje.

Santos.

De laatste persoon op wie ze nu zaten te wachten!

Geruisloos pakte hij de tickets en liep de trap op naar Nikki, die haar kleren in een grote sporttas propte. Zwijgend articuleerde hij 'San-tos' en gaf haar met een wijsvinger op zijn lippen het teken hem te volgen naar Jeremy's kamer. Terwijl hij haar meenam naar het raam, stopte ze plotseling en draaide zich om naar het bureau om de rode iPod van haar zoon te pakken en in haar tas te stoppen.

Sebastian sloeg zijn ogen ten hemel.

'Wat nou? Ik heb vliegangst en als ik niet naar muziek luister, raak ik in paniek.'

'Schiet nou maar op!' spoorde hij haar aan.

Ze liep naar hem toe en hielp hem het schuifraam te openen. Sebastian stapte als eerste naar buiten en stak zijn hand naar haar uit om haar te helpen bij het vinden van de gietijzeren trap. Toen verdwenen ze samen in het donker.

20

'Nikki, doe open!'

Santos sloeg op de metalen toegangsdeur van de loft.

'Ik weet dat je er bent!'

Geërgerd sloeg hij hard met zijn vuist op het ijzeren oppervlak, maar het enige wat hij ermee bereikte was dat hij zich bezeerde.

'Verdomme!'

Ze hadden nu zes maanden een relatie, maar Nikki had hem nog steeds geen sleutel gegeven. Om door deze deur te komen, had je een stormram nodig... Hij liep terug naar de begane grond en maakte een rondje om het gebouw. Zoals hij al vermoedde brandde er nog licht op de bovenste twee verdiepingen. Hij liep over de brandtrap naar boven om via het raam naar binnen te gaan, toen hij zag dat een van de ramen openstond. Hij stapte de slaapkamer van Jeremy binnen.

'Nikki?'

Hij liep de gang in en doorzocht alle kamers een voor een. Het appartement was leeg, maar totaal vernield. Die klootzak van een Larabee had gewoon uit zijn nek gekletst toen hij het over een ruzie had! Santos probeerde te begrijpen wat er was gebeurd. Er was ingebroken, zoveel was wel duidelijk. Maar waarom had Nikki dat voor hem verborgen gehouden?

Zijn mobieltje trilde in zijn zak. Mazzantini werd ongeduldig. Santos wist dat hij moest opschieten en dat hij zo snel mogelijk naar de plaats delict in De Boemerang moest, maar besloot toch om de oproep van zijn assistent te negeren.

Zonder dat hij wist waar hij naar zocht, begon Santos de kamer van de jongen te doorzoeken. Hij vertrouwde op zijn onderzoeksinstinct. De kamer was onmiskenbaar minutieus onderzocht. Zou dat in verband staan met zijn mogelijke verdwijning? Hij bekeek het pokerkoffertje op het bed en ontdekte vrijwel meteen de gemanipuleerde fiches. Hij begreep niet meteen waarvoor ze dienden, maar wel dat dit een spoor was. In de badkamer verbaasde hij zich nauwelijks over de hoeveelheid voetsporen en al het water rond de wc-pot. Hij boog zich voorover en ontdekte sporen van wit poeder op de bril. Hij wist vrijwel zeker dat het niet om een schuurmiddel ging.

Cocaïne...

Voor alle zekerheid nam hij met een wattenstaafje een monster van het restant en deed het staafje in een van de plastic zakjes die hij altijd bij zich had. En ook al leek het onwaarschijnlijk, hij wist vrijwel zeker dat de analyse zou bevestigen wat hij intuïtief aanvoelde.

Ondanks zijn haast nam hij nog vijf minuten de tijd om zijn 'huiszoeking' af te ronden. Hij liep naar de benedenverdieping, onderzocht de woonkamer, opende enkele laatjes en bekeek de schappen. Toen hij op het punt stond het huis te verlaten, zag hij op de bar Nikki's laptop staan. Hij liep ernaartoe en opende de computer. Die ging direct aan en opende op de site van Delta Airlines. Santos bekeek het ene scherm na het andere en vond het pdf-bestand met de beide vliegtickets.

Hij vloekte luid en smeet de laptop tegen de muur. Nikki en haar ex waren van plan om vanavond naar Parijs te vliegen...

21

Het was nacht.

De Jaguar verliet de snelweg, op weg naar terminal 3 van JFK-airport. Hij reed door een van de toegangspoortjes van de parkeergarage voor lang parkeren en volgde de lange, ronddraaiende helling naar beneden, die leidde naar de zes ondergrondse verdiepingen.

'Je moet beslist andere kleren aantrekken,' zei Sebastian terwijl hij achteruit inparkeerde.

Ze waren hals over kop uit het huis vertrokken, zonder te douchen of andere kleren aan te trekken. Nikki bekeek haar kleren: ze zaten vol scheuren en bloedvlekken. In de achteruitkijkspiegel zag ze dat haar gezicht gezwollen was van de klappen, een van haar lippen was gescheurd en dat haar haren nog aan elkaar zaten geplakt.

'Als je zo door de vertrekhal loopt, hebben we binnen drie minuten de politie op ons dak.'

Ze pakte de sporttas die op de achterbank stond en trok snel wat anders aan. Met soepele bewegingen trok ze een trainingsbroek aan, een sweater met capuchon, een paar sportschoenen en stak ze haar haren op. Toen namen ze de lift naar de vertrekhal en kwamen zonder problemen door de identiteitscontrole en de bewakingspoortjes, die toegang gaven tot de gates. Op het moment dat ze aan boord gingen van het vliegtuig, trilde het mobieltje van Sebastian. Het was Camille. Ze zat nog in de trein die haar naar het huis van haar oma bracht, op Long Island. Zoals zo vaak had de Long Island Railroad vertraging, maar ze klonk opgewekt en leek niet boos te zijn op hem.

'Ik heb nu al zin in de kastanjes die oma straks voor me gaat poffen in de open haard!' zei ze enthousiast.

Sebastian slaakte een zucht van verlichting omdat zijn dochter in een goed humeur was. Een fractie van een seconde dacht hij terug aan de gelukkige tijd toen de tweeling nog jong was en dat Nikki hen meenam naar de bossen van Maine om kastanjes te zoeken. Lange wandelingen in de natuur, het gekraak van de schors die werd ingesneden, de warme gloed van de open haard, het metalen getingel van de koekenpan met gaten, de heerlijke geur die de kamer vulde, de zwarte vingers en het ietwat angstige gevoel om je vingers te branden als je de gepofte kastanjes openmaakte...

'Is er nog nieuws over Jeremy?'

Camille's vraag bracht hem weer terug in de werkelijkheid.

'We vinden hem wel terug, schat. Maak je niet ongerust.'

'Ben je samen met mam?'

'Ja, ik geef je haar.'

Sebastian gaf het mobieltje aan zijn ex-vrouw en liep verder door het middenpad van de Airbus. Toen hij bij hun plaatsen kwam, deed hij hun tas in het bagagerek en ging zitten.

'Vergeet niet om ons meteen te bellen als je iets van je broer hoort,' herhaalde Nikki tegen haar dochter.

'Ja, maar waar zijn jullie dan?' vroeg Camille.

'Eh... in een vliegtuig,' stamelde Nikki.

'Jullie samen? Maar waarheen dan?'

Nikki wist zich geen raad met het gesprek en probeerde er snel een einde aan te maken.

'Ik moet nu ophangen, lieverd, we gaan opstijgen. Ik hou van je.'

'Maar mam...'

Nikki verbrak de verbinding en gaf het toestel terug aan Sebastian voordat ze op haar plek bij het raampje ging zitten. Sebastian keek hoe ze in haar stoel dook en zich vastklemde aan de armleuningen. Al tijdens hun huwelijk was ze bang geweest om te vliegen. In de loop der jaren was dat er duidelijk niet beter op geworden.

Gespannen volgde Nikki de stewardessen en de purser en bekeek de andere passagiers aandachtig. Door het raampje keek ze wantrouwig naar het personeel dat het vliegtuig bevoorraadde en de bagage inlaadde, en naar de honderden lichtjes die de rijbanen op het vliegveld markeerden. Het kleinste geluid en de geringste verdachte beweging brachten haar fantasie op hol en groeiden daar uit tot rampen van catastrofale omvang.

Sebastian probeerde haar te kalmeren. 'Het vliegtuig is de veiligste vorm van transport ter...'

'Bespaar me je verhaal!' snauwde ze en ze kroop nog dieper weg in haar stoel. Ze zuchtte en sloot haar ogen. Ze wankelde onder het gewicht van de opgehoopte vermoeidheid, de spanning, het besef dat haar zoon in gevaar verkeerde en al het andere dat ze de afgelopen uren had meegemaakt. Het zou haar goed doen om nu twintig kilometer hard te lopen of zich af te reageren op een zandzak. Ze wilde nu niet geconfronteerd worden met een van haar ergste fobieën.

Ze haalde snel adem en haar keel was droog. Ze had natuurlijk geen tijd gehad om haar buisje met tranquillizers mee te nemen. Om weg te vluchten uit de werkelijkheid deed ze de oortjes van haar zoons iPod in en liet haar gedachten meedragen op de muziek. Langzaamaan werd haar ademhaling weer normaal.

Toen ze net een beetje begon te ontspannen, vroeg de stewardess haar om de iPod uit te zetten. Met tegenzin gehoorzaamde Nikki.

De reusachtige A-380 zette zich in beweging richting het begin van de startbaan en stopte even voordat hij aanzette.

'We zijn klaar voor de start,' waarschuwde de gezagvoerder.

De piloot gaf gas en het langeafstandsvliegtuig schoot vooruit over het beton, dat vibreerde onder het enorme gewicht.

Nikki werd naar alle kanten geslingerd en door elkaar geschud en was een beroerte nabij. Ze had het altijd al vreemd gevonden dat een dergelijke machine met een gewicht van vijfhonderd ton kon vliegen. Ze had geen last van claustrofobie, maar ze verdroeg het niet om vastgebonden te zijn op een vliegtuigstoel en zeven, acht uur niet te mogen bewegen. Haar angst kon dan omslaan in beklemming of zelfs paniek. Bovendien had ze elke keer dat ze in een vliegtuig stapte het gevoel dat ze haar vrijheid opgaf, dat ze totaal geen controle meer had over haar leven. En hoewel ze had geleerd dat ze in het leven alleen op zichzelf kon rekenen, moest ze zich nu overgeven aan een onzichtbare en onbekende piloot.

Aan het einde van de startbaan kwam het metalen monster met het zware lichaam slechts moeizaam los van de grond. Onrustig en benauwd wiebelde Nikki heen en weer op haar stoel tot het vliegtuig een hoogte van vijftienduizend voet had bereikt. Zodra het mocht, zette ze de iPod weer aan en verstopte zichzelf onder een deken. Tien minuten later lag ze tegen alle verwachtingen in met haar vuisten gebald te slapen.

Zodra Sebastian zeker wist dat Nikki sliep, draaide hij zich naar haar toe, deed haar plafondlampje uit, trok de deken verder over haar heen en zette de airco lager om te voorkomen dat ze het koud kreeg. Tegen wil en dank keek hij een paar minuten naar zijn slapende ex-vrouw. Ze leek kwetsbaar, hoewel ze deze middag nog onverschrokken hun levens had verdedigd. Een steward vroeg hem of hij iets wilde drinken. Met één teug sloeg hij een wodka met ijs achterover en bestelde een tweede. Zijn ogen brandden van vermoeidheid en hij voelde een voortdurende en doffe pijn achter in zijn hals, die de indruk wekte dat hij met zijn achterhoofd in een bankschroef had gezeten.

Sebastian masseerde zijn slapen om de pijn te verzachten. In al het lawaai en de chaos in zijn hoofd probeerde hij een lijn te ontdekken in deze absurde situatie. Waren ze onderweg naar nieuwe gevaren? Tegen welke vijand vochten ze? Waarom hadden ze het op Jeremy gemunt? Wat was de reden dat ze geen hulp hadden gevraagd aan de politie? Hoe kon dit verhaal anders eindigen dan in de gevangenis?

De afgelopen twaalf uur waren de zwaarste van zijn leven geweest. De meest onverwachte ook. Hij had zijn leven altijd tot in het laatste detail gepland en altijd gestreden tegen onvoorziene omstandigheden. Als een ware maniak had hij zich gehandhaafd in zijn veilige leventje. En nu was hij op weg naar het onbekende.

Deze middag had hij een lijk ontdekt waar de ingewanden uit hingen, had hij gevochten in plassen bloed en had hij de keel doorgesneden van een kolos die twee keer zo groot was als hij... Vanavond was hij onderweg naar Europa met een vrouw die hij ooit voor altijd uit zijn leven had verbannen. Hij trok zijn schoenen uit en sloot zijn ogen, maar hij was te opgewonden om te slapen. In zijn gedachten draaiden de beelden van de slachtpartij en de video van de aanval op Jeremy door elkaar heen. Maar heel langzaam kregen de vermoeidheid en het monotone gebrom van het vliegtuig de overhand en zakte hij weg in een toestand van lichte verdoving. In zijn pogingen de zin van deze dag te begrijpen, gleden zijn gedachten terug naar de dag waarop hij Nikki voor de eerste keer had gezien.

Een clash, die net zo goed compleet was mislukt.

Dat was zeventien jaar geleden.

Op 24 december.

In New York.

Aan het begin van kerstavond...

Sebastian

Waarom ben ik niet eerder begonnen?

Tussen Broadway en 7th Avenue beslaat Macy's een flink aantal panden. Op deze vierentwintigste december is de 'grootste winkel ter wereld' bomvol. Sinds het begin van de middag sneeuwt het onophoudelijk, maar dat weerhoudt noch de New Yorkers, noch de toeristen ervan om hun laatste kerstinkopen te doen. In de hal met de enorme kerstboom gaat een koor verder met zijn kerstliederen, terwijl toeristen en nieuwsgierige wandelaars zich samenpersen op de roltrap om zich vervolgens te verspreiden over de tien verdiepingen van dit heuse instituut. Kleding, schoonheidsartikelen, horloges, sieraden, boeken, speelgoed, iedereen is op jacht in deze consumptietempel.

Wat doe ik hier?

Een krijsend kind loopt tegen me aan, een oma verplettert mijn voet, iedereen duwt me omver. Ik heb in zo'n vijandelijk gebied helemaal niets te zoeken. Het liefst zou ik de aftocht blazen, maar ik kan het niet maken om op het familiediner op kerstavond aan te komen zonder een cadeau voor mijn moeder. Ik aarzel. Een zijden sjaal misschien? Een handtas? Een parfum? Maar welke kies ik dan? Voor mijn vader is het een stuk gemakkelijker. We hebben een stilzwijgende afspraak die voor beide partijen voordelig is: in de even jaren geef ik hem een doos sigaren, in de oneven jaren heeft hij recht op een fles cognac. Ik slaak een zucht en kijk om me heen. Ik voel me enigszins verloren tussen al die mensen. Ik onderdruk een vloek: een onhandige verkoopster besproeit me met een vrouwelijk parfum! De grens van mijn tolerantie is bereikt. Ik grijp de eerste de beste fles die binnen mijn bereik komt en loop naar de dichtstbijzijnde kassa. In de rij veeg ik mijn gezicht af en vervloek de medewerkster door wie ik naar goedkope rommel stink.

'Drieënvijftig dollar, meneer.'

Terwijl ik mijn portemonnee pak om te betalen, zie ik op een paar meter bij me vandaan een slank silhouet. Een mooi meisje met een zelfverzekerde houding staat op het punt weg te lopen van de afdeling cosmetica. Ze heeft een wollen cape nonchalant over haar schouders geslagen en ziet er vrouwelijk en sexy uit: een grijze baret, een korte, strakke rok, laarzen met hoge hakken en een modieuze handtas.

'Meneer?'

Terwijl ik in mijn jasje naar mijn bril zoek, haalt de caissière me terug naar de realiteit. Ik geef haar mijn creditcard, maar houd' ondertussen mijn ogen gericht op de mooie onbekende... die wordt meegenomen door een beveiligingsmedewerker! Met zijn walkietalkie in de hand vraagt de in het zwart geklede man haar indringend om haar cape te openen. Ze verzet zich en maakt grote gebaren, maar een onder haar jas verstopte toilettas valt per ongeluk op de grond en verraadt haar winkeldiefstal. De bewaker pakt haar stevig bij haar arm vast en vraagt via de radio om assistentie.

Ik pak mijn fles aan en loop haar kant op. Ik zie haar sproeten, haar groene ogen en haar lange, leren handschoenen. Normaliter draai ik me niet om naar vrouwen: Manhattan krioelt van de mooie vrouwen en ik geloof niet in liefde op het eerste gezicht.

Maar dit is anders. Het is een van die bijzondere momenten die iedereen weleens heeft meegemaakt. Het verwarrende gevoel dat je een afspraak hebt. Een zeldzaam ogenblik.

Ik heb drie seconden voor een beslissing om deze kans niet voorbij te laten gaan. Het is nu of nooit. Ik open mijn mond zonder dat ik weet wat ik ga zeggen. De woorden komen vanzelf, alsof ik op afstand wordt bestuurd. 'Zo, Madison, denk je dat je nog steeds tussen de boeren rondloopt?' zeg ik en ik geef haar een por tussen haar ribben. Ze kijkt me aan of ik een marsmannetje ben en ik draai me om naar de bewaker.

'Dit is mijn nicht Madison, ze komt uit Kentucky.'

Ik keek naar de toilettas.

'Is dat alles wat je voor je tante Beth hebt gevonden? Nou meisje, jij hebt je er ook gemakkelijk vanaf gemaakt!'

Op samenzweerderige toon zeg ik tegen de bewaker: 'Ze heeft afgezien van Walmart nog niet veel van de wereld gezien. Ze denkt dat de kassa's nog altijd op de begane grond zijn.'

Hij gelooft me geen moment, maar in de winkel hangt een feestelijke sfeer en hij heeft blijkbaar geen zin in problemen. Ik stel voor om de toilettas te betalen en het incident te vergeten. En tegen de jonge vrouw zeg ik: 'Je betaalt me later maar terug, Madison.'

'Oké, het is in orde,' mompelt de bewaker op vermoeide toon. Met een glimlach bedank ik hem voor zijn begrip en ik volg hem naar de kassa. Ik betaal snel, maar als ik me omdraai is de mooie onbekende verdwenen.

Ik neem de roltrap naar beneden en loop met vier treden tegelijk omlaag. Ik loop door de afdeling Speelgoed en struikel over een paar marmotten voordat ik op 34th Street sta. De sneeuw komt met grote vlokken naar beneden.

Welke kant is ze op gegaan? Links of rechts?

Ik heb een kans van één op twee en gok op links. Ik heb geen tijd gehad om mijn bril op te zetten en ben zo bijziend als een neushoorn. Op deze manier vind ik haar niet terug, dat staat als een paal boven water.

Het asfalt begint te bevriezen en is zo glad als een ijsbaan. In mijn dikke jas en met de pakjes in mijn handen geklemd kan ik nauwelijks rennen. Ondanks het drukke verkeer loop ik over de straat om de menigte op de stoep te ontwijken. De stroom auto's brengt me snel tot inkeer en met een grote sprong probeer ik weer op het trottoir te komen. Door mijn snelheid begin ik echter te glijden en mijn val wordt pas gebroken wanneer ik hard tegen een voorbijgangster opbots.

'Het spijt me...' zeg ik terwijl ik overeind krabbel. Als ik weer op mijn benen sta, haal ik mijn bril uit mijn zak en zet hem op... Het is de onbekende mooie vrouw!

'U weer?' vloekt ze als ze gaat staan. 'U bent gek om op die manier mensen omver te lopen!'

'Ho ho! U zou me toch minstens even kunnen bedanken! Ik heb u net uit de problemen gehaald!'

'Ik heb u niets gevraagd! En zie ik er echt uit alsof ik uit Kentucky kom?'

Wat een trut! Mijn mond zakte open van verbazing. Ze rilt en wrijft met haar handen over haar armen.

'Goed, het is koud. Tot ziens dan maar weer,' zegt ze en ze loopt verder.

'Wacht! Laten we samen wat gaan drinken!'

'Ik moet mijn metro halen,' antwoordt ze met een grijns op haar gezicht en ze knikt met haar hoofd in de richting van het station Herald Square aan de overkant van de straat.

'Kom, we pakken een goed glas wijn in Bryant Park Café. Dat is hier vlakbij en dan kunt u zich weer wat opwarmen.'

Een frons verschijnt op haar gezicht.

'Goed dan, maar maak je geen illusies, je bent niet mijn type.'

Het Bryant Park Café ligt achter het gebouw van Schone Kunsten van de bibliotheek van New York. 's Zomers vormt het park een kleine groene oase tussen de wolkenkrabbers van Midtown. Hele groepen studenten en werknemers uit de wijk komen hier hun pauze doorbrengen en luisteren naar een concert of een voordracht, spelen schaak of eten een hotdog. Maar nu, aan het einde van deze koude winterdag, lijkt het wel een skistation. Door de ruit heen zie je de voorbijgangers, die weggedoken in hun dikke winterjassen net zoveel moeite hebben om vooruit te komen in de sneeuw als Eskimo's op het pakijs.

'Voordat je me ernaar vraagt, ik heet Nikki.'

'Aangenaam, Sebastian Larabee.'

Het café is stampvol en we hebben geluk dat we een tafeltje kunnen overnemen met uitzicht op de ijsbaan.

'Die wijn prikt een beetje, vind je niet?' vraagt ze terwijl ze haar glas neerzet.

'Prikt? Het is een Gruaud-Larose uit 1982!'

'Mooi! Maak je niet druk...'

'Weet u wel wat die wijn kost? En welk cijfer hij heeft gekregen in de Parker-wijngids?'

'Nee, en dat kan me eigenlijk ook geen bal schelen. Moet ik hem lekker vinden omdat hij duur is?'

Ik schud mijn hoofd en ga over op een ander onderwerp. 'Wat zijn uw plannen voor kerstavond?'

Ze geeft ratelend antwoord. 'Ik heb met een stel vrienden een oud gebouw gekraakt bij de haven. We drinken een hoop en roken een paar joints, we gaan lekker uit ons dak. Als je zin hebt om langs te komen...'

'Mezelf bezatten met een stel krakers? Nee, dank u.'

'Jammer. Het is hier zeker verboden om te roken?'

'Dat denk ik wel...'

'Jammer.'

'Wat doet u in het leven? Bent u student?'

'Ik volg toneellessen en ik maak foto's voor een mannequinbureau. En jij?'

'Ik ben vioolbouwer.'

'Echt?'

'Ik bouw en repareer violen.'

'Dank je voor de uitleg, maar ik weet echt wel wat een vioolbouwer doet! Wie denk je dat ik ben? Een of andere achterlijke trut uit Kentucky?'

Ze neemt nog een slok wijn. 'Uiteindelijk is die wijn nog niet zo slecht. Voor wie is die parfum eigenlijk? Je vriendin?'

'Voor mijn moeder.'

'Het arme mens! Vraag me de volgende keer alsjeblieft om advies, dan sla je tenminste geen flater.'

'Natuurlijk! Het is mijn gewoonte om winkeldieven om goede raad te vragen.'

'Zo zeg, je hoeft niet zo tekeer te gaan!'

'Maar serieus, u gaat wel vaker op het dievenpad?'

'Weet je hoe duur lippenstift is? Neem maar van mij aan dat de dieven niet altijd degene zijn die je denkt,' zei ze zonder een spier te vertrekken.

'U had grote problemen gehad.'

'Maar daarom is het ook juist zo spannend!' zei ze en ze liet haar tas zien.

Mijn ogen worden groot van verbazing. Het ding puilt uit van de make-up, waarvan ze zorgvuldig alle barcodes heeft verwijderd. Ik schud mijn hoofd.

'Ik begrijp het niet. Verdient u niet genoeg?'

'Het heeft niets te maken met geld. Het gaat om de onweerstaanbare behoefte om te stelen, een onbeheersbare drang.'

'U bent ziek.'

'Kleptomaan in elk geval.'

Ze haalt haar schouders op. 'Je zou het eens moeten proberen. Het risico, de adrenalinestoot. Het is gewoon geweldig!'

'Ik heb ooit gelezen dat psychologen kleptomanie beschouwen als een manier om een onbevredigend seksleven te verdoezelen.'

Geamuseerd veegt ze het argument van tafel. 'Psychologie van de koude grond, beste vriend.'

In haar tas zie ik tussen alle cosmetica een oude pocket met ezelsoren en vol aantekeningen: *Liefde in tijden van cholera.*

'Dat is mijn favoriete boek,' roep ik welgemeend uit.

'Ik vind het ook geweldig!'

Gedurende een paar minuten hebben we eindelijk iets gemeenschappelijks, dat vreemde meisje en ik. Maar ze maakt snel een einde aan dat gelukzalige moment.

'En wat is jouw programma voor vanavond?'

'Kerstmis is toch een familiefeest. Over een uur neem ik de trein en ga ik naar mijn ouderlijk huis in Hampton. Daar breng ik kerstavond door met mijn ouders.'

'Wauw, dat is nog eens gezellig!' zegt ze lachend. 'Hang je ook een sok bij de open haard en maak je warme melk voor de Kerstman?'

Ze kijkt me brutaal en schalks glimlachend aan voordat ze een volgende grap lanceert. 'Kun je de boord van je overhemd losmaken? Ik krijg het benauwd van mensen die het bovenste knoopje van hun overhemd dicht hebben.'

Ik zucht en sla mijn ogen ten hemel.

'En je kapsel, dat is echt niet meer van deze tijd!' ging ze verder. 'Te netjes, te stijf en supersaai!'

Ze haalt haar hand door mijn haar en brengt alles in de war. Ik deins achteruit, maar ze is nog niet klaar.

'En dat jasje! Heeft niemand je verteld dat we niet meer in de jaren dertig leven? Waarom niet een vestzakhorloge, nu we toch bezig zijn?'

Nu werd het me te veel.

'Luister, als het u niet bevalt wat u ziet is dat prima, u bent niet verplicht om te blijven, hoor!'

Ze dronk haar glas leeg en stond op.

'Je hebt gelijk. Ik had je al gezegd dat ik het geen goed plan vond.'

'Inderdaad. Doe uw Batman-cape om en vertrek! Ik verafschuw mensen zoals u.'

'O! Maar je hebt nog niets gezien,' zegt ze mysterieus.

Ze knoopt haar jas dicht en verlaat het café.

Door de ruit zie ik haar een sigaret opsteken en een flinke trek nemen, voordat ze me een laatste knipoog geeft en verdwijnt.

Ik blijf nog even aan het tafeltje zitten, drink langzaam mijn glas bordeaux leeg en denk na over wat er zojuist is gebeurd. Ik doe de boord van mijn overhemd los, strijk mijn haar door de war en open mijn vest dat heel strak zit. Ik kan zo inderdaad beter ademhalen.

Ik vraag de rekening en zoek in mijn vest naar mijn portefeuille. Daarna kijk ik in mijn jas.

Vreemd...

Ik keer ongerust alle zakken binnenstebuiten, maar er is geen ontkomen aan.

Die rotmeid heeft mijn portefeuille gestolen!

Upper East Side

Drie uur 's nachts

Een schel geluid rukt me uit mijn slaap. Ik doe mijn ogen open en kijk hoe laat het is. Iemand drukt als een idioot op mijn deurbel. Ik pak mijn bril van het nachtkastje en loop mijn slaapkamer uit. Het huis is leeg en koud. Ik wilde aangifte doen van mijn gestolen portefeuille waardoor ik uiteindelijk mijn trein naar Long Island miste. Nu had ik de avond in mijn eentje doorgebracht in Manhattan.

Wie kon dat nou zijn, zo midden in de nacht? Ik doe de deur open en zie mijn dievegge onder het afdakje staan, een fles drank in haar hand.

'Jeetje, wat ziet hij er sexy uit in zijn pyjamaatje!' grapt ze.

Haar adem stinkt naar wodka.

'Wat doet u hier? U hebt wel verdomd veel lef om hierheen te komen na eerst mijn portefeuille te hebben gejat!'

Met een zelfverzekerd handgebaar baant ze zich een weg naar binnen en loopt ietwat wankelend mijn appartement binnen. In haar haren zitten sneeuwvlokken. Waar heeft ze gezeten met deze kou?

Ze loopt door de woonkamer en geeft me mijn portefeuille terug voordat ze op de bank neervalt.

'Ik wilde zo'n fles wijn voor je kopen, die Chateau "zus-en-zo", maar ik vond alleen dit,' zei ze en ze hield de fles wodka omhoog, waar al stevig uit was gedronken.

Ik loop snel even naar de bovenverdieping en kom terug met een handdoek en een deken. Terwijl ik probeer een vuur te maken, droogt ze haar haren en rolt zich in de deken voordat ze bij me komt staan voor de open haard.

Ze strekt haar hand naar me uit en streelt met haar vingers over mijn wang. Langzaam sta ik op. In haar ogen glanst een vreemd en fascinerend licht. Ze slaat haar armen om me heen.

'Hou op, u bent dronken!'

'Dat klopt, profiteer er maar van!' provoceert ze me.

Ze gaat op haar tenen staan en brengt haar lippen naar de mijne. De kamer is gehuld in duisternis. In de open haard begint het vuur te branden en verspreidt een trillend en breekbaar licht. Ik ruik de geur van haar huid. Ze heeft haar cape uitgedaan en ik zie haar prachtige borsten onder haar bloes. Ondanks de opwinding voel ik me niet op mijn gemak en ik doe een laatste poging om weerstand te bieden. 'U weet niet wat u doet!'

'Hou eens op met die bezwaren van je!' zegt ze en ze omhelst me hartstochtelijk voordat ze me op de bank duwt.

Onze schaduwen worden op het plafond geprojecteerd als een schimmenspel en onze beide silhouetten versmelten met elkaar tot er nog maar één overblijft.

Als ik de volgende morgen mijn ogen open, voelt mijn hoofd zwaar. Mijn oogleden plakken aan elkaar en ik heb een vieze metaalsmaak in mijn mond. Nikki is verdwenen zonder haar adres achter te laten. Ik kom overeind en sleep mezelf naar het grote raam. Het sneeuwt nog steeds en New York verandert langzaam in een spookstad. Ik doe het raam open. De wind is ijskoud en blaast de as uit de open haard. Ik heb een verschrikkelijk leeg gevoel in mijn maag. Versuft pak ik de fles wodka.

Leeg.

Ik kom langzaam een beetje bij mijn positieven en ontdek op de grote Louis Philippe-spiegel in de woonkamer een met rode lippenstift geschreven tekst. Het met bladgoud vergulde stuk antiek heeft mijn moeder een fortuin gekost op een veiling. Ik zoek mijn bril, maar kan hem niet vinden. Ik loop naar de spiegel toe en lees het citaat van Jean Renoir: 'De enige momenten in het leven die belangrijk zijn, zijn de momenten die je je herinnert.'

Deel twee

Alleen tegen iedereen

'Vrouwen worden verliefd als ze je leren kennen.
Bij mannen is dat net andersom: als ze je eindelijk kennen, zijn ze
klaar om je te verlaten.'

– James Salter, *American Express*

22

CRIME SCENE – DO NOT CROSS.

Het lange, gele afzetlint rond de plaats delict klapperde in de wind en het schijnsel van de zwaailichten. Met zijn badge in de hand baande Santos zich een weg door de menigte nieuwsgierigen naar zijn assistent.

'Bereid je maar voor op een ware slachtpartij, inspecteur!' waarschuwde Mazzantini hem terwijl hij het plastic afzetlint omhooghield.

Zodra hij de bar binnenkwam, werd de politieagent geconfronteerd met het schouwspel. Met opengesperde ogen en een van angst vertrokken gezicht, lag Drake Decker met opengesneden buik op het biljart. Nog geen meter bij hem vandaan lag het andere lijk: een grote vent met een bruin, getatoeëerd gezicht, bij wie de keel was doorgesneden met een lang stuk glas.

'Wie is dat?' vroeg hij, terwijl hij naast het lichaam op de grond knielde.

'Geen idee,' antwoordde Mazzantini. 'Ik heb hem gefouilleerd, maar hij had geen papieren of portefeuille. Maar hij had wel dit mes, dat hij in een schede om zijn enkel droeg.'

Santos bekeek de doorschijnende plastic zak, die zijn assistent hem aangaf. Er zat een klein mes in, met een heft van ebbenhout en een spits lemmet.

'Hij heeft het niet gebruikt,' zei Mazzantini, 'maar we hebben wel iets anders ontdekt.'

Santos bekeek het volgende bewijsstuk: een Ka-Bar, het gevechtsmes van het Amerikaanse leger, met een groot heft, dat bestond uit ronde stukjes leer. Het stalen lemmet van meer dan vijftien centimeter was waarschijnlijk gebruikt om Drake Decker om zeep te helpen. Santos fronste zijn wenkbrauwen. Gezien de positie van de twee lichamen, moest er in elk geval nog een derde persoon in de ruimte zijn geweest.

'Je vertelde me dat iemand 911 had gebeld.'

'Klopt. Ik wacht op de opname van de melding, die van een mobieltje afkomstig was. We zijn bezig hem te traceren, dat zal niet lang meer duren.'

'Oké,' zei Santos terwijl hij overeind kwam. 'Vraag Cruz om zo gedetailleerd mogelijke opnames te maken van de tatoeages op het gezicht van die vent. Laat hem ook het kleine mes fotograferen. Zodra je de beelden hebt, stuur je me ze door per mail. Ik zal ze aan Reynolds laten zien, van district 3. Op hun afdeling zit een antropoloog die ons misschien kan helpen.'

'Goed inspecteur, komt voor elkaar.'

Voordat hij de bar verliet, keek Santos nog eens goed rond. In hun witte pakken, met rubberhandschoenen en maskers voor hun gezicht, werkten de mannen van de technische recherche in stilte. Met poeders, penselen en fluorescerende lampen verzamelden ze alle mogelijke aanwijzingen en verzegelden ze.

'Er zitten overal vingerafdrukken op, inspecteur,' zei Cruz, de leider van het team.

'Ook op dat stuk glas?'

'Ja, en ook op de brandblusser. Ze zijn vers en goed zichtbaar. Het werk van een amateur. Als die gast in ons systeem zit, dan hebben we hem binnen een paar uur geïdentificeerd.'

23

Het toestel van Delta Airlines landde om elf uur 's ochtends op Charles-de-Gaulle in de stralende zonneschijn. Volledig uitgeput hadden Sebastian en Nikki bijna de hele vlucht geslapen. De paar uurtjes slaap waren erg welkom geweest. Ze begonnen de nieuwe dag met een veel beter gevoel dan waarmee ze de vorige avond waren vertrokken. Ze verlieten het vliegtuig via de slurf en sloten aan bij de rij voor de douane.

'Hoe gaan we dit nou aanpakken?' vroeg Nikki toen ze haar mobieltje aanzette.

'Misschien is het handig om eerst naar station Barbès-Rochechouart te gaan. We vragen daar wat rond en proberen te ontdekken waar die opname van die bewakingscamera vandaan komt. Dat is ons enige spoor, niet?'

Nikki knikte zwijgend en gaf haar paspoort aan de douanebeambte. Ze liepen langs de bagagebanden en kwamen uit in de aankomsthal. Achter de afzetting stond een groot aantal mensen te wachten: familieleden die hun broers, tantes, etc. zo snel mogelijk wilden terugzien, geliefden, die ongeduldig op hun wederhelft wachtten, chauffeurs, die met bordjes zwaaiden. Toen Sebastian naar de rij taxi's liep, greep Nikki hem bij de arm.

'Kijk daar!'

Midden in de menigte stond een chauffeur met een streng gezicht gekleed in een onberispelijk driedelig pak, die een bordje met opschrift omhooghield:

MR & MRS LARABEE

Ze keken elkaar verrast aan. Niemand wist dat ze in Parijs waren... Behalve de ontvoerders van Jeremy. Met een instemmend hoofdknikje besloten ze naar de man toe te gaan. Misschien vonden ze hun zoon op die manier terug.

De chauffeur begroette hen vriendelijk met een Engels accent.

'Welkom in Parijs, mevrouw en meneer. Mijn naam is Spencer. Wilt u zo vriendelijk zijn me te volgen.'

'Wacht even, wat heeft dit te betekenen? Waar gaan we heen?' vroeg Sebastian ongerust.

Stoïcijns en enigszins arrogant haalde Spencer een vel papier uit zijn binnenzak. Hij vouwde het open en zette zijn bril met schildpadmontuur op.

'Ik heb opdracht om de heer en mevrouw Larabee op te vangen, die om elf uur aankomen met Delta Airlines vanuit New York. Dat bent u toch?'

Ze knikten zwijgend.

'Wie heeft deze auto gereserveerd?' vroeg Nikki.

'Dat weet ik niet, mevrouw. Dat zou u op het bureau van LuxuryCab moeten vragen. Het enige wat ik u kan zeggen, is dat de reservering vanmorgen nog op ons bureau is bevestigd.'

'En waar wordt u geacht ons heen te brengen?'

'Naar Montmartre, meneer. Naar Grand Hotel de la Butte, wat als ik zo vrij mag zijn, een uitstekende keus is voor een romantisch verblijf.'

Sebastian keek hem boos aan. Ik ben hier verdorie niet om een liefdesnestje te bouwen, maar om mijn zoon terug te vinden! dacht hij woedend.

Nikki kalmeerde hem met een handgebaar. Waarschijnlijk was de chauffeur slechts een pion in een veel groter spel, waarvan hij het bestaan niet eens wist. Het was misschien beter om zonder ophef met hem mee te gaan en te zien wat dat opleverde. Ze besloten hem te volgen met een gezonde dosis wantrouwen.

De Mercedes reed de Autoroute du Nord op. Spencer had de autoradio op een klassieke zender staan en bewoog zijn hoofd op het ritme van de *Vier Jaargetijden* van Vivaldi. Op de achterbank keken Sebastian en Nikki naar de plaatsnaamborden die hun route naar de hoofdstad aangaven: Tremblay-en-France, Garges-lès-Gonesse, Le Blanc-Mesnil, het Stade de France...

Zeventien jaar geleden waren ze voor het laatst in Parijs geweest. De herinneringen aan die reis maalden door hun hoofden, maar namen de bezorgdheid niet weg.

De wagen reed voorbij de Boulevard Péripherique en sloeg rechts af de Boulevard des Maréchaux op, waarna hij aankwam in het oude deel van Montmartre. In de Rue Caulaincourt en op de Avenue Junot waren de bomen getooid in herfstkleuren en bedekten de bladeren de trottoirs met een dik pak rode bladeren.

Spencer reed een straatje in met huizen die werden beschaduwd door de bomen. Nadat de auto een hoog, gietijzeren hek was gepasseerd, reed hij door een wilde tuin met een weelderige plantengroei, een groen eiland in het hart van de stad. De wagen stopte voor het hotel: een groot, wit gebouw met een sobere en elegante bouwstijl.

'Mevrouw en meneer, ik wens u een aangenaam verblijf,' zei de chauffeur toen hij hun bagage voor de deur zette.

Nikki en Sebastian waren nog steeds op hun hoede toen ze de hal van het grote gebouw binnenliepen. Het ouderwets swingende geluid van een jazztrio kwam hen tegemoet. De ruimte had een warme en gemoedelijke atmosfeer, en wekte de indruk van een zorgvuldig en luxueus ingericht familiepension. De mooie, geometrische lijnen van het artdecomeubilair riepen de sfeer op van de jaren twintig en dertig: clubfauteuils, een bar van esdoornhout, lampen van Le Corbusier, zuilen van gelakt hout, panelen die waren ingelegd met ivoor en parelmoer.

Er was niemand bij de receptie. Links van de ingang was een woonkamer zichtbaar, die overging in een bibliotheek. Rechts stond een lange, mahoniehouten bar, waar drankjes werden geserveerd.

Hoge hakken tikten op de tegelvloer en Nikki en Sebastian draaiden zich tegelijk om. Het elegante silhouet van de eigenaresse tekende zich af in de deuropening van de eetzaal.

'Meneer en mevrouw Larabee, neem ik aan? We verwachtten u al. Welkom in Grand Hotel de la Butte,' zei ze in perfect Engels.

Met haar pagekapsel, kleine borsten, weinig vrouwelijke silhouet en een kokerrok tot op haar knieën, leek ze zo weggelopen uit een roman van Francis Scott Fitzgerald. Ze ging achter de bar staan en begon met de incheckprocedure.

'Wacht even,' zei Sebastian. 'Het spijt me, maar hoe weet u wie wij zijn?'

'Wij hebben maar vijf kamers, meneer, en het hotel is volgeboekt. U bent de laatste gasten die wij nog verwachten.'

'Weet u wie onze kamer heeft gereserveerd?'

De vrouw bracht het amberkleurige sigarettenpijpje naar haar mond, dat ze tussen haar wijsvinger en middelvinger vasthield.

'Maar dat hebt u zelf gedaan, meneer Larabee!'

'Ik?'

Ze keek in haar computerbestand.

'De reservering is een week geleden gedaan op onze website.'

'Is de kamer al betaald?'

'Jazeker. Op de dag van de reservering. Met een MasterCard op naam van de heer Sebastian Larabee.'

Vol ongeloof boog Sebastian zich over het scherm. De gegevens van de betaling lieten een deel van het nummer van de creditcard zien. Er was geen twijfel mogelijk: zijn bankrekening was gehackt.

Ontgoocheld keek hij naar Nikki. Wat voor een pervers spel speelde degene die hen hierheen had gelokt?

'Is er een probleem?'

'Nee, absoluut niet,' antwoordde Sebastian.

'Dan is uw kamer voor u beschikbaar. Het is kamer nummer 5, op de bovenste verdieping.'

In de kleine lift die naar de kamers leidde, drukte Nikki op de knop voor de bovenste etage.

'Als de reservering een week geleden is gemaakt, dan betekent dat dat de ontvoering van Jeremy al een hele tijd geleden is gepland.'

'Zoveel is wel duidelijk,' reageerde Sebastian instemmend. 'Maar waarom hebben ze mijn rekening gehackt om de kamer te reserveren? Dat was een groot risico.'

'Misschien om ons om losgeld te vragen,' raadde Nikki. 'Door je rekening te hacken wisten ze precies hoeveel geld je hebt en hoeveel ze je konden vragen.'

Aangekomen op de bovenste verdieping openden ze de deur van hun kamer. Een enorme suite met gewelfde plafonds werd zichtbaar.

'Ze hadden ook iets lelijkers kunnen uitzoeken!' zei Nikki in een poging haar angst te onderdrukken.

Er was een kingsize bed, in de badkamer stond een bad op pootjes en de muren waren in zachte pasteltinten geverfd. De kamer had een weldadige charme en een smaakvolle inrichting, die veel weg had van het atelier van een kunstschilder: een ruwe houten vloer, een mezzanine, een grote ovale spiegel en een klein terras met uitzicht op de tuin. Vooral het licht was bijzonder. Het werd nauwelijks getemperd door de klimop en de boomtakken en gaf de kamer een warme sfeer. Je had nauwelijks de indruk dat je in een hotel was. Het leek eerder het geheime vakantieplekje dat een stel goede vrienden je ter beschikking had gesteld.

Ze liepen beiden het balkon op, dat hoog boven de tuin lag en een schitterend uitzicht bood over de monumentale gebouwen van Parijs. Je hoorde de vogels zingen en het ruisen van de wind in de takken. Maar Nikki en Sebastian lieten zich niet inpalmen door de stad die zich onder hen uitstrekte. De verrassende mildheid van de herfst nam hun bezorgdheid niet weg.

'Wat nu?' vroeg Sebastian.

'Ik weet het niet. Als ze ons hierheen hebben gebracht, zijn ze waarschijnlijk van plan contact met ons te zoeken, denk je niet?'

Ze checkten hun mobieltjes om te zien of er berichtjes waren binnengekomen, namen contact op met de receptie en doorzochten hun kamer. Maar zonder succes. Na een halfuur werd het wachten onverdraaglijk.

'Ik ga naar Barbès-Rochechouart,' besloot Sebastian en hij pakte zijn jasje.

'Ik ga met je mee. Geen sprake van dat ik hier een beetje duimen ga zitten draaien.'

'Nee. Je zei het net zelf al: grote kans dat ze hier contact met ons opnemen.'

'Maar we hadden afgesproken dat we bij elkaar zouden blijven!' klaagde Nikki.

Sebastian had echter de deur al achter zich dichtgetrokken.

24

New York, politiebureau van district 87

Santos pakte zijn bekertje uit de koffieautomaat. De zon was nog niet opgekomen in Brooklyn, maar de inspecteur was al toe aan zijn derde kop koffie. Voor de zoveelste keer had hij een drukke nacht achter de rug: inbraken, echtelijke ruzies, vernielde winkels, gearresteerde prostituees... Sinds een jaar of tien schilderden de media New York af als een stad waar alles pais en vree was. Dat gold misschien voor het centrum van Manhattan, maar bepaald niet voor de buitenwijken.

Door het gebrek aan cellen leek de gang waarin de koffiemachine stond eerder een vluchtelingenkamp: arrestanten die met handboeien aan metalen banken waren vastgemaakt, getuigen die als sardientjes zaten samengeperst op versleten banken, in dekens gerolde aanklagers. De gang werd verlicht door bleke en knetterende tl-buizen. Het was er lawaaierig en het stonk. De spanning was er om te snijden.

Santos verliet deze beerput vol ellende en vluchtte zijn kantoor in. Wat voelde hij toch een weerzin tegen dit smerige en luidruchtige politiebureau. Hij was niet van plan de rest van zijn loopbaan hier te blijven. Zijn werkplek was al niet veel beter: een veel te klein kantoor, waar je nauwelijks kon werken en dat slecht was geïsoleerd, met uitzicht op een onooglijk binnenplaatsje. Hij nam een slok van de waterige koffie en nam een hap van een verdroogde donut. Hij had moeite om hem door te slikken. Nadat hij de rest van de lekkernij in de prullenbak had gegooid, pakte hij zijn telefoon om het laboratorium te bellen dat zich bezighield met de analyse van giftige stoffen. De laborante bevestigde zijn voorgevoel: het poeder dat hij bij Nikki had gevonden was inderdaad cocaïne. Hij legde het dossier terzijde en maakte van de gelegenheid gebruik om even met Hans Tinker te praten.

In de loop der jaren had Santos een indrukwekkend netwerk opgebouwd. In de uitgebreide en ondoorzichtige bureaucratie van de NYPD had hij heel wat contacten die hem af en toe een handje hielpen. Voor hem was het een tweede natuur: als hij een collega kon helpen, dan deed hij dat ook. Dat leek op korte termijn tijdverspilling, maar er kwam altijd wel een moment dat hij de vruchten plukte van zijn investeringen.

'Met Tinker.'

Hans Tinker was de plaatsvervangend directeur van de afdeling Technische recherche van de politie, en misschien wel een van zijn meest interessante contacten. Twee jaar geleden hadden agenten van Santos bij een routinecontrole de oudste zoon van Tinker gearresteerd met een ongebruikelijk grote hoeveelheid cannabis. Het was overduidelijk dat zoonlief niet alleen een jointje rookte op zijn kamer, maar het spul ook doorverkocht aan zijn vrienden. Santos had de zaak door de vingers gezien en het dossier geseponeerd. Sindsdien was Tinker hem eeuwig dankbaar.

'Hallo, Hans. Heb je al nieuws over die dubbele moord van me?'

'We komen vooruit, maar het kost nog wat tijd. De plaats delict leverde een ongelofelijk aantal vingerafdrukken op en we moeten wat DNA-analyses maken.'

'Ik begrijp het, maar ik heb vooral de resultaten van de afdrukken op de Ka-bar, het grote stuk glas en de gebroken biljartkeu snel nodig.'

'Die heb ik al. Ik stuur je binnen twee uur het rapport.'

'Nee, dat is niet nodig. Mail me de ruwe gegevens maar vast door. Ik wil ze zo snel mogelijk vergelijken met de IAFIS, de geautomatiseerde databank voor vingerafdrukken.'

Met zijn laptop onder zijn arm tikte Mazzantini tegen het raam en stak zijn hoofd door de deuropening. Santos gaf hem een teken dat hij binnen kon komen. Zijn assistent wachtte tot hij had opgehangen.

'Er is nieuws, inspecteur. Ik heb de opname van het telefoontje naar 911 te pakken gekregen. Luister eens.'

Hij opende zijn laptop en startte het audioprogramma. De opname was kort. Je hoorde de stem van een man, die overduidelijk in paniek was en weigerde zijn identiteit te geven, maar die vroeg zo snel mogelijk een ambulance naar De Boemerang te sturen.

'Er ligt hier een man op sterven! Hij heeft overal messteken! Kom vlug! Snel!'

'Vreemd dat hij het maar over één lichaam heeft, vindt u niet?' vroeg Mazzantini.

Santos gaf geen antwoord. Waar had hij deze stem eerder gehoord?

'We hebben het telefoontje getraceerd,' ging zijn assistent verder. 'Het toestel is eigendom van Sebastian Larabee, een rijke vioolbouwer, die in de Upper East Side woont. Ik heb hem gecheckt, hij heeft niets op zijn kerfstok. Nu ja, bijna niets. Een veroordeling voor verzet tegen een agent na een snelheidscontrole, toen hij nog studeerde aan de universiteit. Volgens mij weet hij niet eens dat hij geregistreerd staat.'

Het gezicht van Santos betrok.

'Zal ik een team sturen om hem op te pakken, chef?'

Santos knikte zwijgend. Hij wist dat Sebastian in Parijs was, maar hij had tijd nodig om na te denken.

'Goed, doe maar,' bevestigde hij en hij sloot de deur achter Mazzantini.

In de verte starend ging hij voor het raam staan. Hij was totaal verbijsterd door deze ontdekking. Wat had Sebastian Larabee in vredesnaam te maken met de zaak-Drake Decker?

Een korte fluittoon kondigde de komst van een mail aan en rukte hem weg uit zijn overpeinzingen. Hij ging voor het scherm zitten en keek in zijn mailbox. Het was de mail van Tinker met de gegevens van de vingerafdrukken. De technici van zijn afdeling hadden goed werk verricht. Voor elk bewijsstuk waren de afdrukken scherp en klaar voor gebruik. Santos zette ze op zijn harde schijf en zocht verbinding met de geautomatiseerde databank voor vingerafdrukken. De rechercheurs van de NYPD hadden directe toegang tot de databank van de FBI, en in het bijzonder tot de fameuze IAFIS, een ware goudmijn, waarin de gegevens van meer dan zeventig miljoen mensen waren opgeslagen die ooit waren gearresteerd of veroordeeld op Amerikaans grondgebied. Hij begon met de afdrukken die waren gevonden op het gevechtsmes. Het programma startte de zoektocht en doorzocht de databank met razende snelheid.

MATCH NOT FOUND

Mislukt.

Hij ging verder met de afdrukken van het lange, bebloede stuk glas. Dat was het wapen waarmee hoogstwaarschijnlijk de getatoeëerde man was omgebracht. Deze keer had Santos meer geluk. Binnen een seconde gaf het programma antwoord. De afdrukken waren van... Sebastian Larabee. Meteen startte hij de vergelijking met de afdrukken van de biljartkeu. Bijna direct bleef het scherm staan op de foto van een jonge vrouw. Met trillende handen gaf Santos opdracht de gegevens uit te printen:

Naam: Nikovski
Voornaam: Nikki
Geboren: 24 augustus 1970, te Detroit (Michigan)
Gescheiden van de heer Sebastian Larabee

In de jaren negentig was Nikki een paar keer gearresteerd voor diefstal, openbare dronkenschap en bezit van verdovende middelen. Ze had nooit vastgezeten, maar had heel wat boetes betaald en enkele tientallen uren werkstraf gehad. Haar laatste inbraak dateerde van 1999. Sindsdien had ze zich rustig gehouden.

Santos voelde zijn hart tekeergaan.

In wat voor een verhaal was Nikki verzeild geraakt?

Gezien haar dossier zou alle schuld haar in de schoenen worden geschoven. Gelukkig had hij alle kaarten in handen. Als hij voorzichtig te werk ging, kon hij misschien niet alleen zijn vrouw terugkrijgen, maar zich ook voor eens en altijd ontdoen van Larabee. Hij schoof alles terzijde wat belastend kon zijn voor Nikki, maar verzamelde zorgvuldig al het bewijsmateriaal tegen Sebastian: het telefoontje naar 911, de vingerafdrukken op het wapen dat voor de moord was gebruikt, het vliegticket naar Parijs, dat bewees dat hij op de vlucht was geslagen. Alles bij elkaar moest het voldoende zijn om de rechtercommissaris ervan te overtuigen een internationaal opsporingsbevel uit te vaardigen. Om nog wat olie op het vuur te gooien zou hij nog wat informatie doorspelen aan een paar zorgvuldig geselecteerde vertegenwoordigers van de media. Een beroemdheid die na een moord in een bar naar Parijs was gevlucht: de pers zou ervan smullen. De Larabees waren een respectabele, oude New Yorkse familie, maar in deze crisisperiode waren zelfs de economische machthebbers niet langer onaantastbaar. Integendeel. Sinds ruim een jaar protesteerde de Occupy-beweging tegen Wall Street en al meerdere keren hadden honderden demonstranten de Brooklyn Bridge geblokkeerd. De verontwaardiging van de middenklasse nam toe en verspreidde zich over het hele land.

De tijden veranderden. De machtigen van gisteren waren niet langer die van morgen.

Bovendien was Sebastian Larabee geen ervaren voortvluchtige. Hij zou gemakkelijk te pakken zijn...

25

Parijs, achttiende arrondissement

Sebastian verliet het hotel te voet en liep de Avenue Junot af naar de Place Pecqueur. Het was eind oktober, maar de zon liet zich nog uitbundig zien. Op de terrasjes voor de cafés genoten toeristen en bewoners van Montmartre van de zonnestralen op hun gezichten en ontblote armen.

Sebastian had geen tijd voor deze genoeglijke bezigheid en kon slechts aan zijn zoon denken. De landelijke en romantische atmosfeer van het hotel had hem nog meer van zijn stuk gebracht. Hoe meer hij vooruitkwam in deze onbekende wereld, des te meer hij ervan overtuigd was dat Nikki en hij groot gevaar liepen. Een bedreiging waarvan hij de omvang niet goed kon inschatten. Hij keek een paar keer achterom, om te zien of hij werd gevolgd. Kennelijk was dat niet het geval, maar hoe kon hij daar zeker van zijn?

Op het plein stopte hij bij een geldautomaat om wat geld op te nemen. Met zijn Black Card kon hij maximaal tweeduizend euro opnemen. Hij stopte het geld weg en liep door naar het station Lamarck-Caulaincourt, dat hij op de weg vanaf het vliegveld had zien liggen. Met aan weerszijden de zo typerende trappen van Montmartre herinnerde de ingang van de metro hem aan de film *Le Fabuleux Destin d'Amélie Poulain*, die hij samen met Camille had gezien op dvd. Hij kocht een strip metrokaartjes en zocht op een plattegrond naar het station Barbès-Rochechouart. Dat lag op het punt waar het negende, het tiende en het achttiende arrondissement aan elkaar grensden, slechts een paar haltes verder. Snel verliet hij de lift en nam de wenteltrap die omlaagging naar de perrons op vierentwintig meter onder de grond. Hij nam de eerste metro naar Marie-d'Issy en stapte twee haltes verder op Pigalle over op lijn 2 naar Barbès-Rochechouart.

Het station waar zijn zoon was ontvoerd...

Op het perron liep Sebastian mee in de stroom reizigers tot hij bij een loket kwam. Nadat hij een paar minuten in de rij had staan wachten, vroeg hij de beambte via de luidspreker om informatie, terwijl hij hem op zijn mobieltje een foto van Jeremy liet zien die hij had gekopieerd.

'Ik kan niets voor u doen, meneer. U moet naar de politie.'

Hij drong aan, maar er was te veel lawaai en achter hem stond een lange rij. De vrouw achter het loket was van goede wil, maar ze sprak erg slecht Engels en begreep nauwelijks wat Sebastian van haar wilde. Bovendien werd ze onrustig van de ongeduldige rij achter hem. In een nauwelijks verstaanbaar koeterwaals slaagde ze erin hem duidelijk te maken dat er de afgelopen dagen geen geweld was gesignaleerd, afgezien van de 'normale' diefstallen.

'*No agression, sir! No agression,*' herhaalde ze nog eens.

Sebastian begreep dat hij bij haar niet verder kwam en bedankte haar voordat hij het station via de roltrap verliet.

Barbès...

Zodra hij op straat kwam, ontdekte Sebastian een heel ander Parijs dan uit de toeristenfolders. Hier liepen geen mannen met een baret op hun hoofd en een stokbrood onder de arm en was er niet op elke straathoek een traditionele bakkerij of kaaswinkel. Dit was ook niet het Parijs van de Eiffeltoren of de Arc de Triomphe, maar het Parijs van de vele bevolkingsgroepen, van de kleuren en sfeer die hij kende van de *melting pot* New York.

Op de stoep liep een man vlak langs hem heen, een ander liep tegen hem op en hij voelde een hand langs zijn lichaam glijden. Een zakkenroller! Terwijl hij een stap achteruit deed om te voorkomen dat zijn zakken werden leeggehaald, sprak een straatverkoper hem aan en vroeg of hij een pakje sigaretten wilde kopen.

'Marlboro! Marlboro! Drie euro! Drie euro!'

Hij deed een paar stappen om zich te bevrijden van de drukte en stak de straat over, maar aan de andere kant gebeurde exact hetzelfde. Overal liepen straatventers met smokkelsigaretten.

'Legend! Marlboro! Drie euro! Drie euro!'

En er was in geen velden of wegen politie te zien...

Hij liep naar een krantenkiosk onder de ijzeren bogen van de bovengrondse metrolijn. Opnieuw haalde hij de foto van zijn zoon uit zijn zak om hem aan de verkoper te laten zien.

'*My name is Sebastian Larabee. I am American. This is a picture of my son, Jeremy. He was kidnapped here two days ago. Have you heard anything about him?'*

De kioskhouder was van Noord-Afrikaanse afkomst en werkte al meer dan dertig jaar op het kruispunt van Barbès-Rochechouart. Hij was het geheugen van de wijk en had door zijn contacten met de toeristen Engels geleerd. Bovendien sprak hij gemakkelijk.

'Nee, ik niets gehoord over een dergelijk voorval.'

'Are you sure? Look at the video,' vroeg Sebastian hem en hij liet hem de opname van de aanval op Jeremy zien die hij op zijn smartphone had gezet.

De verkoper maakte de glazen van zijn bril schoon met een van de panden van zijn overhemd voordat hij hem opzette.

'Ik zie niet veel bijzonders,' klaagde hij. 'Het scherm is erg klein.'

'Kijk dan nog een keer, alstublieft.'

Het was druk en lawaaierig en de sfeer was gespannen. Sebastian werd een paar keer opzij geduwd. Overal op de stoep voor de uitgang van de metro en de kiosk verdrongen de sigarettenverkopers elkaar. 'Marlboro! Marlboro! Drie euro! Drie euro!'

Je kreeg gewoon hoofdpijn van hun mantra-achtige geroep.

'Sorry, maar het zegt me helemaal niets,' zei de verkoper en hij gaf Sebastian het toestel terug. 'Maar geef me uw nummer. Ik zal mijn medewerker Karim vragen of hij misschien iets heeft gehoord. Hij heeft maandagavond de zaak afgesloten.'

Om hem te bedanken haalde Sebastian zijn rol bankbiljetten tevoorschijn en gaf hem een briefje van vijftig euro, maar de man was te trots om het aan te nemen.

'Houd uw geld maar, meneer. En blijf hier niet rondhangen,' raadde hij Sebastian aan terwijl hij met zijn kin naar het gespuis wees dat zich in de buurt van de kiosk ophield.

Sebastian gaf hem zijn visitekaartje waarop hij zijn mobiele nummer had onderstreept en de naam en de leeftijd van zijn zoon had geschreven.

'Als die aanval is gefilmd,' ging de verkoper verder, 'dan is de spoorwegpolitie misschien op de hoogte.'

'Is hier een politiebureau in de buurt?'

De kioskeigenaar wreef over zijn kin.

'Tweehonderd meter verderop zit het bureau Goutte d'Or, maar dat is nou niet bepaald de meest gastvrije plek van de hoofdstad...'

Sebastian bedankte de man nogmaals met een hoofdknikje. Hij was beslist niet van plan om nu naar de politie te gaan. Hij stond op het punt om terug te gaan naar het hotel, toen hem plots een idee te binnen schoot.

'Legend! Legend! Drie euro!'

Onder aan de roltrap van de metro stonden de sigarettenverkopers elke dag urenlang hun handel aan te prijzen. Er was natuurlijk geen betere plek om alles te zien wat daar gebeurde. Waarschijnlijk had hij bij hen meer kans op informatie dan bij de politie. Met ferme pas verdween Sebastian in de menigte regelmatige reizigers en een paar verdwaalde toeristen die op weg waren naar Montmartre.

'Marlboro! Drie euro!'

De nicotinehandelaren waren voortdurend in beweging en openden hun jasjes met snelle gebaren om de sloffen sigaretten van slechte kwaliteit te laten zien. Ze waren niet agressief, maar wel vasthoudend. Hun grote aantal en hun eindeloze deuntje zorgden ervoor dat Sebastian het liefst zo snel mogelijk weer weg wilde uit dit weerzinwekkende oord, maar hij klampte zich vast aan zijn intuïtie.

'Marlboro! Drie euro!'

Hij haalde de foto van Jeremy uit zijn zak en zwaaide ermee. Het werd al bijna een gewoonte!

'Have you seen this boy? Have you seen this boy?'

'Rot op, man! Laat ons rustig ons werk doen!'

Zonder zich te laten ontmoedigen werkte Sebastian systematisch het hele kruispunt Barbès-Rochechouart af en liet iedere verkoper de foto van zijn zoon zien. Hij stond op het punt om ermee op te houden, toen hij achter zich een stem hoorde mompelen: *'This is Jeremy, isn't it?'*

26

Sebastian draaide zich om naar de stem die achter hem had geklonken.

'*This is Jeremy, isn't it?*'

'*Yes! That's my son! Have you seen him?*' vroeg hij hoopvol.

De man tegenover hem was anders dan de straatverkopers. Hij droeg een schoon overhemd en een vest, had een kalend hoofd en droeg versleten, maar gepoetste schoenen. Ondanks zijn ellendige werk deed hij wel moeite om enigszins goed voor de dag te komen.

'*My name is Youssef,*' stelde hij zichzelf voor. '*I'm from Tunesia.*'

'*Have you seen my son?*'

'*Yes. I think so. Two days ago...*'

'*Where?*'

De Tunesiër keek wantrouwig om zich heen.

'Ik kan nu niet met u praten,' ging hij verder, nog steeds in het Engels.

'Alstublieft! Het is belangrijk.'

In het Arabisch lanceerde Youssef een stroom vloeken richting twee van zijn 'collega's', die wat te dichtbij kwamen.

'Luister,' zei hij aarzelend. 'Wacht op me in het Fer à Cheval. Dat is een klein café in de Rue Belhomme, honderd meter verderop, achter het Tati-gebouw. Ik zie u daar over een kwartier.'

'Afgesproken, bedankt! Ontzettend bedankt!'

Sebastian kreeg eindelijk nieuwe hoop. Maar goed dat hij had volgehouden. Deze keer had hij beet. Een echt spoor.

Hij stak de straat over naar de Boulevard Barbès en liep langs de gevel van een enorme winkel met een logo in roze, geruit katoen: Tati. Het logo van de pionier van de discountbranche hing al meer dan vijftig jaar in de wijk. Op zoek naar koopjes snuffelden de klanten in grote plastic bakken die op het trottoir stonden. Jurken, broeken, overhemden, tassen, ondergoed, pyjama's, ballen en speelgoed... De manden puilden uit met van alles en nog wat: uitloopmodellen, opruiming, onverkochte voorraad en 'superkoopjes'.

Aan de andere kant van de straat hadden straatverkopers hun stands opgebouwd. Hier verkochten ze valse Vuitton-tassen en gesmokkelde parfum.

Sebastian liep door via de Rue Bervic naar de Rue Belhomme. Barbès was ongelofelijk druk en levendig, lawaaierig en verbazingwekkend. De beelden en de dynamiek van de wijk, die continu tegen het kookpunt aan leek te zitten, brachten de Amerikaan in verwarring. Zelfs de verschillende stijlen architectuur leefden hier samen: in een enkele rij huizen zag je gevels in de stijl van Hausmann naast gebouwen van kalksteen en sociale woningbouw.

Uiteindelijk kwam hij bij het café waarover Youssef hem had verteld. De bistro had een smalle voorgevel en zat ingeklemd tussen een winkel met goedkope trouwjurken en een kapsalon voor afrokapsels. De bar was leeg. Er hing een sterke geur van gember, kaneel en gekookte groente in de ruimte.

Sebastian ging aan een van de tafeltjes bij het raam zitten en bestelde een kop koffie. Hij twijfelde of hij Nikki zou bellen. Hij had veel zin om haar te vertellen wat hij had ontdekt, maar hij besloot te wachten tot hij meer wist in plaats van haar blij te maken met een dooie mus. Hij dronk een slok van zijn espresso, keek op zijn horloge en beet nerveus op zijn nagels. De tijd leek voorbij te kruipen. Op een vel papier dat tegen het raam hing, bood iemand zich aan als medium.

Dokter Jean-Claude
Verbreking van betoveringen
Onderwerping van wispelturige echtgenoten
Definitieve terugkeer van geliefden in de familieschoot

Dat kan ik wel gebruiken, dacht Sebastian ironisch, toen Youssef het café binnenliep.

'Ik heb niet veel tijd,' zei de Tunesiër toen hij tegenover hem plaatsnam.

'Bedankt dat u gekomen bent,' zei Sebastian terwijl hij de foto van Jeremy op tafel legde. 'Weet u zeker dat u mijn zoon hebt gezien?'

Youssef bekeek het plaatje aandachtig.

'Ik weet het absoluut zeker. Het is de jonge Amerikaan van een jaar of vijftien, zestien, die zich Jeremy noemt. Ik heb hem eergisteravond gezien bij Mounir, een van onze "bankiers".'

'Bankier?'

Youssef nam een slok van de koffie die hij had besteld.

'Elke dag worden er een paar honderd sloffen smokkelsigaretten verkocht op Barbès-Rochechouart,' legde hij uit. 'De sigarettenhandel is
net zo georganiseerd als de drugshandel. Groothandelaren kopen hun
waar bij Chinese leveranciers. 's Morgens brengen ze hun voorraad
hierheen en verstoppen die overal: in vuilnisbakken, verkoopstands,
kofferbakken van op strategische plekken geparkeerde auto's, in alle
hoeken en gaten. Daarna moeten wij de pakjes sigaretten op straat verkopen.'

'En die "bankiers"?'

'Die steken het geld in hun zak.'

'Maar wat deed Jeremy bij die Mounir?'

'Geen idee, maar ik had niet de indruk dat hij tegen zijn wil werd
vastgehouden.'

'Waar woont hij?'

'Rue Caplat.'

'Is dat ver weg?'

'Niet echt.'

'Kun je er lopend naartoe?'

'Ja, maar pas op, Mounir is geen gemakkelijk...'

'Alstublieft, breng me erheen! Ik praat wel alleen met hem.'

'Ik zeg het u nogmaals. Dat is geen goed plan!'

De Tunesiër was zichtbaar bang. Was hij bang zijn 'baan' te verliezen?
Of om zich de woede van zijn fijne collega's op de hals te halen?

Sebastian probeerde hem gerust te stellen.

'U bent een goede vent, Youssef. Breng me naar Mounir. Ik moet
mijn zoon terugvinden.'

'Oké,' zei Youssef uiteindelijk.

Ze liepen het café uit richting Barbès, via de Rue de Sophia. Het was
twee uur 's middags en de zon stond hoog aan de hemel. De boulevard
bruiste van leven en je kon er over de hoofden lopen. Jongelui, oude-
ren, gesluierde vrouwen en vrouwen in korte jurkjes.

'Waar heb je Engels geleerd, Youssef?'

'Op de universiteit van Tunis. Ik heb er een master in Engelse litera-
tuur en cultuur afgerond, voordat ik een halfjaar geleden mijn land
moest ontvluchten.'

'Ik dacht dat het de laatste tijd juist beter ging in Tunesië...'

'De val van Ben Ali en de Jasmijnrevolutie hebben niet als bij tover-slag een hoop banen opgeleverd,' zei hij bitter. 'De situatie blijft moei-lijk. Zelfs met een diploma op zak hebben jongeren weinig toekomst-perspectief. Ik gaf er de voorkeur aan om mijn geluk hier te beproeven, in Frankrijk.'

'Heb je papieren?'

Hij schudde opnieuw zijn hoofd.

'Niemand heeft papieren. We zijn in de lente aangekomen via Lam-pedusa. Ik zoek een baan op mijn niveau, maar dat is niet gemakkelijk als je geen documenten hebt. Ik ben niet trots op wat ik doe, maar dit soort baantjes is het enige wat ik heb gevonden. Het is hier de wet van de jungle: ieder voor zich, zie maar dat je je redt. Je hebt de keus uit zakkenrollen, het dealen van cannabis, verkoop van gestolen mobiel-tjes, valse papieren of sigaretten...'

'En de politie?'

De Tunesiër lachte spottend.

'Om hun geweten te sussen doen ze elke tien dagen een inval. Je zit een nacht in de cel, betaalt een boete en de volgende dag sta je weer op de stoep.'

Youssef liep snel, hij wilde zijn klusje zo snel mogelijk achter de rug hebben. Sebastian kon het tempo van de Tunesiër nauwelijks bijbenen. Hoe verder ze kwamen, des te ongeruster hij werd. Was dit misschien allemaal te mooi om waar te zijn? Waarom zou zijn zoon het hoofd-kwartier van een obscure handelaar in sigaretten hebben opgezocht, op zesduizend kilometer van New York?

Toen ze op een zonovergoten pleintje aankwamen, nam zijn begelei-der hem mee naar een smal en donker steegje, dat richting de Boule-vard de la Chapelle liep.

'Het spijt me...' zei Youssef terwijl hij een mes uit zijn zak haalde. 'Maar...'

De Tunesiër floot tussen zijn tanden en onmiddellijk doken er achter Sebastian twee mannen op.

'Ik heb je daarnet nog gewaarschuwd: het is hier ieder voor zich.'

De Amerikaan deed zijn mond open, maar kreeg een harde vuistslag in zijn buik. Hij probeerde zich te verweren, maar Youssef was snel-ler: hij kreeg een klap vol in zijn gezicht en ging tegen de grond. De beide medeplichtigen van de Noord-Afrikaan trokken hem overeind om hem beter te kunnen raken. Nu sloegen ze hem echt in elkaar: elleboogstoten in zijn buik, slagen in zijn gezicht, schoppen tegen zijn benen, gevloek en getier. Sebastian was niet in staat zich te verdedigen en sloot zijn ogen, terwijl een regen van slagen op hem neerdaalde. Het pak slaag voelde als een boetedoening, een kruisweg. Deze aframmeling was zijn Via Dolorosa...

Hij had zich als een groentje te grazen laten nemen. Door zo arrogant met zijn geld te koop te lopen, kreeg hij nu wat hij verdiende. Natuurlijk had de Tunesiër Jeremy nooit gezien. Hij had zijn voornaam opgevangen toen Sebastian met de krantenverkoper stond te praten voor de kiosk. Waar hij zo stom was geweest om zijn portefeuille uit zijn zak te halen... Youssef had gebruikgemaakt van zijn goedgelovigheid en hij, Sebastian, had alles aan zichzelf te wijten. Hij had niet nagedacht en was er met open ogen ingetrapt. Met zijn pak bankbiljetten, zijn nette pak en zijn arrogante Amerikaanse gedrag, was hij het perfecte slachtoffer geweest.

Nadat ze hem in elkaar hadden geslagen en beroofd, gaf Youssef zijn kornuiten een teken. Meteen lieten de twee mannen hun prooi los en gingen er rennend vandoor.

Met kapotte wenkbrauwen, gebarsten lippen en gezwollen oogleden probeerde Sebastian met veel moeite weer op te krabbelen. Hij opende een oog en hoorde vaag het geroezemoes van de drukte en de onafgebroken stroom auto's op de boulevard in de verte. Moeizaam kwam hij overeind. Met de mouw van zijn jasje veegde hij het bloed weg dat uit zijn mond en zijn neus liep. Ze hadden hem alles afgenomen. Zijn portefeuille, zijn geld, zijn mobieltje, zijn paspoort, zijn riem en zijn schoenen. Zelfs zijn horloge, dat hij van zijn grootvader had gekregen.

Tranen van spijt en schaamte welden op in zijn ogen. Wat moest hij aan Nikki vertellen? Hoe had hij zo lichtgelovig kunnen zijn? Was hij ondanks al zijn goede wil wel in staat om zijn zoon terug te vinden?

27

Het terras lag hoog boven de tuin van het hotel.

Geleund tegen de balustrade probeerde Nikki haar onrust in bedwang te houden en luisterde naar het geruis van de oude, marmeren fontein. Een scherm van dichte en groene vegetatie omsloot het gebouw. Twee rijen cipressen liepen over het terrein en wekten de indruk van een Toscaans landschap. De rode uitlopers van wilde wijnstruiken kropen tegen de muren omhoog en vochten om een plekje met de twijgen van klimmende jasmijn, waarvan de witte bloemen een bedwelmende geur verspreidden, die opsteeg tot hun kamer.

Nikki voelde zich machteloos sinds Sebastian was vertrokken en draalde doelloos rond. Onder andere omstandigheden had ze genoten van de schoonheid en de rust van deze plek, maar nu werd ze verteerd door angst. Haar spieren waren gespannen en haar hart bonkte in haar keel. Ze kon zich niet ontspannen en liep terug naar de kamer om het bad vol te laten lopen.

Terwijl het water de badkuip vulde en een lichte nevel door de kamer verspreidde, liep Nikki naar de oude platenspeler op een van de schappen. Het was een koffergrammofoon, typerend voor de jaren zestig, waarvan het deksel fungeerde als luidspreker. Op een tafeltje stonden een stuk of vijftig oude elpees. Nikki gleed met haar vingers langs de hoezen, het was een hele rij cultalbums: *Highway 61* van Dylan, *Ziggy Stardust* van Bowie, *The Dark Side of the Moon* van Pink Floyd, *The Velvet Undergroud & Nico*...

Ze stopte bij *Aftermath*, een van de albums uit de tijd dat The Stones nog echt The Stones waren. Ze legde de plaat op de draaitafel en draaide de arm met de naald erop. Binnen een paar seconden lieten de baslijnen en de marimba-riffs van *Under my Thumb* de kamer vibreren. Het verhaal gaat dat Mick Jagger het nummer schreef als afrekening met het model Chrissie Shrimpton, met wie hij in die tijd een relatie had. In die periode konden feministen de tekst van de song niet waarderen. Die vergeleek vrouwen met kwispelende honden en Siamese katten.

Nikki vond de tekst veel complexer dan dat. Hij ging over de zoektocht naar de macht binnen een relatie en de wraakgevoelens, als liefde omslaat in haat. Ze ging voor de grote, ovale, gietijzeren spiegel staan en kleedde zich helemaal uit. Ze bekeek haar spiegelbeeld zonder gevoel van schaamte.

Van buiten streek een zonnestraal over haar hals. Ze sloot een kort ogenblik haar ogen, draaide haar gezicht naar het licht en genoot van de warmte op haar huid. In de loop der jaren was haar silhouet wat ronder geworden, maar dankzij haar intensieve sporten was haar lichaam in vorm gebleven. Haar borsten waren niet gaan hangen, ze had een slanke en gespierde taille, harde bovenbenen en slanke kuiten. Ze zat op dit moment goed in haar vel en dat gaf haar zelfvertrouwen.

Bij de verkiezingen van Miss Cougar zou je geen slecht figuur slaan, Mrs Robinson...

Ze draaide de kraan dicht en gleed rillend in het warme water. Net als vroeger hield ze haar adem in en ging kopje-onder. Ooit kon ze twee minuten onder water blijven. Die tijd gebruikte ze om haar gedachten op een rijtje te zetten.

Tien seconden...

Haar verlangen om jong te blijven vergalde haar leven. Ze was al jaren bezig steeds opnieuw te bewijzen dat ze nog in staat was om te verleiden. De waarheid was dat ze dacht dat dat alleen lukte met haar lichaam. Ze lag goed bij de mannen omdat ze er aantrekkelijk uitzag. Ze keken altijd eerst naar haar lichaam, en letten niet op haar charmes, haar intelligentie, haar gevoel voor humor of haar culturele kennis...

Twintig seconden...

Maar haar jeugd was voorbij. De vrouwenbladen konden het dan van de daken schreeuwen dat veertig het nieuwe dertig was, maar dat was allemaal onzin. De tijd vroeg om nieuw bloed, jong en vers vlees. Op straat merkte ze dat mannen niet zo vaak meer naar haar omkeken als ze langsliep. Een maand geleden, in een boetiek in Greenwich, was ze erg blij geweest met de aandacht van een verkoper, een charmante, jonge vent, die er goed uitzag. Totdat ze begreep dat hij niet haar probeerde te versieren, maar... Camille.

Dertig seconden...

Ze vond het moeilijk om toe te geven, maar het deed haar wel degelijk wat om Sebastian weer terug te zien. Hij was nog net zo onuitstaanbaar, bot, onrechtvaardig en vastgeroest in zijn zekerheden, maar in deze gevaarlijke omstandigheden voelde ze zich desondanks toch veilig met hem aan haar zijde.

Veertig seconden...

Tijdens hun huwelijk had ze zich totaal minderwaardig gevoeld. Ze was ervan overtuigd dat hun liefde een groot misverstand was en dat Sebastian vroeg of laat tot de ontdekking zou komen hoe ze werkelijk was. Ze was voortdurend bang geweest dat hij haar zou verlaten.

Vijftig seconden...

Hun scheiding leek haar zo onontkoombaar, dat ze een vlucht vooruit had genomen en de ene minnaar na de andere had genomen. Ze was in een negatieve spiraal terechtgekomen en dat had haar uiteindelijk haar huwelijk gekost. Haar grootste angst was bewaarheid, maar dat had haar paradoxaal genoeg ook opgelucht: nu ze had verloren, hoefde ze ook niet meer bang te zijn om te verliezen.

Een minuut...

De tijd tikte weg. Haar leven gleed als zand door haar vingers. Over twee of drie jaar zou Jeremy naar Californië vertrekken om te studeren. Ze zou alleen achterblijven. Alleen. Helemaal alleen.

Altijd weer die panische angst om verlaten te worden. Waar kwam die toch vandaan? Uit haar kindertijd? Of nog verder terug? Ze wilde er niet aan denken.

Een minuut en tien seconden...

Ze rilde en voelde een trilling in haar buik. Ze kwam nu zuurstof tekort. Vaag hoorde ze in haar hoofd het refrein van een nummer van The Stones, ondersteund door... een riff van Jimi Hendrix!

Mijn mobiel!

Met een ruk bracht ze haar hoofd boven water en greep het toestel. Het was Santos. Sinds de vorige avond had hij haar een hele reeks berichten gestuurd, afwisselend boos en verliefd van toon. In de stortvloed aan gebeurtenissen die zich hadden voorgedaan, had ze zijn berichten niet beantwoord.

Ze aarzelde. De laatste tijd vond ze de liefde van haar vriendje Santos erg verstikkend, maar tegelijkertijd was hij ook een goede politieman. En als hij nu eens een spoor had ontdekt in de verdwijning van Jeremy?

'Ja,' zei ze buiten adem.

'Nikki? Eindelijk! Ik probeer je al uren te bereiken. Waar ben je in godsnaam mee bezig?'

'Ik had andere dingen te doen, Lorenzo.'

'Wat doe je in hemelsnaam in Parijs?'

'Hoe weet je waar ik zit?'

'Ik ben bij je langs geweest en kwam die vliegtickets tegen.'

'Maar hoe kom je erbij dat te doen?'

'Gelukkig was ik het en niet een andere agent.' Santos wond zich op. 'Omdat ik ook nog cocaïne heb gevonden in je badkamer!'

Ze zweeg gekwetst. Hij had haar klemgezet.

'Word wakker, meid! Jouw vingerafdrukken en die van je ex zijn gevonden op de plek van een moordpartij. Je zit tot aan je nek in de stront!'

'We hebben er niets mee te maken!' verdedigde ze zichzelf. 'Drake was al dood toen we daar aankwamen. En wat die andere vent betreft, dat was pure zelfverdediging.'

'Maar wat deed je in dat rattenhol?'

'Ik probeerde mijn zoon terug te vinden! Luister, ik leg het je allemaal uit zodra ik kan. Heb je nog nieuws over Jeremy?'

'Nee, maar ik ben wel de enige persoon die je kan helpen.'

'Hoe bedoel je?'

'Ik kan proberen het onderzoek naar de moorden die gepleegd zijn bij De Boemerang te vertragen, op voorwaarde dat je zo snel mogelijk terugkeert naar New York.'

'...'

'Oké, Nikki?'

'Goed, Lorenzo.'

'En laat je niet beïnvloeden door Sebastian,' voegde hij er dreigend aan toe.

Nikki zweeg.

Hij probeerde zijn woorden ietwat af te zwakken.

'Ik... ik mis je, lieverd. Ik doe alles om je te beschermen. Ik hou van je.'

Santos wachtte een paar seconden, in de hoop dat Nikki hetzelfde zou zeggen. Maar Nikki kreeg de woorden niet over haar lippen.

Een pieptoon gaf aan dat er een ander gesprek binnenkwam. Ze maakte van de gelegenheid gebruik om het gesprek te beëindigen.

'Ik moet ophangen, ik heb een wisselgesprek. Ik laat snel iets van me horen.'

Ze nam het andere gesprek aan zonder Santos de kans te geven te protesteren.

'Hallo?'

'Mevrouw Larabee?'

'Daar spreekt u mee.'

'U spreekt met het rondvaartbedrijf van Parijs,' vertelde een stem haar in het Engels. 'Ik bel u om uw reservering voor vanavond te bevestigen.'

'Welke reservering?'

'Uw reservering voor het *diner excellence*, vanavond om halfnegen op ons schip *L'Amiral*.'

'Eh... weet u zeker dat u zich niet vergist?'

'We hebben een reservering op naam van de heer en mevrouw Larabee, de tafel is een week geleden geboekt,' legde de vrouw aan de andere kant van de lijn uit. 'Begrijp ik uit uw reactie dat u ervan afziet?'

'Nee, we komen,' verzekerde Nikki haar. 'Halfnegen zei u? Waar gaan we aan boord?'

'Bij de Pont d'Alma, in het achtste arrondissement. Avondkleding wordt op prijs gesteld.'

'Uitstekend,' zei Nikki instemmend en ze noteerde alles in gedachten.

Ze verbrak de verbinding. In haar hoofd was de verwarring nu compleet. Wat een chaos. Wat betekende deze nieuwe afspraak? Zou men dan bij de Pont d'Alma eindelijk contact met hen opnemen? En misschien Jeremy aan hen teruggeven?

Ze sloot haar ogen en dook opnieuw met haar hoofd onder water. Om alles te kunnen begrijpen zou ze haar hoofd net als bij een computer even willen resetten.

Een druk op de knop...

Ctrl+Alt+Delete.

Haar hersenen zaten vol negatieve gedachten. Horrorbeelden, rechtstreeks afkomstig uit een nachtmerrie. Ze kreeg haar angst langzaam onder controle door zich te concentreren, zoals ze had geleerd tijdens haar meditatielessen. Stap voor stap ontspanden haar spieren zich. Het inhouden van haar adem deed haar goed en het warme water op haar huid voelde als een beschermende cocon. Het zuurstofgebrek werkte als een soort filter, dat alles uit haar bewustzijn haalde wat daar niet thuishoorde.

Uiteindelijk bleef er nog slechts één beeld over. Een oude herinnering, die ze lange tijd had verdrongen. Een tijdcapsule, een wazige amateurfilm, die haar zeventien jaar terugwierp in de tijd.

Het moment van haar tweede ontmoeting met Sebastian.

In de lente van 1996.

In Parijs...

Nikki

Zeventien jaar geleden...

Jardin des Tuileries, Parijs, lente 1996

'Meiden, we maken nog een laatste opname! Op je plaats. Let op... camera draait!'

Voor het Louvre vormde een heel bataljon mannequins voor de tiende keer een ingewikkeld decor. Voor deze reclamespot had het modehuis werkelijk waar alles uit de kast gehaald: een gerenommeerde regisseur, schitterende kostuums, een prachtig decor en een overvloed aan figuranten rond de ster die het merk had uitgezocht als haar nieuwe icoon.

Ik heet Nikki Nikovski, ben vijfentwintig jaar en ben een van de meisjes. Niet het supermodel op de voorgrond. Nee, slechts een van de anonieme aanwezigen op de vierde rij. Het is het midden van de jaren negentig. Een handjevol topmodellen, Claudia, Cindy of Naomi, zijn echte sterren geworden en verdienen bakken met geld. Maar ik leef op een andere planeet. Joyce Cooper, mijn agent, heeft me dat zonder veel omhaal duidelijk gemaakt: 'Je mag blij zijn dat je naar Parijs mag.'

Mijn leven heeft niets van doen met het sprookjesleven van de topmodellen in de vrouwenbladen. Ik ben niet als veertienjarige ontdekt op het strand of in een winkelcentrum van een onbeduidend plaatsje in Michigan door een fotograaf van modellenbureau Elite, die 'toevallig' langskwam. Nee, ik ben pas laat begonnen als model, op mijn twintigste, toen ik aankwam in New York. U hebt me nog nooit gezien op de cover van ELLE of *Vogue* en als ik een enkele keer over de catwalk loop, dan is dat voor tweederangsmodeontwerpers.

Hoe lang zal mijn lichaam het uithouden?

Ik heb pijn aan mijn voeten en in mijn rug. Ik heb het gevoel dat al mijn botten dreigen te breken, maar ik doe mijn best om er goed uit te zien. Ik heb geleerd om voortdurend te glimlachen, mijn gewelfde borsten en mijn mooie benen goed te gebruiken, enigszins heupwiegend te lopen en al mijn bewegingen uit te voeren met vrouwelijke gratie. Maar vanavond is die gratie verdwenen. Ik ben vanmorgen aangekomen met het vliegtuig en morgen vertrek ik weer. Geen vakantie dus! De afgelopen maanden waren zwaar. Met mijn portfolio onder mijn arm heb ik de hele winter allerlei castings af gelopen. Om zes uur 's morgens met de trein van de buitenwijken naar Manhattan, fotoshoots in slecht verwarmde studio's, lowbudgetopnames voor goedkope reclames. Elke dag word ik geconfronteerd met de keiharde waarheid: ik ben niet jong genoeg. Ik heb niet dat beetje extra waardoor ik Christy Turlington of Kate Moss zou kunnen worden. En ik word oud. Nu al.

'Cut!' roept de regisseur. 'Oké, meiden, het staat erop! Jullie kunnen feesten! Parijs ligt aan jullie voeten!'

Wat een onzin!

Het productieteam heeft de kleedkamers ondergebracht in tenten. Het licht is prachtig aan het einde van deze middag, maar het is steenkoud. Terwijl ik me afschmink, spreekt een stagiaire van Joyce Cooper me aan. 'Het spijt me Nikki, maar er was geen plaats meer in het Royal Opéra. We hebben je moeten omboeken naar een ander hotel.'

Ze geeft me een vel papier met het adres van een hotel in het dertiende arrondissement.

'Neem je me in de maling? Weet je wel hoe ver dat is? Waarom niet iets in de buitenwijken, als je toch eenmaal bezig bent?'

Ze haalt haar schouders op als teken van onmacht.

Ik zucht en ik trek mijn schoenen en mijn kleren uit. De sfeer is gespannen en de meisjes zijn helemaal opgewonden: er is een feest georganiseerd in de tuinen van het Ritz. Lagerfeld en Galliano komen ook.

Als ik bij het feest arriveer, blijkt mijn naam niet op de lijst met genodigden te staan.

'Drink je een glas met ons, Nikki?' vraagt een fotograaf van de opnames me. Hij heeft een vriend meegenomen, een cameraman die me sinds vanmorgen begluurt. Ik heb absoluut geen zin om met die twee eikels te gaan stappen, maar ik zeg geen nee, omdat ik te bang ben om alleen te zijn. Ik wil dat mensen belangstelling voor me hebben, ook al zijn het mensen die ik veracht.

Ik zit in een bar in de Rue d'Alger. We slaan de ene na de andere 'kamikaze' achterover, een gemene cocktail van wodka, cointreau en citroen. De alcohol verwarmt en ontspant me en stijgt snel naar mijn hoofd. Ik lach, ik maak grapjes en ik val in de smaak. Toch heb ik een hekel aan die smerige fotografen, een stelletje roofdieren dat altijd op jacht is naar vers vlees. Ik ken hun techniek: meisjes dronken voeren, een beetje coke geven, blijven aanvallen, profiteren van hun vermoeidheid, hun eenzaamheid en hun ontreddering. *You're so awesome! So sexy! So glamorous...* Ze beschouwen me als een gemakkelijke prooi en ik doe niets om dat beeld te corrigeren. Die aandacht is mijn brandstof: de glans die ik oproep in mannenogen, ook al zijn het nog zulke sukkels, zoals deze twee. Als een vampier voed ik me met hun verlangen.

De glamour en het klatergoud van de modewereld zie ik al lang niet meer. Voor mij is er alleen nog de uitputting, de verveling, de concurrentie. Ik heb begrepen dat ik niet meer ben dan een beeld, een wegwerpvrouw, een product dat tegen de houdbaarheidsdatum aan zit.

Die gasten komen dichterbij, ze raken me aan en hun gebaren zijn steeds gewaagder. Even denken ze dat ik meega in hun plannen voor een trio. De avond valt. Ik kijk naar de lampen die aangaan, tot het moment dat die mannen echt te opdringerig worden. Ik spring overeind nu ik nog een beetje helder ben. Ik verlaat het café en zeul mijn koffer achter me aan. Achter mijn rug hoor ik de beledigingen: kutwijf, slet, uitdaagster...

Business as usual.

In de Rue de Rivoli is het onmogelijk een taxi te vinden. Ik duik de metro in, station Palais-Royal. Na een blik op de plattegrond op het perron stap ik in het treinstel en laat me meevoeren langs de haltes van lijn 7: Pont-Neuf... Châtelet... Jussieu... Les Gobelins...

Het is donker als ik aankom op de Place d'Italie. Ik denk dat mijn hotel vlakbij is, maar het blijkt toch nog een paar lange minuten lopen. Het begint te regenen. Ik vraag de weg, maar niemand helpt me omdat ik geen Frans spreek. Raar land... Ik loop de Rue Bobillot in en sleep de koffer waarvan de wielen zijn geblokkeerd, achter me aan. Het regent steeds harder.

Deze avond voel ik me oud en kwetsbaar en eenzamer dan ooit. De regen druipt langs mijn lichaam en alles in me knapt. Ik denk aan de toekomst. Heb ik überhaupt een toekomst? Ik heb geen cent. Ik heb vijf jaar gewerkt en ik heb geen dollar gespaard. Allemaal de schuld van een systeem dat erop gericht is je afhankelijk te houden. De modellenbureaus beheersen dat spelletje tot in de puntjes en vaak werk ik alleen maar om hun provisie en de reiskosten te betalen.

Als ik over het trottoir loop, breek ik een van mijn hakken. Uiteindelijk kom ik op de Butte-aux-Cailles, strompelend, met mijn schoenen in mijn hand en met mijn gevoel van eigenwaarde aan gruzelementen. Ik heb nog nooit gehoord over deze wijk, die uitkijkt over Parijs. In die periode leek het nog wat op een dorp uit vervlogen tijden. Smalle straatjes met kinderkopjes en plattelandshuizen. Hier geen brede avenues en grote appartementengebouwen in de stijl Hausmann. Ik heb het gevoel dat ik Alice in Wonderland ben, die in een totaal andere wereld terecht is gekomen.

Mijn hotel ligt in de Rue des Cinq-Diamants en is een oud, smal gebouw met een wat vervallen gevel. Uitgeput en doorweekt kom ik in de armetierige hal binnen en laat de eigenaresse de print van mijn reservering zien.

'Kamer 21, mevrouw. Uw neef is een uur geleden gearriveerd,' zegt ze, zonder me de sleutel te geven.

'Mijn neef? Hoe bedoelt u?'

Ik ken maar een paar woorden Frans en zij spreekt geen Engels, ook al beweert een stuk papier het tegendeel. Na vijf minuten heen en weer gepraat begrijp ik min of meer dat een Amerikaan een uur geleden mijn kamer in bezit heeft genomen door zich voor te doen als mijn neef. Ik eis een andere kamer, maar ze zegt dat het hotel vol is. Ik vraag haar om de politie te bellen, maar ze vertelt dat de man de kamer al heeft betaald.

Wat heeft dit idiote verhaal te betekenen?

Woedend loop ik de trap op naar de tweede verdieping, terwijl ik mijn koffer midden in de doorgang laat staan. Ik klop op de deur van kamer 21.

Geen reactie.

Ik laat me niet uit het veld slaan en loop het hotel uit. Via een klein steegje kom ik aan de achterzijde van het hotel en zie het raam van de bezetter. Ik gooi een van mijn pumps omhoog, maar mis het doel. De volgende schoen is wel raak en knalt tegen het raam. Na een paar seconden opent een man eindelijk het raam en hij steekt zijn hoofd naar buiten.

'Maakt u die herrie?' beklaagt hij zich.

Ik geloof mijn ogen niet. Het is... Sebastian Larabee, de gefrustreerde vioolbouwer uit Manhattan. Met moeite onderdruk ik mijn woede.

129

'Wat doe jij in mijn kamer?'

'Ik probeer te slapen. Dat wil zeggen... voordat u lawaai begon te schoppen.'

'Doe me een plezier en ga weg!'

'Geen denken aan,' antwoordt hij op kalme toon.

'Even serieus dan. Waarom ben je in Parijs?'

'Ik ben hier om u te zien.'

'Om mij te zien? Maar waarom in vredesnaam? En hoe heb je me gevonden?'

'Ik heb wat onderzoek gedaan.'

Ik slaak een zucht. Die vent is gek. Die heeft een obsessie voor me. Het is niet de eerste keer dat ik een idioot tegen het lijf ben gelopen. En hij leek nog wel zo normaal, zo aardig en zacht...

Ik probeer ontspannen te reageren. 'Maar wat verwacht je eigenlijk van me?'

'Excuses.'

'O, en waarvoor dan?'

'Ten eerste voor de diefstal van mijn portefeuille, drie maanden geleden.'

'Maar die heb ik je teruggegeven! Dat was een spelletje, een truc om achter je adres te komen.'

'Dat had u me ook kunnen vragen. Misschien had ik u zelfs wel uitgenodigd!'

'Ja, maar dat was minder leuk geweest.'

Een lantaarnpaal verlicht de natte straatstenen van het steegje. Sebastian Larabee neemt me van boven op met zijn mooie glimlach.

'En verder neem ik het u kwalijk dat u ervandoor bent gegaan zonder uw adres achter te laten.'

Ik schud mijn hoofd. 'Wat een verhaal!'

'Als ik me niet vergis, zijn we zelfs met elkaar naar bed geweest.'

'Nou en? Ik ga met iedereen naar bed,' zeg ik om hem te provoceren.

'Prima, maar vannacht slaapt u buiten,' besluit hij en hij doet het raam dicht.

Het is nacht en het is koud. Ik ben doodop, maar verrast en ben in elk geval niet van plan me hier zo te laten behandelen door deze ongelikte beer.

'Oké, je hebt er zelf om gevraagd!'

Op de hoek van het steegje staat een plastic vuilniscontainer. Ondanks mijn vermoeidheid klim ik op de afvalbak en klauter langs de regenpijp omhoog. Op de eerste verdieping rust ik even uit en houd me in evenwicht op een bloembak, voordat ik verderga met de klim. Als ik omhoogkijk, zie ik Sebastian stomverbaasd achter het raam staan. Met grote ogen kijkt hij me in paniek aan.

'U breekt uw nek nog!' schreeuwt hij als hij met een ruk het raam opent.

Verrast deins ik terug en verlies mijn evenwicht. Als ik wegglijd lukt het me op het allerlaatste moment om zijn uitgestoken hand te pakken.

'Totaal onverantwoord!' roept hij tegen me terwijl hij me over de rand van het raam trekt. Nu ik buiten gevaar ben, grijp ik hem bij zijn kraag en bewerk zijn bovenlichaam met mijn vuisten.

'Ben ik hier onverantwoord bezig, idioot? Jij hebt me bijna om zeep geholpen!'

Verrast door mijn heftige emoties, probeert hij zich zo goed en zo kwaad als het gaat te bevrijden. Woedend grijp ik zijn open koffer, die bij het voeteneind van het bed staat, en maak een zwaai om het ding uit het raam te gooien. Hij onderschept me en slaat zijn armen om me heen.

'Rustig nu!' zegt hij op ferme toon.

Zijn gezicht bevindt zich slechts een paar centimeter van het mijne. Hij kijkt me open en eerlijk aan en hij heeft een menselijke uitstraling die een rustgevende uitwerking op me heeft. Hij ruikt lekker. De geur van eau de cologne, die mannen van de generatie Cary Grant waarschijnlijk gebruikten.

Plotseling ben ik erg opgewonden. Ik bijt op zijn lippen, duw hem op het bed en ruk de knopen van zijn overhemd.

De volgende morgen.

Ik schrik wakker door het rinkelen van de telefoon. De nacht was kort. Met slaperige ogen neem ik op en ga rechtop tegen het kussen zitten. Aan de andere kant van de lijn mompelt de eigenaresse van het hotel een paar zinnen in het Engels. Ik doe mijn ogen open. Wat gefilterd licht valt door de kanten gordijnen van deze piepkleine kamer. Terwijl ik bij mijn positieven kom, duw ik met mijn voet de deur van de badkamer open.

Niemand...

Zou Sebastian Larabee me hebben verlaten?

Ik vraag de eigenaresse de boodschap nog eens langzaam en duidelijk te herhalen.

'Uw neef wacht op u in het café op de hoek.'

Mijn 'neef' wacht op me in het café op de hoek.

Mooi, dan blijft hij nog maar even wachten.

Ik spring uit bed, neem snel een douche en raap mijn spullen bij elkaar. Ik loop de trap af en pak mijn koffer, die in de hal is blijven staan. Ik loop de eigenaresse voorbij die achter haar bureau zit en steek mijn hoofd buiten de deur.

Het café is honderd meter verderop, aan de linkerkant. Ik sla rechts af, in de richting van de metro. Twintig meter verder haalt de eigenaresse me in.

'Ik ben bang dat uw neef uw paspoort heeft...' zegt ze tegen me met een houding alsof ze er niets aan kan doen.

De vooruitgang lijkt aan het café Le Feu voorbij te zijn gegaan. Je waant je hier in de jaren vijftig: een zinken toog, tafelkleedjes van geruit katoen, een bank bekleed met moleskine, formica tafeltjes. Op een schoolbord aan de muur staan de gerechten van de vorige avond: pistacheworstjes, varkenspoot, *andouillette de Troyes*.

Als ik kwaad de kroeg binnenloop, zie ik Sebastian achterin aan een tafeltje zitten. Ik ga voor hem staan en spreek hem op dreigende toon aan. 'Geef me mijn paspoort terug!'

'Goedemorgen Nikki. Ik hoop dat jij ook lekker geslapen hebt,' zegt hij en hij geeft me mijn paspoort terug. 'Ga zitten, alsjeblieft. Ik heb vast wat voor je besteld.'

Uitgehongerd ga ik voor het uitgebreide ontbijt zitten: café au lait, croissantjes, sneetjes brood en jam. Ik neem een slok koffie en vouw mijn servet open, als ik een pakje ontdek met een lint eromheen.

'Wat is dat dan?'

'Een cadeau.'

Ik kijk hem aan. 'Je hoeft me geen cadeau te geven omdat we twee keer met elkaar naar bed zijn geweest... Hoe heette je ook alweer?'

'Maak het maar open. Ik hoop dat je het leuk vindt. Je hoeft niet bang te zijn, het is geen verlovingsring.'

Zuchtend scheur ik de verpakking open. Het is een boek. Een bijzondere uitgave van *Liefde in tijden van cholera*. Prachtig ingenaaid, geïllustreerd en met de hand gesigneerd door Gabriel García Márquez.

Ik schud mijn hoofd, maar ben toch ontroerd door de geste. Het kippenvel staat op mijn armen. Het is de eerste keer dat een man me een boek geeft. Ik voel de tranen in mijn ogen opkomen, maar ik onderdruk ze. Dit doet me meer dan ik wil toegeven.

'Waar ben je precies mee bezig?' vraag ik en ik duw het boek van me af. 'Dat heeft een vermogen gekost, zoiets neem ik niet aan.'

'Waarom niet?'

'We kennen elkaar niet eens.'

'Daar kunnen we mee beginnen.'

Ik draai me om. Een oud echtpaar steekt de straat over zonder dat duidelijk is wie nu wie ondersteunt.

'Wat gaat er toch allemaal om in je hoofd?'

Met jeugdige overmoed en vol enthousiasme begint Sebastian in alle openheid zijn verhaal: 'Sinds vier maanden word ik elke ochtend wakker met jouw beeld op mijn netvlies. Ik denk de hele tijd aan je en verder is niets meer belangrijk...'

Verbijsterd kijk ik hem aan. Ik zie dat hij het meent en dat hij er echt in gelooft. Waarom is deze vent zo naïef, zo lief en zo innemend?

Ik sta op om te vertrekken, maar hij houdt me vast bij mijn arm.

'Geef me vierentwintig uur om je te overtuigen.'

'Me te overtuigen van wat?'

'Dat we voor elkaar zijn gemaakt.'

Ik ga weer zitten en pak zijn hand.

'Luister, Sebastian, je bent erg aardig en je bent goed in bed. Ik vind het heel fijn dat je verliefd op me bent en ik vind het een erg romantisch idee dat je deze reis hebt gemaakt om me terug te vinden...'

'Maar...'

'Maar laten we realistisch zijn. We hebben geen enkele kans om samen iets op te bouwen. Ik geloof niet in het sprookje van het herderinnetje dat trouwt met de prins op het witte paard en...'

'Je zou een heel sexy herderinnetje zijn...'

'Even serieus, graag! We hebben niets gemeenschappelijk: jij bent een superintelligente WASP, een *White Anglo-Saxon Protestant*, en afkomstig uit de top van de samenleving. Je ouders zijn miljonair, je woont in een huis van ruim driehonderd vierkante meter en je gaat om met de crème de la crème van de Upper East Side...'

'Nou en?' onderbreekt hij me.

'Nou en? Ik weet niet wat je allemaal over me denkt, maar ik ben niet degene die jij je verbeeldt. Ik heb je niets te bieden waar jij echt van kunt houden.'

'Overdrijf je nu niet een beetje?' ·

'Nee. Ik ben labiel, ontrouw en egoïstisch. Het lukt je niet om me te veranderen in een lief, klein en attent vrouwtje. En ik zal nooit verliefd worden op jou.'

'Geef me vierentwintig uur,' vraagt hij opnieuw. 'Vierentwintig uur voor jou, voor mij en voor Parijs.'

Ik schud mijn hoofd.

'Ik heb je gewaarschuwd.'

Hij glimlacht als een kind. Ik ben ervan overtuigd dat hij zich snel zal vervelen.

Ik weet op dat moment nog niet dat ik de ware liefde heb gevonden. De enige echte, eeuwige liefde. De liefde die je alles geeft en dan alles weer afneemt. De liefde die je leven zin geeft, voordat hij alles voor altijd kapotmaakt.

28

Buiten adem en druipend van het zweet liep Sebastian Larabee de hal van het Grand Hotel binnen, onder de stomverbaasde blik van de receptioniste. Met zijn bloedneus, op blote voeten en in zijn gescheurde kleren, viel hij volledig uit de toon bij de smetteloze ontvangstruimte.

'Wat is er met u gebeurd, meneer Larabee?'

'Ik heb... een ongeluk gehad.'

Bezorgd nam ze de telefoon op.

'Ik bel een dokter.'

'Dat is niet nodig.'

'Echt niet?'

'Het gaat goed met me, echt,' voegde hij er met vastere stem aan toe.

'Zoals u wilt. Ik zal wat verband voor u halen en wat alcohol. Als u nog iets anders nodig hebt, dan zegt u het maar.'

'Dank u wel.'

Maar ondanks zijn ademnood en de moordende pijn in zijn buik liep hij liever de trap op dan op de lift te wachten.

Toen hij de kamer binnenkwam, was die leeg. The Rolling Stones stonden aan op vol volume, maar van Nikki geen spoor. Hij liep naar de badkamer en vond zijn ex languit in de badkuip, met gesloten ogen en haar hoofd onder water.

Wanhopig trok hij haar aan haar haren omhoog.

Ze schreeuwde het uit van schrik.

'Hé, idioot! Ben je nou helemaal gek geworden? Je hebt me bijna gescalpeerd!' riep ze en ze bedekte haar borsten.

'Ik dacht dat je aan het verdrinken was! Wat is dit verdomme voor een spelletje? Je bent te oud om het kleine zeemeerminnetje te spelen.'

Terwijl ze kwaad naar hem keek, zag ze de wonden op zijn gezicht.

'Heb je gevochten?' vroeg ze ongerust.

'"In elkaar geslagen" dekt de lading beter,' antwoordde Sebastian verongelijkt.

'Draai je om, dan stap ik uit bad. En gluur niet tussen je vingers door!'

'Volgens mij heb ik je al weleens vaker naakt gezien.'

'Ja, in een ander leven.'

Hij wendde zijn hoofd af toen hij haar een peignoir aangaf. Ze trok hem aan toen ze uit bad kwam en sloeg een handdoek om haar hoofd.

'Ga zitten, dan zal ik de wonden verzorgen.'

Terwijl ze zijn wonden schoonmaakte met zeepwater, vertelde hij haar wat hem overkomen was in Barbès. Zij vertelde op haar beurt over de beide telefoontjes die ze had gekregen: van Santos en het raadselachtige verhaal van het Parijse rondvaartbedrijf.

Hij schreeuwde het uit van de pijn toen ze een ontsmettingsmiddel in zijn snijwonden goot.

'Kom, stel je niet zo aan! Daar heb ik een hekel aan!'

'Maar dat spul bijt enorm!'

'Ach, het prikt een beetje als je drie of vier jaar bent, maar jij bent toch een volwassen kerel?'

Sebastian zocht naar een snedig antwoord, toen er op de deur werd geklopt.

'De kamerjongen,' zei een stem achter de deur.

Nikki zette een stap om de badkamer uit te lopen, maar hij hield haar vast bij de mouw van haar peignoir.

'Je wilt toch niet opendoen in dat ding?'

'Hoezo, dat ding?'

'Maar je bent halfnaakt!'

Ze keek hem wanhopig aan.

'Je bent nog niets veranderd,' zei hij tegen haar en hij liep naar de deur.

'Jij ook niet!' schreeuwde ze en ze sloeg de deur van de badkamer achter hem dicht.

Een groom in een kostuum met vergulde knopen en met een rode baret op het hoofd kwam de kamer binnen. Zijn tengere gestalte verdween bijna onder de stapel pakjes met logo's van bekende merken van luxeartikelen: Yves Saint Laurent, Christian Dior, Zegna, Jimmy Choo...

'Deze pakjes zijn zojuist voor u bezorgd, meneer.'

'Dat moet een vergissing zijn, we hebben niets besteld.'

'Sorry dat ik u tegenspreek, meneer, maar de bestelling staat echt op uw naam.'

Aarzelend ging Sebastian opzij, zodat de jongen zijn pakjes in de kamer kon neerzetten. Toen hij aanstalten maakte om te vertrekken, zocht Sebastian in zijn zakken naar een fooi, maar hij herinnerde zich opeens dat hij was beroofd. Nikki kwam hem te hulp en gaf de jongeman een biljet van vijf dollar voordat ze de deur sloot.

'Zo lieverd, heb je lekker geshopt?' riep ze lachend toen ze de pakjes ontdekte.

Nieuwsgierig hielp Sebastian haar met het uitpakken van de spullen op het bed. Het waren bij elkaar zes grote zakken met een complete set avondkleding: een pak, een jurk, een stel pumps...

'Ik begrijp de boodschap niet die hierachter zit.'

'Avondkleding voor een man en een vrouw,' zei Nikki en ze herinnerde zich de opmerking van de dame van het rondvaartbedrijf, dat avondkleding op prijs werd gesteld.

'Maar waarom willen ze dan dat we juist deze kleren dragen?'

'Misschien omdat er een zendertje in zit, dat hen in staat stelt te zien waar we zijn?'

Hij dacht een ogenblik na over dit idee. Dat zou goed kunnen. Het was zelfs zeer waarschijnlijk. Hij pakte willekeurig het vest van het pak en begon het te onderzoeken, maar dat was natuurlijk tijdverspilling: die dingen waren tegenwoordig vrijwel onzichtbaar. Bovendien wilden ze in contact komen met de ontvoerders van hun zoon, dus waarom zouden ze ervanaf willen?

'Ik denk dat we ze maar gewoon moeten aantrekken,' zei Nikki.

Sebastian knikte instemmend.

Hij ging eerst onder de douche en bleef even onder de hete straal staan. Hij zeepte zich van onder tot boven in om zijn lichaam te ontdoen van de sporen van de vernederende behandeling in Barbès. Daarna trok hij de nieuwe kleren aan. Hij voelde zich meteen op zijn gemak. Het witte overhemd was zijn maat en paste uitstekend. Het pak was klassiek en chic, de stropdas gedistingeerd, de schoenen van goede kwaliteit en onopvallend. Het had zijn eigen keuze kunnen zijn.

Toen hij weer in de kamer kwam, werd het al donker. In het afnemende licht zag hij het silhouet van Nikki in een lange rode jurk met een diep uitgesneden rug en enorm decolleté, dat was afgezet met parels.

'Kun je me even helpen, alsjeblieft?'

Zwijgend ging hij achter haar staan, zoals hij dat vroeger ook had gedaan, en knoopte de schouderbandjes voorzichtig over een onopvallend halssieraad. De aanraking van Sebastians vingers op haar schouders bezorgde Nikki kippenvel. Sebastian leek gehypnotiseerd en had moeite zijn ogen weer los te maken van de bleke, fluweelzachte huid van zijn ex-vrouw. Plotseling legde hij zijn hand op haar schouder als een lichte streling. Hij keek naar de spiegel en zag het beeld van een paar dat zo op de cover van een glamourblad kon. Het leek net echt.

Nikki deed haar mond open om iets te zeggen, maar een windvlaag sloeg het raam met een klap dicht. De betovering was verbroken.

Om haar verwarring te onderdrukken, maakte Nikki zich los en trok de pumps aan die haar outfit compleet maakten. Sebastian stak zijn handen in zijn zakken om zich een houding te geven. In de rechterzak zat een kartonnen etiket. Hij wilde het in de afvalemmer gooien, maar bedacht zich op het laatste moment.

'Kijk hier eens!'

Het was geen etiket, maar een stukje papier dat in vieren was gevouwen. Een afgiftebewijs. Van het Gare du Nord.

29

De Amerikaanse wijk is tamelijk onbekend onder de Parijzenaars. Vroeger waren er groeves waaruit gips en zandsteen werden gewonnen. De wijk dankt zijn naam aan het verhaal dat de gipsblokken uit de groeve zouden zijn gebruikt voor de bouw van het Vrijheidsbeeld en het Witte Huis. Niet waar, maar evengoed een mooi verhaal.

In de schitterende jaren dertig werd het grootste deel van de wijk gesloopt om plaats te maken voor 'de vooruitgang'. Hele rijen deprimerende woonkazernes en afzichtelijke torenflats bepalen tegenwoordig het beeld van het noordelijke deel van de voormalige gemeente Belleville. Ingeklemd tussen het Parc Buttes-Chaumont en de rondweg, was de Rue de Mouzaïa het laatste bolwerk uit betere tijden. De hoofdstraat liep langs kleine straatjes met straatlantaarns en huisjes met voortuintjes.

Op nummer 23 bis van deze straat, een klein huis van rode baksteen, rinkelde de telefoon nu voor de derde keer binnen tien minuten. Niemand nam op.

Constance Lagrange was echter wel thuis, en lag languit op een ronde fauteuil in de woonkamer. Maar door de halve fles whisky die ze de afgelopen nacht had leeggedronken, was ze nog steeds dronken en ver weg van de wereld om haar heen.

Drie maanden eerder, op haar zevenendertigste verjaardag, had Constance drie dingen te horen gekregen. Twee keer goed nieuws, één keer slecht nieuws. Toen ze op de ochtend van de vijfentwintigste juli op haar werk kwam, had haar chef, commissaris Sorbier, haar meegedeeld dat ze was bevorderd tot inspecteur van de politie bij de vermaarde brigade voor de opsporing van voortvluchtigen.

Rond de middag had ze een telefoontje gekregen van haar bankier, die haar vertelde dat haar hypotheekaanvraag was goedgekeurd, zodat ze eindelijk haar grote droom kon verwezenlijken: de koop van haar favoriete huis in de Rue de Mouzaïa, in de wijk waar ze zoveel van hield.

Constance had tegen zichzelf geroepen dat dit haar geluksdag was. Maar aan het eind van de middag had haar dokter haar meegedeeld dat de uitslag van de scan die ze had laten doen, had aangetoond dat ze een tumor had in haar hersenen. Een glioblastoom in graad 4. De ergste vorm van kanker. Agressief, met uitzaaiingen en niet te opereren. Men gaf haar nog vier maanden.

Opnieuw rinkelde het mobieltje op de vloer. Deze keer drong de ringtone langzaam door haar nachtmerrie heen, waarin duistere beelden van kankercellen de hoofdrol speelden. Constance opende haar ogen en veegde de zweetdruppels weg die van haar voorhoofd parelden. Diep terneergeslagen bleef ze nog een paar minuten zitten, misselijk, wachtend op de volgende ringtone, klaar om haar hand uit te steken naar de vloer. Ze keek op het scherm naar het nummer. Het was Sorbier, haar voormalige chef. Ze nam het gesprek aan, maar liet hem het woord doen. 'Wat is er aan de hand, Lagrange?' schreeuwde hij. 'Ik probeer je al een halfuur te bereiken!'

'Ik herinner u eraan, chef, dat ik ontslag heb genomen,' zei ze en ze wreef in haar ogen.

'Wat is er aan de hand? Heb je gedronken? Je stinkt naar alcohol!'

'Klets niet. We zitten aan de telefoon...'

'Doet er niet toe. Je bent straalbezopen en dat ruik ik zelfs door de telefoon heen!'

'Goed, wat wilt u van me?' vroeg ze terwijl ze moeizaam overeind kwam.

'We hebben een CRI 1 van de autoriteiten in New York, een internationaal aanhoudingsbevel. Er moeten twee criminelen zo snel mogelijk worden opgepakt. Een man en zijn ex-vrouw. Een zwaar geval: drugshandel, dubbele moord, voortvluchtig...'

'Waarom is de rechter niet naar de opsporingsdienst van Parijs gegaan?'

'Ik heb geen idee en het kan me ook geen zak schelen. Het enige wat ik weet is dat wij het moeten opknappen.'

Constance schudde haar hoofd.

'Dat is dan uw probleem. Ik werk niet langer bij de afdeling.'

'Goed Lagrange, nu is het genoeg,' wond de commissaris zich op. 'Ik begrijp helemaal niets van dat hele ontslagverhaal van je. Als je persoonlijke problemen hebt, dan krijg je veertien dagen vrij van me, maar daarna is het klaar!'

Constance zuchtte. Ze twijfelde even of ze hem alles zou vertellen: dat de kanker haar hersenen opvrat, dat ze nog maar een paar weken te leven had en dat ze bang was voor de naderende dood. Maar ze zag ervan af. Sorbier was haar mentor, een van de laatste grote politiemannen 'van de oude stempel'. Een van de mannen waar men bewondering voor had. Ze wilde geen medelijden bij hem opwekken of hem in een ongemakkelijke positie manoeuvreren. Ze had zelf ook geen enkele behoefte om uit te huilen in zijn armen.

'Stuur dan iemand anders. Waarom niet inspecteur Botsaris?'

'Geen sprake van! Je weet heel goed dat het allemaal erg gevoelig ligt met de Verenigde Staten. Ik wil geen problemen met de ambassade. Je spoort dat stel voor me op en pakt ze voor morgen op, afgesproken?'

'Ik heb duidelijk nee gezegd!'

Sorbier deed net alsof hij het niet had gehoord.

'Ik heb het dossier doorgegeven aan Botsaris, maar ik wil dat jij de leiding neemt over deze actie. Ik stuur een kopie naar je mobiel.'

'U kunt de boom in!' schreeuwde Constance en ze verbrak de verbinding. Ze sleepte zichzelf naar de badkamer en gaf over uit pure woede. Hoe lang had ze al niet meer gegeten? In elk geval minstens vierentwintig uur. De vorige avond had ze haar angst verdronken met alcohol en niets gegeten om het effect van de dronkenschap zo snel mogelijk te voelen. Het comazuipen had haar vijftien uur in dromenland gehouden.

De woonkamer baadde in het prachtige licht van de late herfstmiddag. Constance had het huis drie weken geleden betrokken, maar had haar spullen nog niet uitgepakt. Links en rechts stonden met plakband afgesloten verhuisdozen opgestapeld in lege kamers. Waarvoor eigenlijk? In een van de kasten vond ze een aangebroken pak Granola. Ze pakte de chocoladebiscuits en ging op een kruk aan de kleine keukenbar zitten. Met moeite werkte ze er een paar naar binnen.

Hoe moet je in vredesnaam de tijd doden in afwachting van het moment dat de tijd jou doodt?

Van wie was die zinsnede ook alweer? Sartre? Beauvoir? Aragon? Haar geheugen liet haar in de steek. Dat was ook de reden geweest waarom ze haar dokter had opgezocht. Ze had al wat voortekenen gehad: misselijkheid, braakneigingen, hoofdpijn, maar dat heeft iedereen toch weleens? Haar levensstijl was niet perfect, maar ze had zich niet ongerust gemaakt. Toen was ze steeds vaker even weggeraakt en kreeg ze problemen met haar geheugen, die uiteindelijk het uitvoeren van haar werk bemoeilijkten. Ze werd impulsief en verloor beetje bij beetje de controle over haar emoties. Vervolgens kreeg ze last van evenwichtsstoornissen en op dat moment had ze besloten een specialist te raadplegen.

De diagnose kwam snel en was heftig. Op de houten bar lag een dik medisch dossier, het rauwe verhaal van haar ziekte. Constance opende het voor de zoveelste keer en keek vol afschuw naar de röntgenfoto van haar hersenen. Op de scan was de enorme tumor duidelijk zichtbaar, net als de uitzaaiingen in het linkerdeel van haar voorste hersenen. De oorzaak van deze ziekte was onbekend en niemand kon zeggen waarom het celdelingsmechanisme in haar hoofd plotseling op hol was geslagen en daar nu een complete ravage aanrichtte. Met een lijkbleek gezicht legde ze de foto weer terug, trok haar leren jas aan en liep de tuin in.

Het was nog lekker buiten. Een fris windje ruiste in de bladeren. Ze knoopte haar jasje dicht, ging op een stoel zitten en legde haar voeten gekruist op het oude, afgebladderde, teakhouten tafeltje. Ze rolde een sigaret terwijl ze naar de kleurrijke gevel keek. Met het gietijzeren afdakje boven het terras, leek het gebouw wel een poppenhuis.

Constance voelde de tranen opwellen in haar ogen. Ze hield zoveel van deze tuin met de vijgenboom, de abrikoos, de seringenhaag, de forsythiastruiken en de takken van de blauwe regen. Vanaf de allereerste seconde van haar bezoek met de makelaar, zelfs voordat ze ook maar een stap in het huis had gezet, had ze geweten dat ze hier wilde wonen... en misschien ooit een kind wilde opvoeden. Ze zou hier haar eigen plekje van maken, vrij van vervuiling, zonder beton en menselijke gekte.

Aangeslagen door de onrechtvaardigheid van de situatie, huilde ze tranen met tuiten. Ze konden wel zeggen dat de dood onontkoombaar was en bij het leven hoorde, maar ze was nu gewoon bang.

Niet zo vroeg, verdomme!

Niet nu...

Ze stikte bijna in de rook van haar sigaret. Ze zou alleen sterven. Als een zwerfhond. Zonder iemand die haar hand vasthield.

De situatie maakte op haar een surrealistische indruk. Ze was zelfs niet opgenomen in het ziekenhuis. De arts had haar alleen medegedeeld dat er niets aan te doen was. Geen bestraling, geen chemo, alleen wat pijnstillers en de mogelijkheid zich te laten opnemen als het te erg werd. Ze had gezegd dat ze wilde vechten voor haar leven, maar de arts had haar verteld dat dat een verloren strijd was. Het was slechts een kwestie van tijd.

Een veroordeling zonder mogelijkheid om in beroep te gaan.

Geen kans op herziening van het vonnis.

Twee weken geleden was ze 's morgens half verlamd wakker geworden. Ze kon bijna niets zien en haar keel had dichtgezeten. Ze had begrepen dat ze niet meer in staat was om te werken en had haar ontslag ingediend.

Op die dag werd het haar plots duidelijk wat angst was. Sindsdien had ze ups en downs. Soms voelde ze zich volledig verdoofd en kon ze haar bewegingen nauwelijks controleren. Op andere momenten was de verlamming minder en ervaarde ze een kleine opleving. Maar dat was allemaal slechts schijn, dat besefte ze heel goed.

Haar mobieltje trilde toen er een stortvloed aan mails binnenkwam. Sorbier was niet van plan haar met rust te laten en stuurde haar het dossier over de twee Amerikanen toe. Ondanks alles opende Constance de bijlagen en begon de documenten te lezen. De voortvluchtige heette Sebastian Larabee, zijn ex-vrouw Nikki Nikovski. Gedurende een kwartier las ze de samenvatting van het vluchtverhaal, toen ze plotseling opkeek van haar smartphone, alsof ze op heterdaad was betrapt. Had ze niets belangrijkers te doen? Moest ze niet profiteren van het beetje tijd dat haar nog restte om haar zaken op orde te brengen? Moest ze niet voor de laatste keer haar naasten opzoeken en nadenken over de zin van het leven?

Bullshit!

Net zoals zoveel agenten, ging ze helemaal op in haar werk. In wezen veranderde de ziekte helemaal niets. Ze had behoefte aan een laatste shot adrenaline. En ze zocht vooral afleiding voor de angst, die van alle kanten op haar af kwam. Ze drukte haar sigaret uit en liep met ferme pas het huis in. Uit een lade pakte ze haar dienstwapen, dat ze nog niet had ingeleverd. Het was het standaardwapen van de nationale politie, een Sig Sauer. Ze streelde de kunststof kolf van het semiautomatische pistool en kreeg meteen het vertrouwenwekkende gevoel terug. Ze stak het wapen in haar holster, pakte een reservemagazijn en verliet het huis.

Ze had haar dienstwagen teruggegeven, maar ze had haar Peugeot RCZ-coupé nog. De kleine sportwagen met de mooie lijnen en de dubbele welving in het dak had haar een flink deel van de erfenis van haar grootmoeder gekost. Toen ze achter het stuur plaatsnam, voelde Constance nog een laatste aarzeling. Was ze nog in staat om een laatste onderzoek uit te voeren? Zou ze het uithouden of zou ze honderd meter verder worden ingehaald door vermoeidheid en verlamming en in elkaar zakken? Gedurende een paar seconden sloot ze haar ogen en ademde diep door. Toen liet ze de tweehonderd paardenkrachten loeien en verdwenen al haar twijfels als sneeuw voor de zon.

30

Het verkeer verliep probleemloos. Constance Lagrange zat achter het stuur van haar coupé en reed richting Montmartre. Ze had net met Botsaris gebeld. De inspecteur had niet op haar gewacht en was vast begonnen met het onderzoek. Volgens zijn informatie was de creditcard van Sebastian Larabee aan het begin van de middag gebruikt in een geldautomaat op de Place Perqueur. Constance kende die plek: een lommerrijk plein tussen de Avenue Junot en het Lapin Agile, op een steenworp afstand van het toeristische Montmartre. Wat een rare plek om je te verstoppen, dacht ze toen ze een scooter inhaalde. Waar hielden de Amerikaan en zijn ex-vrouw zich schuil? Op een geheime plek? In een kraakpand? Waarschijnlijk eerder in een hotel... Ze belde Botsaris terug om er zeker van te zijn dat hij een opsporingsverzoek had uitgevaardigd aan alle taxibedrijven en autoverhuurders. Dat had hij inderdaad gedaan, maar de informatie kwam slechts mondjesmaat binnen.

'Ik wacht ook op de beelden van de bewakingscamera's op Roissy.'

Constance verbrak de verbinding en toetste in de routeplanner van haar iPhone de coördinaten van Place Perqueur in om de lijst van hotels in de omgeving op te vragen. Dat waren er gewoonweg te veel om ze stuk voor stuk af te kunnen lopen. Toch wilde ze iets proberen en ze koos voor het Relais Montmartre, in de Rue Constance, haar voornaam...

Ze geloofde in voortekenen, toeval, gelijktijdigheid en in samenloop van omstandigheden. Maar in dit geval zou het te mooi zijn om waar te zijn... dacht ze bij zichzelf toen ze dubbelparkeerde voor het hotel. Inderdaad bleek dat het geval toen ze tien minuten later weer met lege handen naar buiten kwam. Ze baande zich een weg door de drukte naar het Timhotel op de Place Goudeau. Dat leek haar een geschikte plek voor Amerikanen. Opnieuw ving ze bot, dat kon ook bijna niet anders. Toen ze wilde wegrijden, kreeg ze een telefoontje van Botsaris.

'Luister! Een chauffeur van LuxuryCab heeft me verteld dat hij de Larabees vanmorgen op het vliegveld heeft opgepikt en hen naar Grand Hotel de la Butte heeft gebracht. Dat is vlak bij de Place Perqueur. Dat zou heel goed kunnen!'

'Niet meteen zo enthousiast, Botsaris,' zei Constance.

'Wilt u dat ik u een team stuur, inspecteur?'

'Nee, laat me mijn gang maar gaan. Ik verken de zaak en hou je op de hoogte.'

Ze maakte rechtsomkeert op de Rue Durantin en reed via de Rue Lepic naar de Avenue Junot. Ze draaide het smalle straatje in dat naar het hotel leidde. Het gietijzeren hek stond open: de tuinmannen liepen net naar buiten. Constance maakte van de gelegenheid gebruik om het terrein op te rijden zonder zich eerst te melden. Ze stuurde de RCZ-coupé over de weg die door de tuin leidde voordat ze hem voor het indrukwekkende, witte gebouw parkeerde.

Terwijl ze de trap opliep, zocht Constance in de zakken van haar jasje naar haar politiebadge, haar tovermiddel.

'Inspecteur Lagrange, van de brigade Opsporing voortvluchtigen van de nationale politie,' stelde ze zichzelf voor bij de receptie.

De eigenaresse van het hotel was niet erg spraakzaam. Ze had behoorlijk wat druk uit moeten oefenen om uiteindelijk wat informatie los te krijgen. Ja, Sebastian Larabee en zijn vrouw waren inderdaad in het hotel geweest, maar waren een uur geleden vertrokken.

'U beweert dat ze hun kamer een week geleden hadden gereserveerd?'

'Dat klopt. Via onze website.'

Constance vroeg of ze hun kamer kon bekijken. Terwijl de vrouw haar naar de suite bracht, bedacht ze dat dat laatste niet klopte met hetgeen ze in het dossier had gelezen. Een reservering betekende voorbedachte rade, maar volgens het Amerikaanse onderzoek waren de Larabees hals over kop gevlucht uit New York.

Toen ze de grote, gewelfde kamer binnenkwam, keek de jonge agente bewonderend naar de prachtige en geraffineerde inrichting. Geen enkele man zou haar ooit uitnodigen voor een weekendje in een dergelijke setting...

Maar al snel kreeg de onderzoeker in haar weer de overhand. In de badkamer ontdekte ze een overhemd en een jasje met bloedvlekken en in de woonkamer een koffer en wat tassen met de logo's van bekende modemerken.

146

De situatie werd alsmaar vreemder...

Alsof de Larabees op huwelijksreis waren in plaats van op de vlucht.

'Hoe waren ze gekleed toen ze vertrokken?'

'Dat kan ik me niet meer herinneren,' zei de hoteleigenaresse.

'U maakt zeker een grapje?'

'Ze droegen avondkleding.'

'En u hebt geen enkel idee waar ze naartoe zijn gegaan?'

'Ik heb absoluut geen idee.'

Constance wreef over haar oogleden. Die vrouw loog, daar was ze van overtuigd. Om haar aan het praten te krijgen had ze tijd nodig. En die had ze nou net niet. Dus bleef alleen de Dirty Harry-methode over... Had ze er niet altijd al van gedroomd om die ooit nog eens in de praktijk te kunnen brengen? Het was nu of nooit.

Ze trok haar Sig Sauer uit haar holster, greep de vrouw bij haar hals en zette de loop van het pistool op haar slaap.

'Waar zijn ze?' schreeuwde ze.

Doodsbang sloot de hoteleigenaresse haar ogen. Haar onderkaak beefde.

'Ze hebben me... Ze hebben me om een plattegrond gevraagd,' stamelde ze.

'Waar wilden ze heen?'

'Naar het Gare du Nord, en daarna naar de Pont d'Alma geloof ik.'

'Waarom de Pont d'Alma?'

'Ik weet het niet zeker... Ik hoorde ze praten over een diner op een schip. Ik geloof dat ze een reservering hadden voor vanavond.'

Constance liet de vrouw los en verliet de kamer. Op de trap belde ze Botsaris. Het verhaal van het diner en de cruise over de Seine had haar enorm verrast. Maar ze moesten koste wat het kost voorkomen dat de Larabees de trein zouden nemen. Vanaf het Gare du Nord konden ze gemakkelijk Engeland, België en Nederland bereiken. Ze kreeg de voicemail van haar assistent en sprak een bericht in. 'Bel de collega's op het Gare du Nord. Verspreid het signalement van de Larabees en geef opdracht tot strengere controles in de treinen die naar het buitenland vertrekken. Zoek ook uit welk botenbedrijf afvaart van de Pont d'Alma en controleer of ze een reservering hebben op naam van de Amerikanen. En snel een beetje!'

Toen ze terugliep naar haar auto, zag ze dat de eigenaresse van het hotel haar nakeek vanuit het raam van de kamer. Ze was weer bij haar positieven gekomen en riep haar woedend achterna: 'Denk maar niet dat ik het hierbij laat zitten, inspecteur! Ik laat dit niet over mijn kant gaan en doe aangifte tegen u. Dit was uw laatste onderzoek, geloof mij maar inspecteur!'

Dat weet ik zelf ook wel, dacht Constance terwijl ze plaatsnam achter het stuur.

31

In beweging blijven, altijd.

Vooral niet stilstaan, niet aarzelen, niet stoppen.

In haar avondjurk en op haar hoge hakken, viel Nikki flink uit de toon in de drukte van het Gare du Nord. Al op het voorplein werden ze opgezogen door de dichte menigte. Vanaf het begin hadden ze het gevoel te worden meegedragen op een menselijke golf, die opging in het kloppende hart van het station. Ze dreven mee in een stroom die werd opgeslokt en verteerd door een geweldige, rommelende buik-holte.

Met het afgiftebewijs in zijn hand, had Sebastian moeite om zich te oriënteren. SNCF, RATP, Eurostar, Thalys... Het station was een wijdvertakt gebouw met een fauna van zeer diverse pluimage: werknemers die op weg waren naar hun buitenwijken, verdwaalde toeristen, gehaaste zakenlieden, groepen hangjongeren voor de etalages, daklozen en patrouillerende agenten...

Het kostte hen erg veel tijd om de ruimte met de bagagekluizen te ontdekken. Die bleek uiteindelijk op de eerste ondergrondse verdieping te liggen, ingeklemd tussen het begin van een perron en het logo van een autoverhuurder. Het was een ietwat lugubere ruimte, zonder ramen en met een gelige verlichting. In de langgerekte doolhof hing de geur van een slecht geluchte kleedkamer. Tussen de grijze kluizen door lopend, keken ze met een schuin oog naar de drie cijfers van hun kaartje. Het eerste cijfer gaf de plaats van de rij aan, het tweede het nummer van de kluis en het derde de combinatie waarmee ze de stalen kast konden openen.

'Deze is het!' riep Nikki.

Sebastian toetste de vijf cijfers in op het metalen toetsenbord. Hij opende de deur van de kluis en keek wantrouwig naar binnen. In de kluis stond een lichtblauwe rugzak met het logo 'Chuck Taylor' erop.

'Die is van Jeremy! Ik herken hem!' riep Nikki. Ze maakte de rugzak open: die was leeg. Ze draaide hem naar alle kanten om, maar zonder succes.

'Er zit toch een binnenvak in?'

Ze knikte. In haar haast had ze het nylon binnenvak aan de rugkant over het hoofd gezien. De laatste kans. Met trillende vingers opende ze de ritssluiting en ontdekte...

'Een sleutel?'

Ze bekeek het glimmende ding voordat ze het aan Sebastian gaf. Het was daadwerkelijk een metalen sleutel met een gefreesde baard. Maar wat kon je ermee openen?

Even waren ze ontmoedigd. Ze kregen de indruk dat ze opnieuw bij de neus werden genomen. Voor de zoveelste keer. Telkens als ze dachten dat ze een spoor hadden, ging hun hoop in rook op. Elke keer dat ze dachten dat ze er waren, raakten ze juist verder weg.

Maar hun neerslachtigheid verdween snel. Nikki herpakte zichzelf als eerste.

'Laten we hier geen tijd verliezen,' zei ze terwijl ze op de wandklok keek. 'Als we te laat op de Pont d'Alma komen, wacht dat schip echt niet op ons.'

32

Al drie kwartier liep Constance Lagrange met een groep agenten van de spoorwegpolitie over de perrons van het Gare du Nord. De mate van surveillance op het station was opgevoerd, maar de Larabees waren nog altijd onvindbaar. Misschien hadden ze vanwege de aanwezigheid van de politie simpelweg afgezien van hun reis. Maar misschien waren ze helemaal niet van plan geweest om de trein te pakken.

Het mobieltje van Constance trilde. Het was Botsaris.

'Ik weet waar ze heen gaan,' vertelde haar assistent. 'Ze hebben een reservering voor halfnegen op een van de Parijse rondvaartboten.'

'Je maakt zeker een grapje?'

'Dat zou ik niet durven, mevrouw.'

'Maar vind jij het dan niet vreemd? Als jij in Parijs op de vlucht zou zijn, zou je dan niets beters te doen hebben dan je zondagse pak aantrekken om een hapje te gaan eten op een rondvaartboot?'

'Ik denk van wel.'

'Blijf aan de lijn.'

Constance verontschuldigde zich bij de agenten van de spoorwegpolitie en vroeg hen waakzaam te blijven. Daarna liep ze naar de parkeerplaats.

'Botsaris?' vroeg ze toen ze het gesprek hervatte.

'Ja, mevrouw.'

'Kom naar me toe bij de Pont d'Alma.'

'Met een team?'

'Nee, we pakken ze in alle rust. Alleen jij en ik.'

Constance deed haar gordel om en keek op het klokje op haar dashboard.

'Het is aan de late kant om ze nog voor het vertrek te onderscheppen, of niet?'

'Ik kan het bedrijf vragen of ze de afvaart wat ophouden.'

'Nee. Als de verdachten in de gaten krijgen dat het schip vertraging

151

heeft, bestaat de kans dat ze argwaan krijgen en ons door de vingers glippen.'

'En als ik nu uit voorzorg de politie te water waarschuw?'

'Je waarschuwt helemaal niemand en je wacht op me, begrepen?'

33

De taxi reed over de Avenue Montaigne en zette Nikki en Sebastian af ter hoogte van de Pont d'Alma. Het was inmiddels donker, maar het was nog warm. Na Barbès en het Gare du Nord voelde Sebastian zich opgelucht, nu hij het veilige Parijs dat hij kende weer onder zijn voeten had: de oevers van de Seine en de verlichte Eiffeltoren. Te voet liepen ze naar de kade van de rechteroever, die naar de Pont des Invalides liep. Beschut door hoge paardenkastanjes, was de Port de la Conference het vertrekpunt voor de rondvaartboten van het Parijse rondvaartenbedrijf. De eerste boten waar ze langsliepen braakten groepjes toeristen uit in de richting van de touringcars van de verschillende reisorganisaties. Ze liepen hen snel voorbij richting de kade die was gereserveerd voor de restaurantschepen.

'Volgens mij is het die,' zei Nikki en ze wees naar een groot schip met twee verdiepingen.

Ze meldden zich bij de loopplank van de *L'Amiral* en gaven hun naam op bij de gastvrouw, die hen welkom heette en hun een kartonnen vouwblad overhandigde.

'We vertrekken elk moment,' zei ze terwijl ze hen naar hun tafel begeleidde.

Op het benedendek met de grote ruiten stonden een kleine honderd tafeltjes. De sfeer was romantisch, met gedempt licht, een glinsterend plafond, een donkere vloer en kaarslantaarns met flakkerende vlammetjes tussen de borden. Alles was bedacht om een intieme sfeer te creëren. Zelfs de stoelen waren zo gerangschikt dat de partners verplicht waren om naast elkaar te zitten. Toen Nikki en Sebastian hadden plaatsgenomen bij het raam, bracht die nabijheid hen even in verwarring. Sebastian sloeg zijn ogen neer en bekeek het menu, dat 'een creatieve keuken' beloofde, 'met subtiele smaken, briljant samengesteld door onze chef-kok uit de meest verse producten'.

Ja, ja...

'Welkom, mevrouw, meneer,' begroette de serveerster hen, die een volumineus kapsel had van dreadlocks, dat was vastgebonden met een sjaal. Ze opende de fles Clairette de Die, die in een met ijs gevulde emmer stond, en schonk twee glazen in voordat ze hun bestelling opnam.

Sebastian liet minzaam zijn ogen over de kaart glijden. De situatie werd zo langzamerhand volstrekt belachelijk. Uit beleefdheid nam Nikki de moeite de kaart te bestuderen en koos voor hen beiden iets uit. De serveerster toetste hun bestelling in op haar elektronische bestelautomaat en wenste hun een aangename avond.

Het schip was vol. Veel Amerikanen, Aziaten en Fransen van buiten de hoofdstad. Sommigen waren overduidelijk op huwelijksreis, anderen vierden hun huwelijksjubileum, de sfeer was in elk geval vrolijk. Voor hen zat een echtpaar uit Boston gezellig met hun kinderen te praten en grapjes te maken. Achter hen fluisterde een Japans echtpaar elkaar verliefde woordjes in het oor.

'Ik sterf van de dorst!' verzuchtte Nikki, terwijl ze met één teug haar glas mousserende wijn leegdronk. Snel schonk ze een tweede in. 'Het is geen champagne, maar het smaakt prima!'

Opeens begon de motor sneller te draaien en liet de schroeven vibreren. Een lichte benzinegeur steeg vanaf het water op en het schip verliet de Pont d'Alma met een wolk witte vogels in zijn kielzog.

Nikki drukte haar gezicht tegen het raam. Aan het begin van de avond voeren er heel wat boten op de Seine: diep in het water liggende vrachtschepen, snelle veerboten, zodiacs van de politie te water of de brandweer. Voor de tuinen van de Trocadéro voer het schip langs een kleine haven waarvan de oevers werden beschut door platanen en populieren. Een paar opvarenden van plezierjachten zaten te eten op het bovendek en hieven hun glas naar de passagiers van de rondvaartboten, van wie een groot deel het vriendelijke gebaar beantwoordde.

'Mevrouw, meneer, uw voorgerecht: foie gras uit Les Landes, met vijgenjam uit de Provence.'

Sebastian haalde eerst zijn neus op, maar werkte de foie gras daarna in een paar happen naar binnen. Sinds de walgelijke, gemarineerde rauwe vis, gisteren, bij de school van Jeremy, had hij niets meer gegeten. Voor Nikki gold hetzelfde. Het geroosterde brood was weliswaar koud en de hoeveelheid salade was minuscuul, maar ze verslond de toast om haar rommelende maag tot zwijgen te brengen en spoelde het weg met een glas bordeaux.

'Drink niet te veel,' zei Sebastian, toen hij zag dat ze inmiddels al aan het vierde glas van die avond begon.

'Nog steeds zo chagrijnig, zo te zien...'

'Mag ik je eraan herinneren dat we op zoek zijn naar onze zoon en dat we een raadsel proberen op te lossen?'

Nikki keek hem aan en haalde de sleutel die ze in de kluis hadden gevonden uit haar tas. Ze bekeken hem van alle kanten. Er was niets opvallends aan te zien. Op het ronde deel stond de inscriptie ABUS SECURITY. Dat was de enige, magere aanwijzing waarover ze beschikten.

Sebastian slaakte een diepe zucht. Hij begon genoeg te krijgen van het spelletje spoorzoeken. Door hen voortdurend onder druk te houden, kregen de raadsels geen tijd om te bezinken en konden ze er geen afstand van nemen. In een paar uur tijd was hij volledig paranoïde geworden: in vrijwel iedere bediende en passagier zag hij een potentiële ontvoerder en iedereen was voor hem verdacht.

'Ik zoek even wat op,' zei Nikki en ze pakte haar smartphone. Het mobieltje van Sebastian was gestolen, maar zij had nog altijd het hare. Ze startte internet op en toetste 'ABUS Security' in op Google. De eerste pagina's met hits leidden allemaal naar dezelfde website. ABUS was een Duits merk dat was gespecialiseerd in beveiliging en dat vooral hangsloten, diefstalbeveiliging, sloten en bewakingscamera's produceerde.

Maar wat was in vredesnaam het verband tussen de sleutel en deze rondvaart op de Seine?

'Even lachen voor de foto! *Smile for the camera! Lächeln für die Kamera!*'

Met zijn toestel in de hand liep de officiële fotograaf van het rondvaartbedrijf langs de tafeltjes en vereeuwigde de paren uit de verschillende landen.

Sebastian weigerde natuurlijk om zich te laten fotograferen, maar de veeltalige 'paparazzi' hield vol. '*You make such beautiful people!*'

Hij zuchtte en om enige ophef te voorkomen ging hij naast zijn exvrouw zitten, met een verkrampte glimlach op zijn gezicht.

'*Cheese!*' riep de fotograaf.

Rot op, man, dacht Sebastian bijna hoorbaar.

'*Thank you! Be back soon,*' beloofde de man terwijl de serveerster de borden weghaalde.

De metalen pijlers van de bovengrondse metrolijn van Bir-Hakeim staken af tegen de nachtelijke hemel. Op het schip werd de stemming langzaam uitbundiger. Een lange, houten bar omzoomde op het benedendek een verhoogde dansvloer, waarop een violist, een pianist en een kloon van Michael Bublé covers van bekende liedjes ten gehore brachten: *Les Feuilles Mortes, Fly Me to the Moon, Mon amant de Saint-Jean, The Good Life...*

De gasten neurieden zachtjes mee terwijl de *L'Amiral* langs de oever van het Île aux Cygnes voer. In elk tafeltje was een scherm ingebouwd, waarop een videopresentatie informatie gaf over elk monument waar het schip langsvoer. Nikki stelde de ondertiteling af op het Engels.

'Op de punt van het Île aux Cygnes staat de beroemde replica van het Vrijheidsbeeld uit New York. Het beeld is viermaal zo klein als haar nicht en kijkt in de richting van de Verenigde Staten, waarmee het de Amerikaans-Franse vriendschap symboliseert.'

Bij de punt van het kunstmatige eiland bleef het schip enkele minuten liggen om de passagiers de gelegenheid te geven het uitkijkpunt te fotograferen. Daarna draaide het schip om en voer het weer terug langs de linkeroever.

Sebastian schonk zichzelf nog een glas wijn in.

'Het is geen Gruaud-Larose, maar hij smaakt prima,' zei hij tegen Nikki.

Ze glimlachte geamuseerd naar hem. Tegen wil en dank liet hij zich nu toch meevoeren door de gezellige sfeer en de prachtige omgeving. Het schip voer rustig langs de havens van Suffren en Bourdonnais, die samen twee grote bogen vormden, die vooruitstaken in het water. De kermisattracties en de wandelpromenade strekten zich uit tot aan de voet van de Eiffeltoren. Zelfs zo'n verwende man als hij vond het een feeëriek schouwspel. Het eten was middelmatig, de crooner verschrikkelijk, maar de magie van Parijs was sterker dan ooit. Hij nam nog een slok van de bordeaux en keek naar de familie uit Boston aan de tafel naast hen. Het echtpaar was ongeveer van hun leeftijd, ergens tussen de veertig en de vijftig. Hun kinderen waren rond de vijftien en herinnerden hem aan Jeremy en Camille. Sebastian ving wat op van het gesprek en begreep dat de vader arts was en dat de moeder muziekdocent was aan een conservatorium. De vier waren het toonbeeld van een hecht gezin: omhelzingen, klappen op de schouders, leuke grappen, en allemaal vol bewondering voor de monumenten.

Zo hadden wij ook kunnen zijn, dacht Sebastian verdrietig. Waarom slagen sommigen erin zo'n harmonie te bereiken en komen anderen terecht in een litanie van conflicten? Waren het gedrag en het karakter van Nikki de enige oorzaken van hun mislukte gezinsleven of had hij zelf ook schuld aan dat echec?

Nikki keek even in de glinsterende ogen van haar ex-man en probeerde te raden wat er in hem omging.

'Doet je dat niet aan ons denken?'

'Aan een versie van ons zonder scheiding dan...'

Nikki ging verder, alsof ze hardop zat te denken. 'Het zijn niet onze verschillen waarmee we het moeilijk hebben, maar het is de manier waarop we ermee zijn omgegaan: dat we er niet in geslaagd zijn op één lijn te komen over de opvoeding van onze kinderen. Jouw weigering om samen beslissingen te nemen over hun toekomst, de haat die je tegen me hebt ontwikkeld...'

'Wacht even, draai de zaak nu niet om, alsjeblieft! Moet ik je er soms aan herinneren wie onze scheiding op de spits heeft gedreven?'

Ze keek hem met stomheid geslagen aan omdat hij er opnieuw over begon, maar hij ging verbeten verder. 'Je "vergat" de kinderen van school te halen omdat je lag te neuken met je minnaar, aan de andere kant van Brooklyn!'

'Hou hiermee op!' zei ze boos.

'Nee, ik hou niet op!' schreeuwde Sebastian. 'Want dat is de waarheid! Omdat je niet kwam opdagen, zijn Camille en Jeremy naar huis gelopen. En weet je nog wat er toen is gebeurd?'

'Wat ben jij gemeen...'

'Camille heeft twee dagen in coma gelegen omdat ze werd aangereden door een taxi!'

Sebastian ging nu helemaal door het lint en hield niet meer op. 'En toen je naar het ziekenhuis kwam, stonk je naar alcohol! Het was een wonder dat Camille er geen blijvende gevolgen aan heeft overgehouden. Dankzij jou was ze bijna dood geweest en dat zal ik je nooit vergeven!'

Nikki sprong op van haar stoel. Dit moest stoppen. Dit kon ze niet langer verdragen.

Sebastian was nog steeds woedend en stak geen vinger uit om haar tegen te houden. Hij keek haar na toen ze wegliep van het tafeltje en verdween naar het bovendek.

34

De RCZ-coupé reed de afrit naar de haven af. Constance parkeerde naast de auto met politiekleuren van Botsaris. De jonge inspecteur leunde tegen het dak en rookte een sigaret.

'Kon je niets opvallenders vinden? Waarom niet meteen met zwaai-licht en loeiende sirene?'

'Maakt u zich niet druk, baas. Ik heb gewacht tot het schip was ver-trokken en toen pas mijn auto geparkeerd.'

Constance keek op haar horloge.

Vijf voor negen.

'Weet je zeker dat ze op dat schip zitten?'

'Ja. De gastvrouw heeft bevestigd dat de reservering is gebruikt.'

'Ze kunnen een paar medeplichtigen hebben gestuurd. Weet je zeker dat zij het waren?'

Botsaris was gewend aan de veeleisendheid van Lagrange. Uit zijn jas haalde hij twee foto's. Het waren twee afdrukken van opnames van de bewakingscamera, die hij zijn chef in de hand drukte.

Constance kneep haar ogen tot spleetjes. Het waren inderdaad de Larabees. Zij in avondjurk, hij in een net pak: twee modefoto's.

'Mooie meid, niet?' merkte Botsaris op en hij wees op Nikki.

Constance dacht na en reageerde niet. Er klopte iets niet aan dit on-derzoek en ze wilde graag weten wat.

'Ik heb nog wat informatie opgevraagd,' ging Botsaris verder. 'De cruise duurt bijna twee uur, maar halverwege stopt het schip even. Als alles goed gaat, hebben we ze binnen een halfuur te pakken.'

Constance sloot haar ogen en wreef over haar oogleden. Tot nu toe was het goed gegaan, maar nu kreeg ze opeens een barstende koppijn.

'Alles in orde, chef?'

Ze opende haar ogen en knikte.

'Eerlijk gezegd maakt men zich op het bureau een beetje zorgen om u,' gaf de agent toe.

'Ik zeg toch dat alles oké is!' snauwde ze hem toe en ze pakte de sigaret uit zijn handen.

Ze wisten beiden maar al te goed dat ze loog.

35

De wind stak op boven het open dek dat de opvarenden rondom vrij uitzicht bood over de Seine. Met een strak gezicht leunde Nikki op de reling en rookte een sigaret. Ze keek naar de majestueuze en uitbundige vormen van de Pont Alexandre III. De overspanning, vol standbeelden en vergulde delen, liep over de hele breedte van de Seine.

Sebastian kwam naast haar staan. Ze voelde zijn aanwezigheid, maar nam aan dat hij niet was gekomen om zijn excuses aan te bieden.

'Het ongeluk van Camille was mijn fout,' erkende ze zonder zich om te draaien. 'Maar je moet het wel zien in het licht van de situatie van dat moment. Onze relatie was slecht, we hadden de hele tijd ruzie, je deed of ik lucht voor je was...'

'Allemaal geen excuses voor je gedrag,' onderbrak hij haar.

'En jouw gedrag dan? Was dat wel een excuus?'

Ze ontplofte van woede. Mensen op het dek keken waar het geschreeuw vandaan kwam. Een ruziënd stel is vaak een leuk spektakel...

Nikki ging verder op dezelfde agressieve toon. 'Na de scheiding heb je me uit je leven gezet. Maar onze relatie had heel goed kunnen blijven bestaan, natuurlijk niet als geliefden, maar in elk geval wel als ouders.'

'Hou eens op met je psychologische scherpslijperij: je bent een paar of je bent het niet.'

'Dat ben ik niet met je eens. We hadden normaal met elkaar kunnen omgaan, dat lukt een hoop mensen.'

'Normaal met elkaar omgaan? Meen je dat nou?'

Ze draaide zich naar hem om. In zijn ogen glansde, ondanks de vermoeidheid en de woede, nog altijd een vleugje liefde.

'We hebben samen ook heel mooie tijden beleefd,' hield ze vol.

'Maar ook heel wat pijnlijke momenten,' antwoordde hij vinnig.

'Maar je moet toch toegeven dat je je tijdens onze scheiding niet bepaald volwassen hebt gedragen.'

'De pot verwijt de ketel dat hij zwart ziet,' antwoordde Sebastian droogjes.

Nikki hakte vol op hem in.

'Volgens mij heb je nog steeds niet in de gaten wat de gevolgen waren van je optreden. Je hebt onze tweeling uit elkaar gehaald! Je hebt mijn dochter ontvoerd en je hebt jezelf afgesneden van je zoon! Weerzinwekkend!'

'Maar je hebt ermee ingestemd, Nikki.'

'Omdat ik daartoe ben gedwongen! Met dat hele leger advocaten van je en je miljoenen had je uiteindelijk de zorg voor beide kinderen gekregen.'

Ze zweeg een paar seconden en besloot toen iets te zeggen wat ze tot nu toe altijd voor zich had gehouden.

'Zeg eens eerlijk. Je hebt de zorg voor Jeremy eigenlijk nooit gewild, is het niet?' vroeg ze zacht.

Sebastian zweeg.

'Waarom verstoot je je eigen zoon?' ging ze door, terwijl de tranen in haar ogen sprongen. 'Het is zo'n lieve jongen, zo gevoelig en kwetsbaar. Hij hoopt altijd op een complimentje van je of wat belangstelling, maar er komt nooit iets...'

Sebastian hoorde de verwijten aan met een houding die uitstraalde dat hij wist dat het waar was.

Maar Nikki was op zoek naar het waarom.

'Waarom wilde je hem nooit leren kennen?'

Sebastian aarzelde even, maar gaf toen toe: 'Omdat het te moeilijk was.'

'Wat was er te moeilijk?'

'Hij leek te veel op jou. Hij had jouw gezicht, jouw glimlach, jouw ogen, jouw manier van praten. Als ik hem zie, dan zie ik jou. Ik kon het niet verdragen,' gaf hij toe en hij wendde zijn blik af.

Dat had Nikki niet verwacht. Ze reageerde verbijsterd. 'Je vond je gevoel van eigenwaarde belangrijker dan de liefde voor je zoon?'

'Ik heb mijn deel gedaan met de opvoeding van Camille,' hield hij vol.

'Wil je de waarheid weten, Sebastian?' zei Nikki met tranen in haar ogen. 'Camille is een tijdbom. Tot nu toe heb je haar onder de duim kunnen houden, maar dat is voorbij. En als ze in opstand komt, dan zul je je vingers branden.'

Sebastian dacht aan de pil die hij in de kamer van zijn dochter had

161

gevonden. Hij bedaarde en sloeg zijn armen om Nikki heen.

'Je hebt gelijk, Nikki. Laten we niet langer ruziemaken. We moeten ons hier samen doorheen slaan. Ik zal me anders gedragen ten opzichte van Jeremy en jij mag Camille zo vaak zien als je maar wilt. Ik beloof je dat het goed komt.'

'Nee, daarvoor is het te laat. Het kwaad is al geschied en dat valt niet meer terug te draaien.'

'Niets is onomkeerbaar,' zei Sebastian met nadruk.

Toen het schip onder de bogen van de Pont des Arts en de Pont Neuf door voer, stonden ze even met de armen om elkaar heen.

Daarna lieten ze elkaar los en was er weer afstand.

Het schip voer langs de oever ter hoogte van de boekenstalletjes op de Quai Saint-Michel. Op het Île de la Cité kon je de Conciergerie zien en op het einde van het eiland het gotische silhouet van de Notre Dame. Verderop staken de rijke herenhuizen van het Île Saint-Louis af tegen de heldere hemel.

'Laten we eerst proberen om dat raadsel met die sleutel op te lossen,' stelde Nikki voor nadat ze haar derde sigaret had uitgedrukt. 'We hebben vast en zeker een aanwijzing over het hoofd gezien. Dit gedoe moet toch ergens goed voor zijn. We moeten op zoek naar het slot waar deze sleutel op past...'

Ze doorzochten samen het hele bovendek, op zoek naar een deur of een hangslot. Maar tevergeefs. Het waaide nu hard en de nacht werd koud. Nikki rilde en Sebastian legde zijn jasje om haar schouders. Ze wilde er eerst niets van weten, maar hij hield vol en uiteindelijk accepteerde ze het gebaar.

'Kijk!' riep ze plotseling en ze wees naar de metalen kisten met de reddingsvesten. Er stonden zes kisten, elk voorzien van een hangslot. Nerveus staken ze de sleutel in alle sloten, maar geen enkel slot ging open.

Verdomme...

Teleurgesteld stak Nikki een nieuwe sigaret op. Sebastian rookte zwijgend mee en samen leunden ze op de reling van het bovendek. De oevers zagen zwart van de mensen en een complete optocht aan leuke tafereeltjes uit het dagelijks leven trok in een vrolijke sfeer aan hen voorbij: picknickende gezinnen, zoenende verliefde stelletjes, een dansend ouder echtpaar aan de rand van het water, het leek wel een film van Woody Allen. Wat verderop lagen alternatieven alternatief te

162

doen, giechelden groepen meisjes die hun middelvinger opstaken naar de passagiers, en rookte een punk een enorme joint. Overal vloeide de alcohol rijkelijk: liters wijn, sixpacks bier, flessen wodka.

'Kom, we gaan naar binnen. Ik heb het koud,' mompelde Nikki.

In de salon was het feest nu volop aan de gang. Aan het begin van de avond durfde niemand, maar nu werden de liedjes luidkeels meegezongen. Een Amerikaanse toerist ging zelfs op zijn knieën voor zijn verloofde en vroeg haar ten huwelijk.

Nikki en Sebastian kwamen terug bij hun tafeltje. Het hoofdgerecht was inmiddels opgediend. Op het bord van Sebastian lag een koud stuk ossenhaas met dikke bearnaisesaus. Voor Nikki vochten twee ondermaatse gamba's om een plekje op een pannenkoekje van risotto. Terwijl ze een paar hapjes namen van het slecht opgewarmde eten, kwam een violiste naar hun tafeltje en speelde een paar maten van *Hymne à l'amour*, het bekende chanson van Edith Piaf. Deze keer stuurde Sebastian haar zonder veel omhaal weg.

'Schenk me nog wat wijn in,' vroeg Nikki.

'Drink nou niet nog meer, straks ben je dronken. En onze fles is leeg.'

'Nou en? Ik heb gewoon zin om me te bezatten! Dat is toch mijn zaak? Het is mijn manier van omgaan met alles wat ons overkomt.'

Nikki stond op en ging, met de ogen van de andere aanwezigen op haar gericht, op zoek naar een fles. Op een roltafeltje bij de bar vond ze een bijna volle fles en nam hem mee naar hun tafeltje. Onder de verbijsterde blik van haar ex-man schonk ze haar glas vol. Gechoqueerd wendde Sebastian zijn hoofd af naar het raam.

Het schip arriveerde bij het volgende interessante punt van de cruise, de ijzeren brugconstructie van de Pont Charles-de-Gaulle. Die was een stuk moderner dan de voorgaande bouwwerken en had veel weg van een vliegtuigvleugel die op het punt stond het luchtruim te kiezen. Het schip verlichtte de oevers met zijn krachtige schijnwerpers en daar werd onverwacht een dramatisch schouwspel zichtbaar: onder de brug hadden zich talrijke daklozen geïnstalleerd met hun spullen, tenten en vuurkorven. De passagiers voelden zich hierdoor niet op hun gemak en de stemming sloeg meteen om en deed denken aan het bekende 'syndroom van Parijs'. Elk jaar repatrieerden ambassades tientallen toeristen naar hun vaderland die volledig over hun toeren waren geraakt of zelfs echt ziek waren geworden door het verschil tussen het wonderbaarlijke Parijs dat hen was voorgespiegeld en de keiharde realiteit van de hoofdstad. Maar op het schip was het vervelende gevoel weer snel voorbij. Het schip zette koers naar de glazen torens van de Grande Bibliothèque en draaide ter hoogte van Bercy om langs de rechteroever terug te keren naar het oude Parijs van de ansichtkaarten en de reis- gidsen. De muziek deed haar best en de stemming verbeterde al snel.

Volgende slok wijn.

De alcohol miste zijn uitwerking niet op Nikki's cognitieve vaardig- heden, maar verhoogde ook haar sensibiliteit. Ze was ervan overtuigd dat ze ergens iets over het hoofd had gezien. Ze probeerde zich niet langer te concentreren op een rationele oplossing om Jeremy terug te vinden. Haar moederinstinct zou haar beter kunnen helpen. In dit soort situaties zijn emoties en gevoelens vaak veel effectiever dan pure ratio en logica.

Ze wilde haar gevoelens niet langer in bedwang houden en zette alle sluizen open. De tranen stroomden over haar wangen en in haar hoofd schoten allerlei beelden voorbij. Heden en verleden liepen nu door elkaar. Nu moest ze haar cursor op de goede plek krijgen. Niet kopje-onder gaan in de zee van emoties, maar daarvan op goede wijze gebruikmaken om de juiste signalen op te pikken.

Met rood aangelopen hoofd keek ze naar buiten. In haar hoofd draaide alles nu door elkaar heen, ze werd er bijna misselijk van. De herinneringen tolden rond, vervormden en vermengden zich in totale verwarring.

De muziek was luid en om haar heen klapte iedereen mee op de maat. Op de dansvloer gaf het personeel nu een voorstelling en dansten de serveersters en de obers op een Russische melodie.

Kalinka kalinka kalinka maya...

Nikki nam nog een slok wijn. Ondanks de hitte in de zaal, bibberde ze van de kou. Het refrein en de stroboscopische verlichting bezorgden haar een knallende koppijn.

Het schip kwam langs het vertrekpunt. Door de ruiten zag ze de bal- kons en de gebeeldhouwde koppen van de Pont Neuf en daarna het sil- houet van de Pont des Arts, dat afstak tegen de horizon. Ze zag het gaas van de brug, dat was verlicht met honderden glinsterende lampjes. Ze kneep haar ogen tot spleetjes en zag tientallen, honderden, duizenden hangsloten over de hele lengte van de brug.

'Ik weet waar de sleutel op past!' riep ze plotseling uit. Ze wees Sebas- tian op het videoscherm dat in hun tafeltje was ingebouwd. Ze bogen zich over het scherm en lazen het verhaal dat betrekking had op het monument:

'In navolging van de Pont Pietra in Verona en de Luzhkov-brug in Moskou, is de Pont des Arts sinds een aantal jaren de lievelingsplek voor verliefde stelletjes, die hier hun "hangslot der liefde" komen vastmaken, als symbool van hun eeuwige verbond. Het ritueel is inmiddels erg gebruikelijk en altijd hetzelfde: het paar bevestigt hun hangslot aan het gaas, gooit dan de sleutel over hun schouders in de Seine en bezegelt hun liefde met een zoen.'

'We moeten van boord!'

Ze informeerden bij een van de gastvrouwen wanneer ze van boord zouden kunnen. Het schip zou binnen vijf minuten even aanleggen bij de Pont d'Alma. Opgewonden liepen Nikki en Sebastian naar de reling om meteen de loopplank op te kunnen stappen zodra het schip aanmeerde.

De *L'Amiral* passeerde de gevel van het Louvre en de haven van de Champs-Élysées, voordat het schip aanlegde aan de steiger bij de Pont d'Alma.

Terwijl ze zich haastten om van boord te gaan, greep Nikki haar exman bij zijn mouw.

'Wacht! Er staat politie!'

Sebastian keek naar de kade. Een vrouw in een leren jas en een jonge vent met een zelfverzekerde houding stonden klaar om aan boord te komen.

'Denk je dat echt?'

'Dat is politie, ik zweer het je! Kijk maar!'

Iets verderop stond een Peugeot 307 in politiekleuren. Sebastian keek de jonge vrouw aan en de twee agenten begrepen dat ze waren opgemerkt. Ze liepen de loopplank op.

Nikki en Sebastian draaiden zich om. Voordat ze naar het bovendek liepen, griste Sebastian een mes van een tafeltje, dat vermoedelijk gebruikt was om de taaie ossenhaas aan stukken te snijden.

36

Toen haar ogen de blik van Sebastian kruisten, wist Constance Lagrange dat de Amerikaan hen had ontdekt. Ze trok haar pistool en hield het omhoog, met haar arm tegen haar lichaam gedrukt.

'Schiet niet te vroeg!' riep ze tegen Botsaris toen ze de ontvangstruimte binnenliepen. Een paar passagiers schreeuwden van paniek toen ze de wapens zagen. Toen de beide agenten de eetzaal binnenstormden, liepen ze verschillende tafeltjes omver. Met Constance op zijn hielen rende Botsaris als eerste de trap op naar het bovendek, maar het lukte hem niet om de metalen deur open te krijgen.

'Ze hebben de deur op slot gegooid!' schreeuwde de inspecteur. Constance liep terug. Ze had achter in het schip een andere toegang ontdekt: een ladder die omhoogliep naar het dek. In minder dan drie seconden was ze boven. In de verte zag ze dat Larabee zich via de dubbele openslaande deuren toegang had verschaft tot de stuurhut. Gewapend met een mes bedreigde hij de stuurman en dwong hem gas te geven. Ze deed een paar stappen in zijn richting, maar wachtte tot Botsaris bij haar was om de voortvluchtige te pakken te nemen.

'Geen beweging!' riep ze op het moment dat het schip weer snelheid kreeg.

De agente verloor haar evenwicht, greep de schouders van haar assistent en hield zich staande. Ze kneep haar ogen tot spleetjes. De Amerikaan was nu op de stuurhut geklommen en moedigde zijn ex-vrouw aan om bij hem te komen.

'Trek je op aan mij, Nikki!'

'Dat lukt me niet!'

'We hebben geen keus, lieverd!'

Constance zag dat hij zijn vrouw bij haar hand pakte en haar omhoogtrok, op de kleine stuurhut. Ze herhaalde haar waarschuwing, maar zonder succes. Ze had hem in het vizier, maar aarzelde om te schieten. Wat waren ze van plan? De Pont de Léna was nog ver weg.

Het schip passeerde de voetgangersbrug van Debilly, een boogbrug over de Seine tussen de Avenue de New York en de Quai Branly. Ze zullen toch niet proberen om ertegenop te klimmen?

De brug was niet erg hoog, maar hoog genoeg om de sprong gevaarlijk, zo niet onmogelijk te maken, zeker bij deze snelheid. Constance dacht aan films die ze in haar jeugd had gezien, waarin Jean-Paul Belmondo spectaculaire stunts uithaalde in Parijs. Maar Larabee was Belmondo niet. Hij was een vioolbouwer uit de Upper East Side, die op zondagochtend een partijtje golf speelde.

'Ik kan ze in hun benen schieten, mevrouw,' stelde Botsaris voor.

'Niet nodig. Dat halen ze nooit. De brug is te hoog en het schip vaart te snel. Ze zullen in het water belanden. Bel de politie te water op de Quai Saint-Bernard. Vraag hun om versterking om ze uit het water te vissen!'

Het schip gleed onverbiddelijk naar de verlichte omtrekken van de voetgangersbrug. Afgezien van de gemetselde pijlers bij de oevers was de hele brug een constructie van metaal, met een amberkleurig plankier. Net als de Eiffeltoren hoorde het bouwwerk tot de metalen structuren die in het begin van de twintigste eeuw waren gebouwd. Hij was bedoeld geweest als een tijdelijke oplossing, maar stond er nu al ruim een eeuw.

Puur op zijn gevoel zette Sebastian zich af en sprong omhoog naar het bouwwerk. Nikki gooide haar pumps uit en sprong hem achterna. Ze greep zich vast aan het middel van haar ex.

Hun timing was perfect. Het onmogelijke beginnersgeluk.

Met een grote sprong klom Constance op de stuurhut, maar ze kwam te laat. Het schip had de brug achter zich gelaten en voer nu richting de tuinen van de Trocadéro. Ze vloekte uit pure woede en zag in de verte twee silhouetten, die zich op het hangende brugdek hesen.

37

Hand in hand renden Nikki en Sebastian zo snel als ze konden over de snelweg op de linkeroever van de Seine. Tussen de auto's door bereikten ze de privéstrook die langs het kunstmuseum liep en uitkwam op de Rue de l'Université.

'Gooi je mobieltje weg en verder alles waarmee ze ons kunnen traceren,' zei Sebastian.

Onder het rennen ontdeed Nikki zich van haar toestel. Ze liep mank. Tijdens hun gevaarlijke vlucht van de rondvaartboot was de onderkant van haar jurk gescheurd en ze had haar rechtervoet gestoten aan de metalen constructie.

'Wat doen we? Waar gaan we heen?'

In een portiek aan de Avenue Rapp kwamen ze wat op adem. Met de politie op hun hielen waren ze nu echt op de vlucht. Door een wonderlijke samenloop van omstandigheden waren ze aan hun arrestatie ontsnapt. Maar hoe lang zouden ze nog in staat zijn om alles in eigen hand te houden? Ze moesten nu eerst naar de Pont des Arts om dat geheimzinnige hangslot te pakken te krijgen. Ze moesten dus in de buurt van de Seine blijven en uiterst voorzichtig zijn. Ze vermeden de metro en de hoofdwegen van het zevende arrondissement en verplaatsten zich via kleine straatjes, waarbij ze onmiddellijk dekking zochten bij elk uniform dat opdook en meteen overstaken zodra er een groepje mensen in zicht kwam dat er verdacht uitzag. Op die manier kostte het hen een uur om hun doel te bereiken.

Ondanks het late seizoen, hing er een zomers luchtje boven de Pont des Arts. De metalen brug was uitsluitend bestemd voor voetgangers en vormde een prachtig uitkijkpunt. Vanaf één plek kon je de bogen van de Pont Neuf, het park van Vert Galant en de witte torens van de Notre Dame zien.

Behoedzaam liepen Nikki en Sebastian de brug op. Het was nog warm. Zelfs verrassend warm voor half oktober. Een hoop jongelui, gekleed in polo's, korte rokken en lichte jasjes, stonden in groepjes bij elkaar, zaten op de grond te picknicken, de wereld te verbeteren of zongen wat onder begeleiding van een gitaar. De sfeer was internationaal en het 'eten' bestond vooral uit chips, sandwiches, gegrilde kip en repen chocolade. Er werd openlijk en op grote schaal alcohol gedronken, iets wat in de Verenigde Staten ondenkbaar was. Daar was de verkoop van alcohol aan minderjarigen verboden, net als de consumptie ervan in openbare ruimtes. Veel jongeren, van wie een groot deel zeker nog minderjarig was, sloegen met ongelofelijke snelheid het ene glas bier of wijn na het andere achterover: rood, blond, wit, bruin, rosé... Toch was de sfeer vooral gezellig.

De 'hangsloten der liefde' hingen vastgeklikt aan de reling, aan beide kanten van de brug en over de gehele lengte. Hoeveel waren het er? Tweeduizend? Drieduizend?

'Dat lukt ons nooit...' zei Nikki wanhopig toen ze de sleutel uit haar tas haalde.

Sebastian ging op zijn knieën voor de brugleuning zitten. Op het grootste deel van de hangsloten was met watervaste viltstift iets geschreven of iets direct in het metaal gegraveerd. Meestal twee initialen of twee namen en een datum:

T+L – 14 okt. 2011
Elliot & Ilena 21 oktober

Sebastian glimlachte in zichzelf. Natuurlijk waren de liefdesverklaringen voor de eeuwigheid een respectabele zaak. Zo aan elkaar geklonken leken de harten van de geliefden voor altijd onafscheidelijk. Maar hoeveel van die duizenden verklaringen van trouw overleefden de tand des tijds?

Ook Nikki boog zich voorover om de *love locks* te bekijken. Ze waren er in vele formaten. Sommige waren beschilderd, andere hadden de vorm van een hart en waren voorzien van de gebruikelijke inscripties: *Je t'aime, ti amo, te quiero...* Weer andere hadden minder voor de hand liggende liefdesuitingen:

B+F+A

Of iets echt 'libertijns':

Of gewoon gemeen:

Solange Scordelo is een smerige hoer

'Laten we geen tijd verliezen.' Sebastian bracht hen weer terug naar de realiteit.

Hij liep voorop en wees Nikki alle hangsloten met het opschrift ABUS aan, waarna zij probeerde of de sleutel paste. Ze zag dat alle datums vrij recent waren, wat erop wees dat de stad of de politie regelmatig sloten verwijderde om het gaas te beschermen. Hun bezigheid viel echter op en leek verdacht, nog afgezien van het feit dat het ook erg eentonig en tijdrovend was.

ABUS, ABUS, ABUS, ABUS... Blijkbaar was het Duitse bedrijf, waarvan ze nog nooit eerder hadden gehoord, een volstrekte monopolist op de hangslotenmarkt: bijna elk tweede slot droeg hun opschrift!

'Zelfs als we de hele nacht zouden doorwerken, komen we niet tot het eind,' klaagde Sebastian, terwijl twee agenten in uniform de brug opliepen.

'Let op!'

Ze deinsden beiden tegelijk terug, maar kennelijk maakten de agenten alleen een ronde langs de feestvierders om hen te herinneren aan het verbod om op de brug alcohol te drinken. Om hun goede wil te tonen stopten de jongeren hun flessen alcohol in hun tassen, maar haalden ze onmiddellijk weer tevoorschijn zodra de agenten hen de rug hadden toegekeerd. De agenten waren niet gek, maar ze hadden ongetwijfeld noch de middelen noch de opdracht om de wet strikt te handhaven. Ze maakten zich eerder druk om de gezondheid van een dronkenlap, die dreigde in het water te springen. Ze spraken met hem en probeerden hem te kalmeren, maar de zatlap beledigde hen en werd agressief. Een van de agenten besloot om versterking te vragen via de radio.

'Binnen twee minuten wemelt het hier van de politie,' zei Sebastian ongerust. 'We moeten ervandoor.'

'Niet voor we iets hebben gevonden!'

'Wat ben je toch een stijfkop! Als we in de bak zitten, komen we ook niet verder!'

'Wacht, ik heb een idee! Kijk vanaf nu alleen naar sloten met een persoonlijk tintje: een lik verf, een lint of een ander duidelijk teken.'

'Waarom?'

'Ik ben ervan overtuigd dat iemand een aanwijzing voor ons heeft achtergelaten.'

Opnieuw gingen ze aan het werk. Sommige hangsloten waren in de kleuren van een voetbalclub geschilderd: '*Viva Barcelona! Viva Messi!*' of een politieke beweging: '*Yes WE Can*'. Of gaven een seksuele voorkeur aan met de regenboogvlag van de homoscene.

'Kijk hier eens!'

Op halve hoogte, bij een van de uiteinden van de brug, zaten twee stickers op een groot hangslot: de een van een viool, de ander met het bekende logo *I love New York*, dat op ontelbare T-shirts prijkte.

Duidelijker kon haast niet.

Nikki draaide de sleutel om. Het slot ging open.

Ze wilde het onderzoeken in het licht van de straatlantaarns, maar de agenten kwamen nu van alle kanten de brug op. Sebastian pakte haar bij haar arm. 'Kom, we moeten maken dat we hier wegkomen. Snel!'

38

De fascinerende wereld van de Maori-tatoeage.

Opgesloten in zijn kantoor zonder ramen, legde Lorenzo Santos het boek neer waarin hij een groot deel van de middag had zitten lezen. Hij had een hoop interessante dingen geleerd, maar niets wat hem verder hielp in zijn onderzoek. Gefrustreerd wreef hij over zijn oogleden en liep de gang in om wat mineraalwater met prik uit de automaat te halen.

OUT OF ORDER

Buiten bedrijf. Dat ontbrak er nog aan...

Woedend sloeg hij met zijn vuist op de machine, die een lange neus naar hem trok met haar stuk karton. Was er in dit land dan nog ergens iets wat wél werkte? Om wat te kalmeren ging Santos naar de binnenplaats om wat te basketballen. Het werd langzaam avond in Brooklyn. Door het gaas heen zag hij de zon ondergaan tegen een rode lucht. Hij pakte de basketbal en probeerde zijn eerste afstandsschot. De bal raakte de ijzeren ring, bleef even hangen en viel toen aan de verkeerde kant omlaag.

Natuurlijk, dat kon er ook nog wel bij...

Zijn onderzoek schoot niet op. Ondanks de hulp van de technische recherche kwam hij nauwelijks verder. Aan het einde van de ochtend had hij een gedetailleerd verslag ontvangen van een expert op het gebied van bloedspetters. De specialist had de plaats delict minutieus onderzocht en had het verloop van het gevecht nauwgezet gereconstrueerd. Drake Decker was het eerst gedood, en was opengesneden door de 'Maori', wiens vingerafdrukken waren gevonden op het gevechtsmes. Daarna was de Maori gedood. Hij was met het stuk glas om het leven gebracht door Sebastian Larabee. De vingerafdrukken van Nikki waren op meerdere plaatsen gevonden, maar vooral op de biljartkeu, die in het oog van de reus was gestoken voordat hij stierf.

Maar deze volgorde vertelde niets over de motivatie van de hoofdrolspelers, noch over de identiteit van de 'derde man'. Hoe meer hij erover nadacht, des meer was Santos ervan overtuigd dat de man ondanks zijn tatoeage geen Polynesiër was. Hij had de hulp ingeroepen van Keren White, de antropologe van de NYPD, die in het derde district werkte, maar ze had nog niet teruggebeld. Omdat hij veel verwachtte van de identificatie van de tatoeage, had hij zelf wat onderzoek gedaan, maar zonder enig resultaat.

Nu scoorde Santos het ene punt na het andere en vond hij zijn zelfvertrouwen enigszins terug door de spanning van zijn onderzoek wat los te laten. Hij had in zijn loopbaan al meerdere keren nieuwe ideeën opgedaan over zaken tijdens een stuk hardlopen of een partijtje basketbal. Als hij zich inspande, zag hij sommige elementen vanuit een ander perspectief en kwamen de losse stukjes van de puzzel opeens bijna vanzelf bij elkaar. Misschien lukte het deze keer ook.

De rechercheur probeerde dus alle details vanuit een ander gezichtspunt te bekijken. Als nu de sleutel van het mysterie eens niet lag in de identiteit van de Maori, maar in de persoonlijkheid van Drake Decker? Wat wist hij nu eigenlijk van de eigenaar van De Boemerang? Drake was een kleine vis, wiens familie al minstens twee generaties meedraaide in het criminele circuit. Zijn vader Cyrius zat een levenslange straf uit op Rickers Island en zijn jongere broer Memphis was al vijf jaar op de vlucht om te ontkomen aan een lange gevangenisstraf wegens drugshandel. Decker zat zelf ook met zijn vingers aan de dope en zijn kroeg was min of meer een clandestien drankhol. De agenten uit de wijk hadden dat echter altijd door de vingers gezien omdat Drake hen rijkelijk voorzag van nuttige tips. Maar wat was het verband tussen deze oplichter en de Larabees?

Jeremy misschien...

Santos kende Nikki's zoon. De jongen mocht hem niet echt en die afkeer was wederzijds. Hij schoot een laatste bal naar de ring en liep terug naar zijn kantoor. Hij had besloten om een wat breder opgezet onderzoek te doen. Hij toetste een paar namen in op zijn computer en startte het programma. Binnen een paar seconden kreeg hij de resultaten. Er was een match! Nog geen maand geleden, op de eerste zaterdag van oktober. Die avond was Drake naar het bureau gebracht omdat een van zijn klanten zich had beklaagd omdat hij was geslagen en bedreigd met een wapen. Hij was al snel weer vrijgelaten zonder dat er een aanklacht tegen hem werd ingediend.

Jeremy was naar het bureau gebracht wegens diefstal van een videogame in een warenhuis. Uit de beide politierapporten viel op te maken dat Drake en de jongen veertien minuten samen in dezelfde cel hadden gezeten. Was dat de eerste keer dat ze elkaar hadden ontmoet?

Plotseling was Santos ervan overtuigd dat de oplossing van het mysterie in dit kwartiertje schuilde. Er was die avond iets gebeurd tussen Decker en Jeremy. Een gesprek? Een afspraak? Een ruzie? In elk geval iets wat belangrijk genoeg was om een aaneenschakeling van gebeurtenissen tot gevolg te hebben die drie weken later eindigde in de ontdekking van twee lijken in een zee van bloed.

39

'Ik kan niet verder, ik heb te veel pijn!' klaagde Nikki en ze ging op de stoep van de Rue Mornay zitten. Sebastian knielde naast haar neer.

'Volgens mij heb ik een verstuikte enkel,' zei ze wanhopig terwijl ze haar enkel masseerde.

Sebastian onderzocht het gewricht. Het was gezwollen en er ontstond een blauwe plek. De pijn was twee uur lang dragelijk geweest, maar werd nu zo heftig dat Nikki nog nauwelijks de ene voet voor de andere kon zetten.

'Nog even volhouden, we zijn er bijna. We moeten een schuilplaats vinden voor de nacht.'

'Maar weet je dan waar we heen moeten?'

Sebastian vroeg geërgerd of zij dan misschien een plan had.

'Nee,' gaf ze toe.

'Goed, vertrouw dan op mij.'

Hij gaf haar een hand om haar overeind te trekken en nam haar aan de arm. Zo liepen ze samen strompelend verder tot de Boulevard Bourbon.

'Zijn we bij de Seine?' vroeg Nikki verbaasd.

'Bijna.'

Ze staken de straat over en kwamen op een kade van witte stenen. Een lange wandelpromenade van zeker vijfhonderd meter liep langs het water.

'Waar zijn we precies?'

'Bij de jachthaven van l'Arsenal. Tussen het kanaal Saint-Martin en de Seine.'

'En deze plek tover je zomaar uit je hoge hoed?'

'Aan boord van het vliegtuig heb ik een artikel gelezen in een toeristisch magazine. Ik heb de naam ook onthouden omdat het een Engelse voetbalclub is, de favoriete club van Camille.'

'Heb je hier een boot liggen?' zei ze plagend.

'Nee, maar we kunnen er wel een vinden. Dat wil zeggen, als je niet te veel pijn hebt om over dit hek te klimmen...'

Ze keek hem aan en kon ondanks de ernst van de situatie een glimlach niet onderdrukken. Als ze beiden in deze stemming waren, dan voelde ze zich onoverwinnelijk. Het gaas was ongeveer anderhalve meter hoog. Een bord maakte duidelijk dat de haven verboden terrein was voor het publiek tussen elf uur 's avonds en zes uur 's ochtends en dat bewaking met honden de hele nacht surveilleerde.

'Wat voor soort hond zouden ze gebruiken? Een poedel of een pitbull?' grapte Nikki toen ze de poort vastpakte. Moeizaam klom ze over het hek en Sebastian kwam achter haar aan. Het was verrassend rustig in de haven, die plaats bood aan een honderdtal boten van verschillende lengte, die varieerden van een half vergane roeiboot tot een superluxe woonboot. De aanwezigheid van de boten herinnerde Nikki aan de Amsterdamse grachten, die ze had gezien tijdens haar werk als model. Ze liepen over de kade en onderzochten de boten aandachtig.

'Goed, we zijn hier natuurlijk niet om een boot te kopen,' zei Sebastian ongeduldig. 'We willen alleen een paar uur slapen.'

'Deze lijkt me wel wat, denk je niet?'

'Te luxe. Ik durf te wedden dat hij een alarmsysteem heeft.'

'Die dan.'

Ze wees naar een kleine tjalk, een 'Hollandse boot', van een meter of twaalf, met een smalle romp en een perfect halfronde voorsteven. Sebastian tuurde om zich heen. Alle boten leken verlaten. Tegen het raam van de boot was een stuk karton geplakt met de tekst À VENDRE, te koop. Dit exemplaar leek inderdaad perfect. Sebastian sprong aan boord met een gemak dat Nikki verraste, en gaf toen een harde schop tegen de houten deur van de stuurhut.

'Je zou bijna zeggen dat je je hele leven niets anders hebt gedaan,' zei ze toen ze bij hem kwam. 'Ik kan nauwelijks geloven dat je nog geen twee dagen geleden in je atelier aan violen zat te knutselen...'

'Dat maakt nu toch niets meer uit? Ze zoeken me nu op twee werelddelen voor moord, en dan hebben we het nog niet eens over onze vlucht, de drugshandel, de bedreiging van de stuurman van de rondvaartboot...'

'Tja, we zijn nu net Bonnie and Clyde!' zei ze lachend toen ze de stuurhut in liep.

Vanuit de stuurhut kwam je in het woongedeelte met twee banken.

De tjalk was een voormalig vrachtschip dat was omgebouwd tot een plezierjacht. De inrichting was sober maar gezellig als je hield van de 'oude-zeebonk'-stijl: piratenvlaggen, scheepjes in flessen, petroleum-lampen, touw... Vanuit het woongedeelte kwam je in de achterste slaap-cabine. Nadat Nikki de lakens had geïnspecteerd, liet ze zich op het bed vallen. Ze had zichtbaar pijn vanwege haar verstuikte enkel. Sebastian schudde twee kussens op en legde ze op het voeteneinde om haar enkel hoog te kunnen leggen.

'Ik kom zo terug.'

Voor in de boot ontdekte hij een inbouwkeukentje dat was afgeschei-den door een glazen deur. Ze hadden geluk: de koelkast stond aan. Hij gooide de twee bakken ijsklontjes leeg in een plastic zak en liep terug naar de slaapcabine.

'Dat is ijskoud!' gilde Nikki, toen hij het ijs tegen de gezwollen plek drukte.

'Stel je niet zo aan, zeg! Dat zorgt ervoor dat de zwelling afneemt.'

Vrijwel onmiddellijk verlichtte het ijs de pijn. Nikki pakte haar tas en haalde het love lock eruit.

'Laten we dat slot eens beter bekijken.'

Het metalen huis was niet bijzonder, afgezien van de stickers en twee rijen cijfers, die onder elkaar waren ingekrast.

48 54 06
2 20 12

'Ik ben helemaal klaar met die raadsels à la *De Da Vinci Code*!' zei Se-bastian geïrriteerd.

'Misschien is Dan Brown wel de ontvoerder van Jeremy,' grapte Nikki in een poging de sfeer iets minder gespannen te maken.

Dat was Nikki ten voeten uit. Ze kon altijd terugvallen op haar ge-voel voor humor om zich uit moeilijke situaties te redden. Dat was voor haar een soort tweede natuur. Sebastian was echter niet in de stemming voor flauwe grapjes en keek haar boos aan toen hem plots een idee te binnen schoot. 'Is het misschien een telefoonnummer?'

'Met netnummer 48? Dat lijkt me sterk. Dat bestaat niet in de Ver-enigde Staten en ook niet in Frankrijk.'

'Ik weet niet of die informatie je ooit heeft bereikt, maar er bestaan nog meer landen op de wereld.'

Vol van zijn idee, liep Sebastian naar het woongedeelte. Tussen alle spullen die daar lagen vond hij een oud telefoonboek, dat hij meenam naar de slaapcabine.

'Achtenveertig is het landnummer van Polen,' las hij hardop.

Nikki was onmiddellijk gealarmeerd en ongerust. Polen was haar vaderland...

'Laten we proberen dat nummer te bellen!'

Maar hoe? Sebastians telefoon was gestolen en Nikki had die van haar net weggegooid om niet achtervolgd te worden.

'Ik heb alleen mijn creditcard nog,' zei ze en ze zwaaide met het stukje plastic. Haar ogen brandden van vermoeidheid. Sebastian legde zijn hand op Nikki's voorhoofd. Ze gloeide van de koorts.

'We proberen morgen te bellen vanuit een telefooncel,' besloot hij. 'Nu moet je uitrusten.'

Hij liep naar de badkamer, vond een doosje ibuprofen en gaf Nikki een tablet, waarna ze mompelend in slaap viel. Daarna zette hij de elektrische kachel bij het voeteneinde aan, deed het licht uit en verliet het slaapgedeelte.

De koelkast was leeg, afgezien van een pak yoghurt dat over de datum was en een stuk of tien flesjes Mort Subite, een Belgisch biermerk. Sebastian opende een flesje en liep het dek op om er even in alle rust van te genieten.

Het was stil in de haven. Onwerkelijk stil. Een enclave van rust op slechts een paar honderd meter van de drukte op de Place de la Bastille. Hij ging op de grond zitten, met zijn rug tegen het hout van de romp. Hij strekte zijn benen en legde het hangslot terug in Nikki's tas. Hij vond een pakje sigaretten en stak er een op. Ook maakte hij van de gelegenheid gebruik om de portefeuille van zijn ex-vrouw door te snuffelen. Zoals hij verwachtte vond hij een recente foto van hun kinderen. Camille en Jeremy waren een twee-eiige tweeling. Ze waren weliswaar op dezelfde dag geboren, maar leken totaal niet op elkaar. Camille was een echte Larabee en Jeremy een Nikovski. Het was verbazingwekkend hoe weinig Camille op haar moeder leek. Ze was knap, maar had een rond gezicht, een kuiltje in haar kin, een wipneus en zachte trekken. Jeremy had de Poolse afkomst van Nikki meegekregen: een kille schoonheid, bijna afstandelijk, slank lijf, stijl haar, scherpe neus en erg lichte ogen. De gelijkenis was in de loop der jaren alleen maar groter geworden, iets waar Sebastian grote moeite mee had.

Hij nam een lange trek van de sigaret toen hij dacht aan wat Nikki hem twee uur eerder had verweten. Vond hij zijn eigen gevoelens inderdaad belangrijker dan de liefde voor zijn kinderen? Misschien was het niet zo zwart-wit, maar ze had ook geen ongelijk.

Al die jaren had hij zich onbewust, gekwetst door zijn eigen wonden, geprobeerd te wreken op Nikki. Uit pure rancune had hij haar willen straffen, haar willen laten boeten voor het mislukken van hun relatie en daarna voor hun scheiding. Maar zonder enige twijfel had hij hun kinderen het meeste pijn gedaan. De manier waarop hij de tweeling volkomen van elkaar had gescheiden tijdens hun opvoeding, was absurd en onverantwoord. Natuurlijk kwam hij daar nu pas achter, hij had tot nu toe altijd de juiste argumenten gevonden om zijn gedrag te rechtvaardigen.

In het maanlicht bekeek Sebastian de foto van zijn zoon aandachtig. Hun relatie was kil, afstandelijk en ondermijnd door een reeks misverstanden. Hij hield wel van zijn zoon, maar het was een soort nietszeggende liefde, zonder warmte en verbondenheid. Het was voor een groot deel zijn schuld. Hij had zich nooit welwillend opgesteld ten opzichte van zijn zoon. Hij had hem altijd vergeleken met Camille en dat was nooit voordelig uitgepakt voor Jeremy. Hij had hem altijd bekeken vanuit een negatieve instelling, dus de jongen had nooit een schijn van kans gehad. Hij realiseerde zich dat Jeremy hem alleen maar teleurstelde omdat zijn moeder, op wie hij zoveel leek, dat vóór hem had gedaan.

Als ze elkaar de laatste tijd zagen, hadden ze niets gemeenschappelijks meer met elkaar gehad. Sebastian had zijn zoon af en toe meegenomen naar een vioolconcert, maar dat was vooral geweest om zijn teleurstelling te bevestigen over het feit dat de jongen zich daarvoor niet interesseerde. Dat was onrechtvaardig, want hij had geen enkele moeite gedaan om hem te interesseren voor kunst of klassieke muziek. Toen hij samen met Nikki zijn kamer had doorzocht, was hij verrast geweest door de schappen vol boeken over de 'zevende kunst', het maken van films. Jeremy had nooit met hem gesproken over zijn wens om naar de filmacademie te gaan en over zijn plannen om regisseur te worden. Ongetwijfeld uit angst om het sarcasme van zijn vader over zich heen te krijgen. En het was waar dat hij niets had gedaan om hem te ondersteunen in zijn keuzes...

Sebastian dronk zijn flesje bier leeg terwijl hij naar de verlichte toren van de Bastille in de verte keek.

Zou hij nog de kans krijgen om zijn vergissing goed te maken? Kon hij nog met zijn zoon in gesprek komen? Misschien, maar dan moesten ze hem wel eerst terugvinden. Hij stak met zijn peuk de volgende sigaret aan en besloot niet tot de volgende dag te wachten om het spoor van het Poolse telefoonnummer te onderzoeken. Nadat hij had gecontroleerd of Nikki sliep, pakte hij het hangslot en stak het in zijn zak.

Toen verliet hij de boot en sprong op de kade.

40

Zou er in Parijs nog ergens een telefooncel te vinden zijn? vroeg Sebastian zich af terwijl hij over de boulevard langs de haven liep. Hij dacht dat hij geluk had toen hij in de verte het karakteristieke silhouet van aluminium en glas zag van de cellen van de hoofdstad, maar zijn vreugde was slechts van korte duur. Het ding was gesloopt en de hoorn was er uitgerukt. Hij kwam op de Place de la Bastille, maar liep snel door omdat er twee politiebusjes stonden geparkeerd voor het operagebouw. Hij ontdekte een andere telefooncel aan het begin van de Rue du Faubourg-Saint-Antoine, maar ook die was onbruikbaar. Er lag een dakloze in te slapen onder een stapel dekens en karton. Sebastian vervolgde zijn zoektocht en liep de straat af in de richting van de metro. Net voor het station Ledru-Rollin vond hij eindelijk een telefooncel die het deed. Hij duwde de creditcard van Nikki in de gleuf en toetste het nummer in dat op het hangslot stond:

48 54 06 2 20 12

'Goedendag. Orange deelt u mee dat dit nummer niet bestaat.'
Sebastian dacht een paar seconden na en zag toen de aanwijzingen in de telefooncel. Als hij naar het buitenland wilde bellen, moest hij voor het landnummer eerst dubbel nul intoetsen. Hij probeerde het opnieuw:

00 48 54 06 2 20 12

'Goedendag. Orange deelt u mee dat dit nummer niet bestaat.'
Zijn plan was mislukt. Ze waren helemaal opgewonden geweest toen ze het landnummer van Polen hadden herkend, maar de inscriptie was dus geen telefoonnummer. Het was iets anders.
Maar wat?

Hij aarzelde. Na de moord op Drake en de Maori was er een aanhoudingsbevel tegen hem uitgevaardigd, zoveel stond vast. Het was dus mogelijk dat de telefoon van zijn dochter werd afgeluisterd. Maar die van zijn moeder misschien niet. Hij zuchtte. In elk geval wist de politie al dat hij in Frankrijk was. Zouden ze de telefooncel kunnen traceren? Misschien, want hij had de creditcard gebruikt. Het was zelfs zeker, maar het kostte tijd. Voor het zover was, waren Nikki en hij al vertrokken uit de haven van l'Arsenal. Hij besloot een kans te wagen en toetste het nummer van zijn moeder in Hampton in. Ze nam op toen de telefoon voor de tweede keer overging.

'Maar Sebastian, waar ben je toch? De politie is vanmiddag langs geweest en heeft me ondervraagd en...'

'Maak je niet ongerust, mam.'

'Natuurlijk ben ik ongerust! Waarom zeggen ze anders dat je twee mensen hebt vermoord?'

'Dat is een lang verhaal...'

'Dat komt natuurlijk allemaal door Nikki, of niet soms? Ik heb die vrouw nooit gemogen, dat weet je! Waarin heeft ze je nu weer meegesleept?'

'Daar zullen we het een andere keer wel over hebben. Als je nu...'

'En Camille? Waar is zij? De politie is ook op zoek naar haar.'

Sebastian voelde de grond onder zijn voeten wegzakken van angst. Hij had moeite om de woorden over zijn lippen te krijgen. 'Maar Camille is toch bij jou? Ze heeft gistermiddag de trein genomen naar jou!'

Hij voelde zijn hart heftig tekeergaan. Zelfs voordat zijn moeder een woord had gezegd wist hij het antwoord al.

'Nee, Sebastian. Camille is niet bij mij. Ze is hier nooit geweest.'

Deel drie

De geheimen van Parijs

'Hij wist nu dat de tijd geen wonden heelde. De tijd was niet meer dan een raam dat uitzicht bood op zijn fouten. En dat, dacht hij, waren de enige dingen die hij zich goed herinnerde.'

– R.J. Ellory, *Vendetta*

41

Zeven uur 's ochtends

De temperatuur was inmiddels flink gedaald. Op de hoek van de Rue des Lilas en de Rue de Mouzaïa was het ijzeren rolluik van de kleine bar net opgetrokken. De stoelen stonden nog op de tafeltjes, de koffiemachine werd moeizaam wakker en de verwarming deed haar best om wat warmte in de ruimte te verspreiden. Tony, de kroegbaas, onderdrukte een geeuw voordat hij zijn eerste klant haar ontbijt bracht.

'Kijk eens, inspecteur, dat is voor u.'

Constance zat op een bankje achter haar laptop en bedankte hem met een hoofdknikje. Om zich wat op te warmen legde de jonge agente haar vingers om haar kopje. Ze was kwaad vanwege de mislukte arrestatie de afgelopen nacht en had de hele nacht in het dossier van de Larabees zitten lezen, met het geknetter en geruis van de politieradio op de achtergrond. Urenlang had ze alle documenten doorgekeken die ze in haar bezit had, op zoek naar een aanwijzing die haar weer op het spoor kon brengen van het Amerikaanse stel. Ze had niets gevonden en ook haar collega's waren niets opgeschoten: ondanks hun signalement waren de beide New Yorkers nergens gezien. Sorbier, haar chef, had haar vanmorgen vroeg gebeld om haar de oren te wassen. Ze had de tirade zonder morren over zich heen laten komen. Haar ziekte was niet overal een excuus voor. Dit was onmiskenbaar haar fout geweest. Hoewel ze een onberispelijke staat van dienst had, was dit een complete inschattingsfout geweest. Als een onnozele beginneling had ze haar tegenstanders onderschat. Een mooie manier om haar promotie tot inspecteur te vieren. Natuurlijk hadden Larabee en zijn vrouw geluk gehad, maar ze hadden het initiatief genomen en waren koelbloedig gebleven. En aan die kwaliteiten had het haar op dat moment totaal ontbroken. Constance was de enige vrouw in het kleine groepje rechercheurs van de brigade voor opsporing van voortvluchtigen. De afdeling werd vaak vergeleken met de Amerikaanse *marshalls*, de elite-eenheid die was gespecialiseerd in het achtervolgen van gevluchte misdadigers, en was uniek in Europa. Constance kwam van de recherche en was een doorgewinterde agente. Ze had zich jaren uitgesloofd om bij deze afdeling te komen. Haar werk was haar leven. Ze had veel succes gehad en had vaak een beslissend aandeel gehad in de arrestatie van meerdere 'beroemde' voortvluchtigen, die werden gezocht voor zware straffen of die op spectaculaire wijze waren ontsnapt. Voor het grootste deel Fransen, maar ook buitenlanders voor wie een internationaal aanhoudingsbevel was uitgevaardigd. Ze nam een flinke slok koffie, beet in een croissant en ging weer aan het werk. Ze had de eerste ronde verloren, maar was vastbesloten de volgende te winnen.

Constance had via de WiFi van Tony verbinding met internet en zocht naar aanvullende informatie. De naam van Sebastian Larabee kwam veelvuldig voor op het web. Hij was in zijn vakgebied een ware expert. Ze klikte op de link die haar op de website van *The New York Times* bracht, naar een portret dat men twee jaar geleden van hem had gemaakt. De titel van de reportage was: 'De man met de gouden handen'. Volgens het artikel beschikte de vioolbouwer over een absoluut gehoor en een opmerkelijke vakkennis, en was hij in staat om uitzonderlijk goede violen te bouwen, die bij blindtesten Stradivariussen ver achter zich lieten. Het verhaal over Larabee was boeiend en vol opmerkelijke details over de vioolbouw en de emotionele band van sommige violisten met hun instrument. Bij het artikel stonden meerdere foto's. Je zag de zeer elegant geklede Larabee poseren in zijn atelier. Als je de foto bekeek, kon je je hem nauwelijks voorstellen in een smerige kroeg in Brooklyn om een drugshandelaar de keel door te snijden...

Constance onderdrukte een geeuw en rekte zich een beetje uit. Tot nu toe was ze erin geslaagd om haar vermoeidheid en de verlamming te onderdrukken. Zolang ze in beslag werd genomen door haar onderzoek, voelde ze zich veilig, maar ze moest ervoor zorgen dat ze aan de bal bleef en de druk erop hield, en dat ze vooruitkwam.

Ze sloot haar ogen om zich beter te kunnen concentreren. Waar hadden Larabee en zijn vrouw de nacht doorgebracht? Ze hadden de politie op hun hielen, dus die mooie hotels en de diners op de rondvaartboten waren voorbij. Vroeg of laat zouden ze worden opgepakt. Vroeg of laat zaten ze zonder geld, zonder hulp en zonder contacten.

Op de vlucht zijn was een hel, vooral voor mensen die geen keiharde criminelen waren. Normaliter zou Constance zich nergens druk om maken. Net als een spin zou ze haar web spinnen en wachten op een fout. Het juiste gevoel en wat geluk waren belangrijk, maar vooral geduld en zelfopoffering leidden vaak naar de oplossing van dit soort zaken. Dus de tijd was de belangrijkste bondgenoot van iedereen die op voortvluchtigen joeg. Maar het ontbrak haar juist aan tijd. Ze moest ze vandaag te pakken krijgen.

In theorie kon de opsporingsbrigade hulp vragen aan andere afdelingen van de politie en de gendarmerie voor bijvoorbeeld het afluisteren van telefoons, het volgen van mensen en de directe toegang tot allerlei informatie die betrekking had op het onderzoek. Maar internationale zaken waren veel lastiger om te doen. De informatie uit het land waar de oproep vandaan kwam was vaak onvolledig en kwam maar mondjesmaat op gang. Toen ze het dossier doorlas, was haar opgevallen dat het onderzoek in New York hoofdzakelijk was gedaan door inspecteur Lorenzo Santos van district 87 in Brooklyn. Ze keek op haar horloge. Het was twee uur 's nachts in New York. Te laat om Santos te bellen. Tenzij...

Ze besloot een gokje te wagen, belde het bureau en vroeg de receptionist in bijna perfect Engels haar door te verbinden met de inspecteur.

'Santos,' zei een mooie stem op lage toon.

Ze had geluk. Nauwelijks had Constance verteld wie ze was en welke rang ze had, of de inspecteur uit New York vroeg haar naar nieuws over zijn onderzoek. Die vent was van hetzelfde soort als zij: een jager, die alleen maar leefde voor zijn werk. Hij was teleurgesteld toen Constance hem uitlegde dat de Larabees nog altijd op de vlucht waren. Hij vroeg haar van alles over de voortgang van haar onderzoek en Constance maakte van de gelegenheid gebruik om te vertellen hoe ze te werk ging. Ze zou graag de meest recente gegevens willen hebben over het gebruik van Sebastian Larabees mobieltje en zijn creditcard.

'Die informatie heb ik in mijn bezit,' bevestigde Santos. 'Als u me een officieel verzoek doet, dan stuur ik de informatie door.'

'Maar ik heb de informatie nu nodig!' hield Constance vol. Om hem tot een beslissing te dwingen, gaf ze hem haar e-mailadres, maar hij hing op zonder haar iets te beloven.

De jonge inspecteur had net haar croissantje opgegeten en wilde een volgende kop koffie bestellen, toen een muzikaal signaal haar waarschuwde dat er een e-mail was binnengekomen. Santos liet er geen gras over groeien.

'Tony, heb je hier een printer?' vroeg ze terwijl ze de informatie downloadde.

42

'Nikki, wakker worden!'

'Hm...'

'Ik heb je zo lang mogelijk laten slapen, maar we moeten nu echt weg.'

Sebastian schoof een van de luiken open die het daglicht buiten de slaapcabine hielden.

'Er komen steeds meer mensen op de kade,' spoorde hij haar aan. 'Hier, ik heb wat andere kleren voor je gevonden.'

Nikki ontwaakte plotseling uit haar slaap. Ze kwam overeind en wankelde een paar passen.

'Gaat het beter met je verstuikte enkel?' vroeg Sebastian bezorgd.

Ze knikte bevestigend. De enkel was geslonken. Hij deed weliswaar nog pijn, maar het ging weer.

'Waar heb je die vandaan?' vroeg ze, toen ze de kleren over de stoel zag hangen.

'Die heb ik gepikt van het dek van een schip. En zeg alsjeblieft niet dat het je maat niet is of dat de kleur je niet bevalt!'

Ze trok de ruwe jeans, coltrui en sportschoenen aan. Het stond haar inderdaad niet echt. Ze beet op haar tong, maar kon het toch niet laten. 'Zie je me al lopen in maat 42?'

'Veel keus was er niet,' verzuchtte Sebastian. 'Sorry dat ik niet even over de Rue Montaigne ben gelopen.'

Hij pakte haar bij haar hand en nam haar mee naar buiten. De lucht was droog en koud. De heldere, blauwe hemel herinnerde hen aan Manhattan.

'Trek niet zo aan mijn arm!'

'We moeten hier zo snel mogelijk weg. Vannacht heb ik je creditcard gebruikt om te bellen. Mijn telefoontje is inmiddels waarschijnlijk getraceerd.'

Terwijl ze door de Rue Saint-Antoine liepen, vertelde hij Nikki over zijn nachtelijke onderzoek: het valse spoor van het Poolse telefoon-nummer, en vooral over de verdwijning van Camille, die nooit bij haar grootmoeder was aangekomen. Toen Nikki hoorde dat haar dochter was verdwenen, raakte ze in paniek. Ze kon niet meer normaal ademen en bleef midden op de stoep stokstijf stilstaan. Een van haar armen verstijfde en haar hand verkrampte. Druppels zweet parelden van haar voorhoofd en liepen in haar hals. Ze kreeg het benauwd, kon bijna niet meer ademen en hapte naar lucht door de krampen in haar borst.

'Ik smeek je, Nikki, geef nu niet op. Probeer te ademen, rustig maar.'

Het hielp niet. Door de heftige krampen in haar borst dreigde Nikki midden op straat in elkaar te zakken. Sebastian probeerde haar nog-maals bij haar positieven te krijgen en greep haar stevig vast bij de schouders.

'Kijk me aan, Nikki. Rustig maar. Ik weet wat de cijfers op het hang-slot betekenen. Begrijp je dat? Ik heb ontdekt wat de cijfers zijn!'

43

Het was misschien onverstandig, maar omdat Nikki weer op krachten moest komen, hadden ze een plekje gezocht in een café in de Rue de la Vieille-du-Temple. Het lag midden in de wijk Marais, en ondanks het vroege uur was het er al behoorlijk druk.

Sebastian telde zorgvuldig het kleingeld dat Nikki nog in haar portemonnee had. Gisteren had ze nog vijftig dollar gewisseld op het Gare du Nord, maar dat geld hadden ze gebruikt om de taxi naar de Pont d'Alma te betalen. Alles bij elkaar hadden ze niet meer dan zes armzalige euro's. Net genoeg voor één café au lait en een stukje brood met boter voor hen beiden.

'Heb je iets om mee te schrijven?'

Nikki zocht in haar tas en vond een vulpen die was ingelegd met parelmoer. Sebastian zag dat het de pen was die hij haar ooit cadeau had gedaan, maar zei niets. Op het papieren tafellaken schreef hij de cijfers van het hangslot op exact dezelfde wijze als ze op het slot stonden.

48 54 06
2 20 12

'Ik had dat eerder moeten bedenken,' zei hij met spijt in zijn stem. 'Het lag zo voor de hand.'

'Wat dan?'

'Graden, minuten, seconden...' zei hij hardop.

'Goed, doe niet zo geheimzinnig en leg het me gewoon uit!'

'Het zijn simpelweg geografische coördinaten, opgeschreven in het zestigtallig stelsel...'

'Vind je het leuk om hier de onderwijzer uit te hangen?'

'... anders gezegd, het zijn breedte- en lengtegraden,' zei hij terwijl hij zijn schema aanvulde.

Breedtegraad: N 48 54 06
Lengtegraad: O 2 20 12

Nikki liet de informatie op zich inwerken en stelde de logische vervolgvraag. 'En met welke plek komen die coördinaten overeen?'

'Dat weet ik niet,' zei Sebastian enigszins koel. 'Dan moeten we ze invoeren in een gps-systeem.'

Nikki dacht even na.

'Denk je dat je in staat bent om een auto te stelen?'

Sebastian haalde zijn schouders op.

'Ik denk dat we niet veel keus hebben.'

Ze dronken hun kopje café au lait leeg tot de laatste druppel en stonden op van hun bankje. Toen ze op weg naar de uitgang door het café liepen, zag Sebastian op een leeg tafeltje een krant liggen, die door een klant was achtergelaten. Een foto op de voorpagina trok zijn aandacht. Hij vouwde de krant open met een wee gevoel in zijn buik. Zijn foto stond op de voorpagina van *Le Parisien*! Een amateurfilmer had kennelijk de 'kaping' van de rondvaartboot gefilmd. Sebastian bekeek de afbeelding om te zien of de 'crimineel' een onbekende was, maar hij was het echt zelf. Gewapend met een mes bedreigde hij de kapitein van het schip. Het bijschrift van de krant maakte aan alle twijfel een einde:

Terreur op de Seine!

Een romantisch avondje op de Seine eindigde gisteravond in een nachtmerrie, toen een voortvluchtig Amerikaans echtpaar de kapitein van een rondvaartboot gijzelde. Aan boord van het schip waren ruim tweehonderd passagiers. (Foto's en getuigenissen op pagina 3.)

'Wie weet lachen we er op een dag om,' merkte Nikki op.

'Dat zal denk ik nog wel even op zich laten wachten. We zijn nu op zoek naar onze beide kinderen.'

Ze liepen over het trottoir van de Rue de Rivoli, in de richting van de Place de l'Hôtel-de-Ville.

'Goed, vanaf nu neem ik de leiding over deze actie!' riep Nikki.

'Hoezo? Ben jij een specialist in het stelen van auto's?'

'Nee, maar ik wil ook met mijn kop op de voorpagina van *Le Parisien*.'

Ze posteerden zich bij een oversteekplaats voor voetgangers, die toegang gaf tot het gemeentehuis van het vierde arrondissement. Ze lieten het verkeerslicht meerdere keren op rood springen terwijl Nikki uitkeek naar de perfecte prooi. Die kwam aanrijden in de persoon van een wat kalende, gezette vijftiger, achter het stuur van een vrijwel nieuwe Duitse wagen.

'Laat me mijn gang gaan, maar sta klaar om in actie te komen.'

Het verkeerslicht stond op rood voor de auto's. Nikki nam een relaxte houding aan en liep een paar meter langs de stoeprand, toen ze opeens haar hoofd naar de bestuurder draaide. Haar mooie gezicht lichtte plotseling helemaal op, alsof ze totaal verrast was.

'*Hello!*' riep ze naar de man en ze zwaaide naar hem.

De bestuurder trok licht verbaasd zijn wenkbrauwen op en draaide zich toen om om te zien of het gebaar daadwerkelijk voor hem was bedoeld en zette zijn autoradio uit. Nikki liep naar hem toe en ging bij het portier staan.

'*I didn't expect to run into you here!*' zei ze en ze keek hem recht in zijn ogen.

De man deed zijn raampje omlaag in de overtuiging dat hij werd verward met iemand anders.

'Volgens mij verwar je me met iemand anders...'

'Doe niet zo raar! Wil je zeggen dat je niet meer weet wie ik ben?'

Het verkeerslicht sprong op groen.

De man aarzelde. Achter hem toeterde iemand. Hij kon zich nauwelijks losmaken van de blik in de ogen van de jonge vrouw, die hem aankeek alsof hij een god op de Olympus was. Hoe lang was het geleden dat iemand zo naar hem had gekeken?

Sebastian bekeek het tafereel van een afstandje. Hij kende Nikki's talent. Overal waar ze kwam draaide iedereen zich om om naar haar te kijken. Ze maakte vrouwen jaloers en bracht mannen het hoofd op hol. Zomaar, zonder wat te doen of iets te zeggen. Een nauwelijks waarneembare beweging met het hoofd, een kleine glinstering in haar ogen, een piepklein vonkje dat 'jagers' liet geloven dat ze een kans hadden.

'Wacht even, ik parkeer wat verderop,' besloot de bestuurder.

Nikki schonk hem een veelbetekenende glimlach, maar zodra de auto wegreed gaf ze Sebastian een teken dat zoveel wilde zeggen als 'Nu is het jouw beurt!'.

Dat is gemakkelijker gezegd dan gedaan, dacht Sebastian toen hij naar de wagen toe liep, die net was ingeparkeerd op een kleine, met keien geplaveide inham op de Place Baudoyer. De man stapte uit zijn auto en sloot hem af met een klikkend geluid. Sebastian liep op hem af en gaf de man een flinke duw om hem aan het wankelen te brengen.

'Sorry, meneer,' zei hij en hij boog zich voorover om de sleutels van de grond te rapen. Hij opende de portieren en liet Nikki achter het stuur plaatsnemen.

'Snel, stap in!' schreeuwde ze.

Sebastian was nog in verwarring door de kracht van de klap die hij de onbekende had gegeven. De man had alleen de fout gemaakt dat hij hen was tegengekomen en op het verkeerde moment op de verkeerde plek was geweest.

'Ik ben echt even confuus,' excuseerde hij zich en hij controleerde nog of hij de man niet bewusteloos had geslagen. 'Het is echt een noodgeval en we zullen goed op uw...'

'Schiet op, verdomme!' brulde Nikki.

Sebastian opende het portier en ging naast haar zitten op het moment dat ze gas gaf en de Rue des Archives indraaide. Terwijl ze door het vierde arrondissement reed, zette Sebastian het navigatiesysteem aan. Nadat hij snel had bekeken hoe het werkte, toetste hij de coördinaten in die hij op het hangslot had gevonden:

Breedte: N 48 54 06
Lengte: O 2 20 12

Toen schakelde hij om van het zestigtallig stelsel naar het gps-systeem.

'Ik hoop dat ik me niet heb vergist,' zei hij terwijl de software de gegevens verwerkte.

Nikki lette op het verkeer, maar wierp regelmatig een blik op het scherm. Al snel knipperde er een bestemming, gevolgd door een adres: nummer 34 bis in de Rue Lécuyer, in Saint-Quen!

Ze raakten helemaal opgewonden. Dat was vlakbij! Volgens de Tom-Tom was het maar een kilometer of zes. Nikki gaf gas en verliet de Place de la République.

Welk gevaar lag er nu weer op de loer?

44

'Tony, nog een dubbele espresso graag,' zei Constance.

'U hebt er al drie op, inspecteur...'

'Nou en? Je gaat toch niet klagen, hè? Ik neem in mijn eentje de halve omzet van deze kroeg voor mijn rekening!'

'Dat is een goede zaak,' gaf de cafébaas toe.

'En breng me ook een brioche met suiker.'

'Sorry, ik heb alleen maar croissants.'

'Die croissants van je zijn oudbakken. Dus haal je vingers uit je...'

'Goed, goed, inspecteur... U hoeft niet vulgair te worden. Ik haal wel een brioche bij de bakker voor u.'

'Als je dan toch die kant op loopt, neem dan ook een rozijnenbroodje voor me mee, en de krant.'

Zuchtend trok Tony zijn jasje aan en zette zijn pet op.

'Had madame de markiezin nog andere wensen?'

'Kun je de verwarming misschien iets hoger zetten? Het is hier steen-koud.'

Toen Tony wegliep, ging Constance met haar laptop achter de bar staan.

'Ik run de tent wel even.'

'Denkt u dat dat lukt in uw eentje als het hier straks volstroomt met klanten?' vroeg Tony twijfelend.

Constance keek op van haar scherm en wierp een blik in het café.

'Zie je, afgezien van mij, nog iemand anders hier?'

Tony maakte een boos gebaar en zei verder niets meer toen hij vertrok. Toen ze alleen was, zette Constance een andere zender op de radio om naar het nieuws op France Info te luisteren. Aan het eind van de uitzending maakte de nieuwslezeres kort melding van de gijzelings-poging op de Parijse rondvaartboot, de vorige avond.

'De politie is actief op zoek naar de beide voortvluchtigen, die als zeer gevaarlijk worden beschouwd.'

Constance was inderdaad erg actief. Ze had de lijsten geprint die Santos, haar collega bij de politie in New York, haar had gestuurd. Met een balpen en een liniaal onderstreepte ze de telefoontjes en de geldbedragen van Larabee die haar verdacht leken. Die bevestigden wat de eigenaresse van Grand Hotel de la Butte had verteld. Blijkbaar had Sebastian Larabee de kamer inderdaad een week geleden gereserveerd. Maar had hij die betaling ook echt zelf gedaan? Het was een fluitje van een cent om de gegevens van een bankpas te hacken. Dat zou iedereen in haar kennissenkring nog voor elkaar krijgen. Maar waarom had hij dat gedaan? Constance zou ook graag de telefoontjes en bankgegevens van Nikki bekijken, maar Santos had haar alleen de documenten gemaild die betrekking hadden op Larabee. Dat was op zich niet zo vreemd, want het aanhoudingsbevel had betrekking op hem.

Ze bracht haar kopje naar haar mond om haar koffie op te drinken voordat die koud werd. Met een ruk zette ze het weer neer. Eén regel in de bankgegevens van Sebastian Larabee had haar aandacht getrokken. Een betaling via PayPal van vorige week. Er was een bedrag van vijfentwintighonderd euro op de rekening van de vioolbouwer gestort. Snel bladerde ze alle pagina's van de lijst door. Santos had goed werk geleverd: dankzij het nummer van de transactie had hij ook ontdekt waar de betaling vandaan kwam. Het was een Franse bank, een filiaal van BNP in Saint-Quen, die het geld voor een van zijn rekeninghouders had overgeboekt: de boekhandel Des Fantômes et des Anges.

Constance tikte de naam van de boekhandel in op Google. De winkel bevond zich op nummer 34 bis in de Rue Lécuyer in Saint-Quen, en was gespecialiseerd in de verkoop van zeldzame en oude boeken.

Jammer van die brioche met suiker...

45

De wagen haperde voor het eerst ter hoogte van de Porte de Clignan-court. Toen Nikki en Sebastian de Boulevard des Maréchaux opreden, begonnen plotseling de richtingaanwijzers te knipperen. Zonder suc-ces probeerde Nikki ze uit te zetten.

'Die Duitse kwaliteit is ook niet meer wat het geweest is,' zei Sebas-tian op ironische toon om de spanning enigszins te doorbreken. Nikki wilde zo snel mogelijk op de plaats van bestemming komen en drukte het gaspedaal nog verder in toen ze onder de rondweg door reden en uitkwamen in de wijk Saint-Quen. Ze reden nu over het zuidelijke deel van de beroemde vlooienmarkt, maar het paradijs voor snuffelaars was alleen in het weekend druk en op dit vroege uur had nog geen enkele stand met oude spullen of meubels de deuren geopend. Met één oog gericht op het navigatiesysteem reed Nikki de Rue Fabre in, die parallel liep aan de rondweg. Terwijl de auto langs de gesloten ijzeren rolluiken van de kramen reed, klonk opeens het alarmsignaal en veroorzaakte een hels kabaal.

'Wat is er in vredesnaam aan de hand?' vroeg ze bezorgd.

'Deze wagen is waarschijnlijk uitgerust met een volgsysteem,' ver-onderstelde Sebastian. 'Ik heb zoiets ook in mijn Jaguar. Als de wagen wordt gestolen, zet een zender op afstand de claxon en de alarmlichten in werking.'

'Daar zitten we nou net op te wachten! Iedereen kijkt naar ons!'

'En het alarm geeft ook nog eens de positie van de wagen door aan de politie! Dit is nu net niet het moment om ons...'

Nikki remde hard en reed de stoep op. Ze verlieten de wagen die nog steeds een alarmsignaal liet horen en liepen bijna een kilometer naar de Rue Lécuyer. Tot hun grote verbazing bleek nummer 34 bis het adres te zijn van een... boekhandel.

Des Fantômes et des Anges bleek het Parijse filiaal te zijn van een Amerikaanse boekhandel. Sebastian en Nikki duwden met een mengeling van wantrouwen en nieuwsgierigheid de deur van de winkel open. Zodra ze binnen waren, nam de bijzondere geur van oude boeken hen mee naar een andere tijd: die van de verloren generatie en de Beat Generation. Van de buitenkant leek de boekhandel erg smal, maar eenmaal binnen zag je rijen stellingen, die samen een enorme bibliotheek vormden met een lengte van tientallen meters. Werkelijk overal stonden boeken. Over twee verdiepingen bedekten duizenden boeken de muren. Tegen elkaar geperst op donkere, houten schappen, op elkaar gestapeld tot aan het plafond of tentoongesteld in vitrines, elk beschikbaar plekje werd in beslag genomen door boeken. De lucht werd vervuld van de geur van kaneel, kruidkoek en thee. De stilte werd alleen verstoord door zachte jazzmuziek in de verte. Sebastian liep naar de schappen en liet zijn blik over de boeken glijden: Ernest Hemingway, Scott Fitzgerald, Jack Kerouac, Allen Ginsberg, William Burroughs, maar ook Dickens, Dostojevski, Vargas Llosa... Stonden ze gerangschikt volgens een bepaalde logica of regeerde hier de pure chaos? In elk geval had deze plek iets bijzonders, een ziel. De sfeer deed hem een beetje denken aan zijn eigen atelier. Dezelfde plechtige stilte, hetzelfde gevoel dat de tijd hier had stilgestaan, afgesloten van de buitenwereld.

'Is hier iemand?' riep Nikki en ze liep verder.

In het achterste deel van de benedenverdieping was een ruimte ingericht als rariteitenkabinet, met een sfeer die herinnerde aan de verhalen van Lovecraft, Poe of Canon Doyle. Op een paar vierkante meter vochten een plantenboek, een gebeeldhouwd schaakspel, een paar opgezette beesten, een mummie en haar dodenmasker, erotische prenten en een verzameling fossielen om een plekje tussen de ingebonden boeken. Nikki krabde over de kop van een siamese kat, die zich uitrekte in een versleten fauteuil. Meegedragen in de sfeer van de winkel streelde ze met haar vingers over de toetsen van ebbenhout en vergeeld ivoor van een oude piano. Je bevond je hier in een andere tijd, ver weg van internet, tablets en e-books tegen afbraakprijzen. Het leek wel een museum, maar deze plek had zo te zien helaas geen enkele relatie met de verdwijning van Jeremy. Ze zaten onmiskenbaar weer op het verkeerde spoor.

Plotseling kraakte de vloer op de bovenverdieping. Nikki en Sebastian keken gelijktijdig omhoog. Met een papiersnijder in de hand kwam een oude boekhandelaar via de trap naar beneden om te zien wie er in zijn leeszaal rondliep.

'Kan ik u ergens mee helpen?' vroeg hij bars.

Met zijn imposante gestalte, rode haardos en gerimpelde gezicht was de man een krachtige verschijning en met zijn reusachtige voorkomen leek hij op een oude acteur uit een stuk van Shakespeare.

'We hebben ons waarschijnlijk vergist,' zei Sebastian verontschuldigend in gebrekkig Frans.

'Zijn jullie Amerikanen?' vroeg de man met zijn rauwe stem. Hij zette zijn bril op om zijn bezoekers beter te kunnen zien. 'Maar ik ken u!' riep hij.

Onmiddellijk dacht Sebastian aan het artikel op de voorpagina van *Le Parisien*. Voorzichtig deed hij een stap achteruit en spoorde Nikki aan hetzelfde te doen. Met een katachtige soepelheid, die niet paste bij zijn gewicht, sprong de oude man achter zijn toonbank en zocht in een laatje naar een foto.

'Dit bent u toch?' vroeg hij en hij gaf Sebastian het plaatje.

Het was niet het artikel uit de krant, maar een wat versleten foto van hem en Nikki, genomen vanuit de Jardin des Tuileries, met het Musée d'Orsay op de achtergrond. Hij draaide de foto om en herkende zijn eigen handschrift: *Parijs, Quai des Tuileries, voorjaar 1996*. De foto dateerde van hun eerste reis naar Frankrijk. Toen waren ze nog jong, verliefd en vrolijk en leek het leven hen toe te lachen.

'Waar hebt u die foto gevonden?' vroeg Nikki hem.

'Nou, in het boek!'

'Welk boek?'

'Het boek dat ik een paar dagen geleden op internet heb gekocht,' legde hij uit en hij liep naar een glazen vitrinekast. Hangend aan zijn lippen liepen Nikki en Sebastian achter hem aan.

'Een koopje,' ging de man verder. 'De verkoper bood het me aan voor minder dan de helft van de werkelijke waarde.'

Voorzichtig haalde hij de glazen bescherming weg voordat hij een boek pakte met een prachtige roze-zwarte omslag.

'Een bijzondere uitgave van *Liefde in tijden van cholera*, van Gabriel García Márquez. Gesigneerd door de auteur. Daar bestaan maar driehonderdvijftig exemplaren van op de hele wereld.'

Vol ongeloof onderzocht Sebastian het boek. Dat was het boek dat hij Nikki had geschonken na hun nacht in het kleine hotel op de Butte-aux-Cailles. Na hun scheiding was hij niet erg sportief geweest en had in zijn pogingen om alle sporen van hun liefde uit te wissen het boek weer teruggenomen, dat nu voor een paar duizend dollar te koop was via internet. Maar hoe kwam dit boek in deze winkel terecht? Het lag toch bij hem thuis in Manhattan, veilig opgeborgen in de kluis?

'Wie heeft u dit boek verkocht?'

'Ene Sebastian Larabee,' vertelde de boekhandelaar nadat hij een boekje uit het zakje van zijn vest had gehaald. 'Dat wil zeggen, dat was de naam die de verkoper in zijn mail gebruikte.'

'Dat is onmogelijk! Sebastian Larabee, dat ben ik en ik heb u niets verkocht!'

'Als dat zo is, dan heeft iemand anders van uw identiteit gebruikgemaakt. Ik kan echter niets voor u doen.'

Beduusd keken Nikki en Sebastian elkaar aan. Wat was de bedoeling van dit nieuwe raadsel? Welke kant moesten ze nu weer op? Nikki pakte een vergrootglas van de toonbank en bekeek de foto aandachtig. De zon ging onder tegen een purperen hemel. Op de gevel van het Musée d'Orsay waren twee grote klokken zichtbaar die op halfzeven stonden. Een plaats en een tijdstip: de Jardin des Tuileries om halfzeven. Dat was misschien hun nieuwe afspraak...

Ze deed haar mond open om haar ontdekking aan Sebastian te vertellen, maar net op dat moment deed iemand de deur van de boekhandel open. Ze keken op naar de persoon die binnenkwam. Het was een jonge vrouw in een spijkerbroek en een leren jasje.

Het was de agente die hen gisteravond op de rondvaartboot wilde arresteren...

46

DES FANTÔMES ET DES ANGES.

Een rare naam voor een boekhandel, dacht Constance toen ze de zware, gesmede deur openduwde. Ze had nog maar nauwelijks een stap in de winkel gezet of ze was al zwaar onder de indruk van de muren met boeken, die vanaf de ingang een fascinerend labyrint van kennis vormden. Ze keek op in de richting van de boekenkasten en zag drie mensen bij elkaar staan. Een oude, gezette man, wiens gezicht voor een groot deel schuilging achter een dikke bril met schildpadmontuur, was in gesprek met een paar klanten die elkaar aankeken. Ze kreeg nauwelijks de tijd om ze te herkennen, toen het stel op de vlucht sloeg.

Het waren de Larabees!

Ze haalde haar wapen tevoorschijn en ging in de achtervolging. De boekhandel was zeker twintig meter lang. Om haar de achtervolging te bemoeilijken gooiden de beide Amerikanen alles omver wat ze tegenkwamen: schappen, vitrines, lampen, ladders, kasten en allerlei klein spul. De jonge agente sprong over een bank maar kon de houten kruk, die Nikki in haar richting gooide, niet ontwijken. Op het allerlaatste moment beschermde ze haar gezicht met haar arm om aan het projectiel te ontsnappen. De zitting kwam hard tegen haar onderarm aan en ze liet met een kreet van pijn haar wapen los.

'Wat een kutwijf!' riep ze woedend toen ze haar Sig Sauer weer oppakte.

Achter in de winkel gaf een deur toegang tot een kleine binnenplaats met een onverzorgde tuin erachter. In navolging van de Larabees klom Constance over het muurtje dat uitkwam in de Rue Jules-Vallès. Daar kreeg ze weer wat hoop, want ze had de beide vluchtelingen nog steeds in zicht.

'Staan blijven!' schreeuwde ze.

Omdat de Amerikanen haar bevel negeerden, schoot ze in de lucht om ze bang te maken, maar dat had geen enkel effect. De zon stond al hoog aan de hemel. Ze hield haar hand boven haar ogen om te voorkomen dat ze werd verblind, en zag het bewegende silhouet van een echtpaar dat de hoek om rende. Constance rende er opnieuw achteraan, vastbesloten de Larabees met inzet van alle middelen te arresteren. Buiten adem liep ze met haar wapen in de hand de garage Pellisier binnen, op de hoek van de Rue Paul-Bert. De hal was open aan de stoepkant en er stonden een stuk of tien tuktuks. Sinds een paar maanden zag je in Parijs steeds meer van de gemotoriseerde driewielers, die zo karakteristiek waren voor India en Thailand, tot grote vreugde van de toeristen en een enkele Parijzenaar. De exotische wagentjes stonden naast elkaar in een rij te wachten op een onderhoudsbeurt, een reparatie of een volle tank benzine.

'Kom naar buiten!' schreeuwde Constance en ze liep voorzichtig vooruit, haar vinger om de trekker gespannen. Hoe verder ze kwam, des te zwakker werd het licht. Achter in de hal was het vrijwel donker. Ze struikelde over een gereedschapskist en verloor bijna haar evenwicht. Plotseling hoorde ze het motorgeluid van een mobylette en snel draaide ze haar hoofd om. Ze bracht haar arm in de richting van het voertuig, maar de tuktuk reed recht op haar af. Ze rolde over de grond en sprong weer overeind. De vrouw zat achter het stuur en gaf nu vol gas! Deze keer gaf Constance geen waarschuwing en schoot op de voorruit. Die vloog aan stukken, maar de driewieler stopte niet. Ze probeerde erachteraan te rennen, maar te voet maakte ze geen enkele kans. Na twintig meter gaf ze het op.

'Verdomme!'

Ze had haar wagen voor de etalage van de boekwinkel geparkeerd. Ze liep naar haar coupé, gleed achter het stuur en startte de wagen onmiddellijk. Ze reed een klein stukje tegen het eenrichtingsverkeer in om de Rue Paul-Bert te bereiken.

Maar er was geen spoor meer van de Larabees.

Rustig aan nu.

Met een hand om het stuur geklemd en de andere op de versnellingspook reed ze de tunnel in die onder de rondweg door ging. Met hoge snelheid kwam de coupé weer boven de grond en reed het achttiende arrondissement in. Op de lange, rechte lijn van de Rue Binet deed Constance er nog een schepje bovenop en zag tot haar opluchting de tuktuk. Toen ze de Boulevard Ornano opreed, wist ze dat ze het ergste achter de rug had: zij zat in een snelle bolide terwijl het brommertje van de Larabees slechts vooruitkwam met een slakkengangetje. Dit kon gewoon niet fout gaan!

Ze greep het stuur met beide handen vast en concentreerde zich op de weg.

Het verkeer reed goed door en de boulevard was net zo breed als de grote hoofdwegen van het type Hausmann. Constance accelereerde om op gelijke hoogte met de tuktuk te komen. Het voertuig leek op een scooter met een bakje erachter, dat werd beschermd door een overkapping. Nikki zat op de bestuurdersstoel en Sebastian hield zich vast aan het dak van het karretje.

Nu moest ze rustig blijven...

Ze reed de driewieler voorbij en sneed hem plotseling de weg af, maar Nikki ontweek de manoeuvre door de busbaan op te rijden. Snel kwam Constance weer achter de tuktuk, maar de Larabees reden door het rode verkeerslicht van het kruispunt op de Place Albert-Kahn. Om ze niet kwijt te raken reed ze door onder het gekrijs van piepende remmen en loeiende claxons. Bij het begin van de Rue Hemel haalde ze de driewieler in. De weg was hier aanmerkelijk smaller en het was eenrichtingsverkeer, maar wat vooral telde was dat het verkeer op meerdere plekken werd opgehouden door werkzaamheden. Afzettingen, gaas, tijdelijke verkeerslichten, rijbaanscheidingen, steigers en netten: alles was uit de kast gehaald om te voorkomen dat de rcz vooruitkwam. Nu ze opgesloten zat tussen het andere verkeer baalde Constance ervan dat ze geen zwaailicht en sirene had. Ze drukte op haar claxon en reed de stoep op om uit de file te komen die nu ontstond. De arbeiders van een van de bouwplaatsen vloekten heftig, maar ze slalomde verder en maakte gebruik van de power van haar coupé om door de straat te scheuren. Ze overwoog om de telefoon te pakken en Botsaris te vragen om versterking, maar zag er uiteindelijk toch van af. Haar sportieve rijstijl eiste al haar aandacht op.

De tuktuk slingerde behendig tussen alle auto's door, maar had niet genoeg vermogen om weer op snelheid te komen, waardoor hij niet kon ontsnappen aan de coupé. Opnieuw kwam Constance op gelijke hoogte met de driewieler. Ze dacht dat ze de voortvluchtigen te pakken had, toen ze zag dat Sebastian bezig was het dak van doek en metaal af te breken.

Hij gaat toch niet...

Constance zag het naderende gevaar, toen Sebastian het neerklapbare dak op haar voorruit gooide.

Opletten nu!

Een jonge vrouw met een kinderwagen liep het zebrapad op om over te steken. Constance zag haar pas op het allerlaatste moment en trapte uit alle macht op haar rem. Ze miste de kinderwagen op een haar, maar de wagen slipte weg en boorde zich hard in het trottoir. De bumper liet aan één kant los en Constance moest opnieuw vol in de remmen. Ze stapte uit en trok het dak van de tuktuk weg, dat klem zat onder de ruitenwissers. Daarna trapte ze het loszittende stuk van de bumper eraf om verder te kunnen rijden.

Tja, het zat de Larabees ook wel mee...

Maar deze tegenslagen stimuleerden haar alleen maar. Het was een kat-en-muisspel dat alleen zij kon winnen: met een topsnelheid van dertig kilometer per uur kon de driewieler niet eeuwig blijven vluchten. Constance hield plankgas en zette opnieuw de achtervolging in. Toen de beide voertuigen uitkwamen op de Rue Custine, reed de RCZ de tuktuk van achteren aan op het hetzelfde moment dat het toeristentreintje van Montmartre van rechts kwam. Nikki verloor de controle over de driewieler en ramde op haar beurt een van de wagonnetjes van het konvooi. Constance stopte midden op straat en sprong uit haar sportwagen. Ze trok haar pistool, greep met beide handen de kolf vast en richtte de loop op de driewieler.

'Kom uit het voertuig met je handen op je hoofd!' schreeuwde ze.

Deze keer had ze hen te pakken.

47

'Snel!' beval Constance.

Met gestrekte armen hield ze haar Sig Sauer met beide handen vast. Ze hield Sebastian Larabee en zijn ex-vrouw onder schot. Snel keek ze om zich heen om een inschatting te maken van de situatie. Zo op het eerste gezicht zaten er geen kinderen in het treintje. De botsing was spectaculair geweest, maar er lagen geen passagiers meer op de grond. Een Japanse man klaagde over zijn schouder, een vrouw hield haar knie vast en een tiener masseerde zijn nek. De verwondingen vielen mee, maar de verbazing was des te groter. Het zag er gelukkig allemaal erger uit dan het was.

Constances ogen schoten heen en weer tussen de Larabees en het verongelukte treintje.

Na van de eerste schrik te zijn bekomen kwam iedereen nu ineens in beweging. Links en rechts kwamen de smartphones tevoorschijn om, hoe kon het anders in dit digitale tijdperk, hulpdiensten te bellen, de familie op de hoogte te brengen, en alles op video vast te leggen. Dat automatisme kwam Constance goed uit: binnen een minuut zou ze de versterking krijgen die ze nodig had.

De jonge agente liep naar haar arrestanten en haalde een paar handboeien uit de zak van haar spijkerbroek. Deze keer zouden de Larabees niet meer ontsnappen. Bij de minste of geringste beweging zou ze hen in hun benen schieten. Ze deed haar mond open om haar bevel te herhalen, maar haar kaak bewoog niet. Haar gestrekte armen begonnen plotseling te beven en ze voelde dat haar benen het begaven.

Nee...

De voortdurende stress van de achtervolging veroorzaakte een nieuwe crisis... Ze probeerde te slikken en zocht steun tegen het portier van de auto om niet om te vallen. Ze kreeg geen lucht meer, een onzichtbare balk duwde in haar buik en grote zweetdruppels liepen over haar gezicht. Zonder haar wapen los te laten veegde ze met de mouw van haar jasje over haar voorhoofd en worstelde om overeind te blijven. De acute benauwdheid maakte haar kotsmisselijk, haar oren suisden en ze zag bijna niets meer. En op dat moment werd alles zwart en verloor ze het bewustzijn.

48

South Brooklyn, Red Hook, zes uur 's morgens

Lorenzo Santos parkeerde zijn wagen langs het trottoir voor de gevel van rode baksteen van het appartementengebouw waarin Nikki woonde. Hij zette de motor uit en pakte een sigaret uit de zak van zijn jasje. Hij klemde hem tussen zijn lippen, stak hem aan, sloot zijn ogen en nam een eerste trek. De bittere geur van de brandende tabak drong diep in zijn keel. Het rustgevende gevoel duurde echter niet lang. Nerveus inhaleerde hij een nieuwe dosis nicotine en keek naar de witgouden stormaansteker, die hij van Nikki had gekregen. Hij draaide het elegante, rechthoekige ding, dat versierd was met zijn initialen en in een fraai etui van krokodillenleer zat, om in zijn hand. Met een starende blik deed hij het deksel van de aansteker een paar keer open en weer dicht met een luide, metalen klik.

Wat was er toch met hem aan de hand?

Opnieuw had hij de hele nacht in zijn kantoor gezeten, terneergeslagen, verscheurd door het beeld van de vrouw van wie hij hield in de armen van een ander. Hij had al vierentwintig uur niets meer van haar gehoord en dat verscheurde hem vanbinnen. Hij werd verteerd door hartstocht. Het liefdesverdriet maakte hem gek, maakte alles om hem heen kapot en vernietigde hem langzaam. Hij besefte dat deze vrouw vergif was en dat haar invloed op zijn carrière en zijn leven hem fataal konden worden, maar hij zat nu hopeloos vast in de klem en kon niet meer achteruit.

Hij rookte zijn sigaret op tot aan het filter, gooide de peuk uit het raam, stapte toen uit de Ford Crown en liep de voormalige, tot appartementen omgebouwde fabriek binnen. Hij liep de trappen op tot de op een na laatste verdieping en opende de branddeur met de sleutelbos, die hij bij zijn laatste bezoek had meegenomen. Afgelopen nacht was hij tot de conclusie gekomen dat als hij Nikki wilde terugkrijgen, hij haar zoon moest terugvinden. Dat móést hij voor elkaar krijgen. Als het hem lukte om Jeremy te redden, dan zou Nikki hem eeuwig dankbaar zijn. De enige andere mogelijkheid was dat Sebastian Larabee het totaal verbruide.

Het was nog nacht toen hij de woonkamer betrad en op de lichtknop drukte. Het was ijskoud in het appartement. Om zich wat op te warmen, zette Santos koffie, stak een nieuwe sigaret op en liep naar de bovenverdieping. Gedurende een kwartier onderzocht hij de kamer van de jongen van onder tot boven, op zoek naar aanwijzingen. Hij vond echter niets bruikbaars, afgezien van het mobieltje dat de knaap op zijn bureau had laten liggen. Hij had hem bij zijn eerste bezoek niet opgemerkt, maar nu trok het toestel zijn aandacht. Hij wist hoezeer jongeren aan hun mobieltjes verslaafd waren en was daarom verbaasd dat de jongen het ding was vergeten. Hij pakte het toestel op en omdat het niet beveiligd was met een wachtwoord zocht hij een paar minuten tussen de spelletjes naar iets interessants. Uiteindelijk stuitte hij op een programma voor geluidsregistratie en keek nieuwsgierig in de opgeslagen bestanden, waarvan er een paar een opvallende titel hadden:

DrMarionCrane1
DrMarionCrane2
...
DrMarionCrane10

Santos fronste zijn wenkbrauwen. Die naam kwam hem bekend voor. Hij startte de eerste opname en begreep waarover het ging. Jeremy was voor de rechtbank verschenen en de rechter had bepaald dat hij begeleid moest worden door een psycholoog. Marion Crane was de psycholoog die hem onder haar hoede had genomen en de jongen had de sessie opgenomen. Maar waarom? Had hij het heimelijk gedaan of maakte de opname deel uit van de therapie? Wat maakt het ook uit, dacht de agent en hij haalde zijn schouders op. Zonder enige schaamte luisterde hij als toeschouwer naar de opnames, waarin de jongen vertrouwelijk vertelde over zijn gezinssituatie.

Dokter Crane: *Vertel eens wat over je ouders, Jeremy.*
Jeremy: *Mijn moeder is geweldig. Ze heeft altijd een goed humeur, is optimistisch en stelt me op mijn gemak. Zelfs als ze zorgen heeft, laat ze*

mij dat niet merken. Ze maakt grappen en is erg leuk. Ze bekijkt alles met gevoel voor humor. Toen we klein waren, mijn zus en ik, verkleedde ze ons als sprookjesfiguren en voerde ze toneelstukjes op om ons te vermaken.

Dokter Crane: *Ze is dus begripvol? Kun je met haar praten over je problemen?*

Jeremy: *Ja, ze is ontzettend cool. Ze is een kunstenaar, iemand die je vrijheid respecteert. Ze laat me uitgaan en heeft vertrouwen in me. Ze kent mijn beste vrienden. Ik laat haar mijn gitaarcomposities horen en ze interesseert zich voor mijn passie voor films...*

Dokter Crane: *Speelt er op dit moment een man een rol in haar leven?*

Jeremy: *Ja, een politieagent. Die vent is een stuk jonger dan zij. Hij heet Santos. Beetje een baviaan...*

Dokter Crane: *Het lijkt erop dat je hem niet zo mag?*

Jeremy: *Dat hebt u goed geraden...*

Dokter Crane: *Hoe komt dat?*

Jeremy: *Omdat hij vergeleken met mijn vader een loser is. Hoe dan ook, die relatie duurt vast niet lang.*

Dokter Crane: *Waarom denk je dat?*

Jeremy: *Omdat ze elke zes maanden een andere vent heeft. Zodat u het beter begrijpt, dokter: mijn moeder is mooi. Echt heel erg mooi. Ze heeft een aantrekkingskracht die mannen helemaal gek maakt. Overal waar ze komt gebeurt hetzelfde: mannen lopen kwijlend om haar heen. Ik weet niet waarom, maar die kerels raken compleet van slag. Ze lijken wel wat op de wolf van Tex Avery: tong uit de bek hangend, ogen die uit de kassen rollen, ziet u het voor zich...*

Dokter Crane: *En dat zit je dwars?*

Jeremy: *Dat zit háár dwars. Dat beweert ze in elk geval. Ik denk dat het een beetje dubbel is. Je hoeft geen psych te zijn om te begrijpen dat het haar ook de bevestiging geeft die ze nodig heeft. Dat is denk ik ook de reden waarom mijn vader haar heeft verlaten...*

Dokter Crane: *Nu we het toch over je vader hebben...*

Jeremy: *Dat is niet zo moeilijk: hij is het tegenovergestelde van mijn moeder. Serieus, rigide, puur verstandelijk ingesteld, houdt van orde en kijkt vooruit. Met hem valt er niet veel te lachen, dat is duidelijk...*

Dokter Crane: *Kun je goed met hem overweg?*

Jeremy: *Niet echt. Vooral omdat we elkaar weinig zien in verband met de scheiding. Maar ook omdat hij volgens mij hoopte dat ik beter zou zijn op school. Dat ik net zo zou zijn als Camille. Hij is erg beschaafd, hij* weet overal alles van: politiek, geschiedenis, economie. Mijn zus noemt hem ook wel Wiki...

Dokter Crane: *Vind je het erg dat je hem teleurstelt?*

Jeremy: *Niet zo. Nou ja, misschien een beetje...*

Dokter Crane: *Heb je belangstelling voor zijn werk?*

Jeremy: *Hij wordt beschouwd als een van de beste vioolbouwers ter wereld. Hij maakt violen die klinken als een Stradivarius en dat is natuurlijk echt goed. Hij verdient een hoop poen, maar volgens mij kan het hem allemaal geen zak schelen, noch die violen noch het geld.*

Dokter Crane: *Dat begrijp ik niet.*

Jeremy: *Volgens mij interesseert mijn vader zich nergens voor. Ik denk dat zijn liefde voor mijn moeder het enige is wat echt iets voor hem betekend heeft in zijn leven. Zij bracht de fantasie in zijn leven die hij altijd heeft gemist. Sinds ze uit elkaar zijn lijkt het erop dat hij weer is teruggekeerd naar zijn grauwgrijze wereldje...*

Dokter Crane: *Maar er is nu toch een andere vrouw in zijn leven?*

Jeremy: *Ja, Natalia. Een balletdanseres, vel over been. Hij ziet haar af en toe, maar ze wonen niet samen en dat is hij volgens mij ook niet van plan.*

Dokter Crane: *Wanneer heb je voor het laatst gevoeld dat je goed contact had met je vader?*

Jeremy: *Weet ik niet...*

Dokter Crane: *Denk eens even goed na, alsjeblieft.*

Jeremy: *Misschien in de zomer dat ik zeven werd... We bezochten met zijn vieren een paar nationale parken: Yosemite, Yellowstone, de Grand Canyon... De grote ronde dus. We zijn de hele Verenigde Staten doorgetrokken. Het was de laatste vakantie voor de scheiding.*

Dokter Crane: *Kun je je nog een bijzonder moment herinneren?*

Jeremy: *Ja... Op een ochtend zijn we samen gaan vissen en toen heeft hij me verteld over de ontmoeting met mijn moeder. Waarom hij verliefd op haar was geworden, hoe hij haar heeft opgezocht in Parijs en hoe hij het voor elkaar kreeg dat ze van hem ging houden. Ik herinner me dat hij tegen me zei: 'Als je echt van iemand houdt, dan houdt niets je tegen.' Dat klinkt goed, maar ik weet niet of het waar is.*

Dokter Crane: *Zullen we het over de scheiding van je ouders hebben? Ik heb het gevoel dat je het daarmee erg moeilijk hebt, klopt dat? In je schooldossier heb ik gelezen dat je problemen hebt gehad met leren lezen en dat je last hebt van dyslexie...*

Jeremy: *Ja, de scheiding heeft er bij mij behoorlijk in gehakt. Ik kon het gewoon niet geloven dat de scheiding voorgoed was. Ik dacht dat ze na een tijdje wel weer een stap in elkaars richting zouden zetten en dat ze weer samen verder konden. Maar zo gaat het niet. Hoe meer tijd er verstrijkt, des te verder mensen zich van elkaar verwijderen. En dan wordt het steeds moeilijker om de draad weer op te pakken.*

Dokter Crane: *Je ouders zijn gescheiden omdat ze niet meer gelukkig waren met elkaar.*

Jeremy: *Dat is echt complete onzin! Denkt u nu echt dat ze zo gelukkiger zijn? Mijn moeder slikt bergen tranquillizers en mijn vader is ontzettend somber. De enige die hem kon laten lachen, was mijn moeder. Er zijn zat foto's van voor hun scheiding waarop je ze samen ziet lachen. Elke keer dat ik die foto's zie, moet ik huilen. Toen waren we nog een echt gezin. Met zijn allen, samen. Er kon ons niets gebeuren...*

Dokter Crane: *Weet je dat dit vaker voorkomt?*

Jeremy: *Wat?*

Dokter Crane: *Dat kinderen van gescheiden ouders de relatie van hun ouders idealiseren?*

Jeremy: *...*

Dokter Crane: *Je bent Cupido niet, Jeremy. Je moet niet blijven hopen dat ze weer bij elkaar komen. Je moet een streep zetten onder het verleden en de realiteit accepteren zoals die is.*

Jeremy: *...*

Dokter Crane: *Begrijp je wat ik tegen je zeg? Je moet je niet bemoeien met de relatie van je ouders. Je kunt ze niet weer bij elkaar brengen.*

Jeremy: *Maar als ik het niet doe, wie doet het dan?*

De vraag van de jongen bleef in de lucht hangen. Op dat moment ging de telefoon van Santos en rukte de agent weg uit de vertrouwelijke atmosfeer van de sessie psychotherapie. Hij keek op het scherm. Het was het nummer van de NYPD.

'Santos.'

'Met Keren White. Ik hoop dat ik u niet uit bed bel, inspecteur.'

De antropologe van district 3, eindelijk...

'Ik heb goed nieuws voor u,' ging ze verder.

Santos voelde een stoot adrenaline door zijn aderen stromen. Hij verliet Jeremy's kamer en liep de trap af naar de benedenverdieping.

'Echt waar?'

'Ik denk dat ik weet waar de tatoeage van uw lijk vandaan komt.'

'Bent u op het bureau? Dan kom ik meteen naar u toe,' zei hij en hij trok de deur van de loft achter zich dicht.

49

Toen Constance weer bij bewustzijn kwam, wachtte haar een grote verrassing... Ze lag in haar eigen bed. Ze had geen schoenen meer aan, en haar leren jack en holster waren ook verdwenen. Men had de gordijnen van haar slaapkamer dichtgetrokken, maar de deur stond open. Ze hoorde stemmen zachtjes praten in de woonkamer. Wie had haar naar huis gebracht? Botsaris? De ambulance? De brandweer? Ze kon nauwelijks slikken. Haar tong was dik en ze had de smaak van karton in haar mond. Ze ademde snel en haar ledematen waren stijf. In haar rechterslaap voelde ze heftige pijnscheuten. Ze keek op haar wekkerradio: het was twaalf uur 's middags. Ze was ruim twee uur bewusteloos geweest...

Ze probeerde overeind te komen, maar de rechterkant van haar lichaam voelde zwaar. Het deed ook pijn en ze voelde overal tintelingen. Plotseling besefte ze dat ze was vastgeketend aan het hoofdeinde van haar bed! Woedend probeerde ze los te komen, maar het enige wat ze daarmee bereikte was dat haar 'ontvoerders' nu wisten dat ze wakker was.

'Rustig maar!' zei Nikki, toen ze binnenkwam met een glas water in haar hand.

'*What the fuck are you doing in my house!*' schreeuwde Constance. Wat doen jullie verdomme in mijn huis!

'We konden nergens anders heen.'

Constance ging rechtop zitten tegen haar hoofdkussen om weer wat lucht te krijgen.

'Hoe wisten jullie waar ik woonde?'

'We vonden een doorstuurbewijs van de post in je portefeuille. Blijkbaar ben je onlangs verhuisd. Leuk huisje, overigens...'

De jonge agente keek de Amerikaanse uitdagend aan. Ze was ongeveer even oud als zij en had dezelfde fijne trekken, lichte ogen en donkere kringen onder haar ogen van vermoeidheid en stress.

'Luister, ik begrijp niet zo goed waar jullie mee bezig zijn. Als ik niet snel iets van me laat horen, staan mijn collega's hier elk moment voor de deur. Het huis wordt omsingeld...'

'Dat denk ik niet,' onderbrak Sebastian haar toen ook hij de kamer binnenkwam.

Constance zag tot haar teleurstelling dat hij haar medisch dossier onder zijn arm had.

'Jullie hebben het recht niet om aan mijn spullen te zitten!' riep ze opstandig.

'Het spijt me dat je ziek bent, maar ik weet vrijwel zeker dat je niet met een officieel onderzoek bezig was,' antwoordde Sebastian kalm.

'Je slaat de plank volledig mis.'

'Echt? Sinds wanneer rijden agenten in hun eigen auto als ze overgaan tot arrestatie?'

Constance zweeg. Sebastian deed er nog een schepje bovenop:

'Sinds wanneer gaat een inspecteur van politie alleen op pad, zonder een team om haar te helpen?'

'We hebben op dit moment te weinig mensen op onze afdeling,' antwoordde Constance brutaal.

'O, dit vergat ik nog te zeggen... Ik vond een kopie van je ontslagbrief in een bestand op je computer.'

Die laatste klap kwam hard aan bij Constance. Vanwege haar droge keel nam ze met tegenzin het glas water aan dat Nikki haar voorhield. Daarna wreef ze met haar vrije hand over haar oogleden en besefte wanhopig dat ze de controle over de situatie volledig kwijt was.

'We hebben je hulp nodig,' gaf Nikki toe.

'Mijn hulp? Maar wat verwachten jullie dan van me? Dat ik jullie help het land uit te komen?'

'Nee. Dat je ons helpt onze kinderen terug te vinden.'

Nikki en Sebastian hadden meer dan een uur nodig om Constance in detail te vertellen wat hen allemaal was overkomen in de afgelopen twee dagen. Ze zaten met zijn drieën rond de keukentafel en hadden twee potten Gyokuro-thee gedronken en een pakje Saint-Michel-biscuits leeggegeten. Constance was geboeid door het verhaal van het stel en had voortdurend aantekeningen gemaakt, die uiteindelijk twaalf bladzijden van een schoolschrift besloegen. Sebastian had weliswaar haar been vastgemaakt aan haar stoel, maar ze realiseerde zich dat zij nu degene was die de touwtjes in handen had. De twee Amerikanen waren niet alleen verwikkeld geraakt in een affaire die hen voor de rest van hun leven in de gevangenis kon doen belanden, maar ze waren ook wanhopig vanwege de verdwijning van hun tweeling.

Toen Nikki klaar was met haar verhaal, haalde de jonge agent diep adem. Het verhaal van de Larabees was ongelofelijk, maar hun wanhoop was begrijpelijk. Ze masseerde haar nek en constateerde dat haar migraine lang niet meer zo heftig was en dat haar benauwdheid was verdwenen. Haar lichaam kwam weer op krachten. De wonderlijke effecten van het onderzoek...

'Als jullie echt willen dat ik iets voor jullie doe, dan moet je me eerst maar eens losmaken!' zei ze op autoritaire toon. 'Daarna analyseer ik het filmpje van de ontvoering van jullie zoon.'

Sebastian gehoorzaamde en bevrijdde de jonge vrouw van haar handboeien. In de tussentijd opende Nikki de laptop van Constance en zocht verbinding met haar mailbox om de opname op de harde schijf te zetten.

'Kijk maar wat we hebben gekregen,' zei ze en ze startte de opname.

Constance bekeek de film die veertig seconden duurde een eerste keer en stopte in de herhaling telkens bij de belangrijkste momenten. Nikki en Sebastian keken niet naar het scherm, maar vooral naar het gezicht van de vrouw op wie hun laatste hoop was gevestigd. Geconcentreerd liet Constance de opname nog een keer langzaam afspelen. Toen gaf ze haar oordeel. 'Eén grote poppenkast!'

'Wát?' riep Sebastian.

Constance legde uit wat ze bedoelde. 'Die film is een montage. Hij is in elk geval niet opgenomen in station Barbès-Rochechouart.'

'Maar...' protesteerde Nikki.

Constance stak haar hand op om haar te onderbreken.

'Toen ik naar Parijs kwam, heb ik vier jaar in een bediendenkamer gewoond op de Rue Ambroise-Paré, tegenover het ziekenhuis Lariboisière. Ik nam minstens twee keer per dag de metro op Barbès-Rochechouart.'

'En?'

De agente drukte op de pauzetoets om het beeld stil te zetten.

'Er lopen twee lijnen door Barbès. Lijn 2, die daar stopt op een bovengronds station, en lijn 4, die ondergronds loopt.'

Met haar balpen wees ze naar het scherm en ging verder met haar verhaal. 'Op die video is duidelijk geen bovengronds station zichtbaar. Het kan dus alleen maar lijn 4 zijn...'

'Mee eens,' knikte Sebastian instemmend.

'Maar het station van lijn 4 is bekend omdat het schuin ligt en vooral omdat het perron in een scherpe bocht ligt, wat zeer ongebruikelijk is.'

'En dat is op de video niet het geval,' erkende Nikki.

Sebastian bracht zijn gezicht naar het scherm. Zijn uitstapje naar Barbès-Rochechouart en de vervelende ontmoeting met de sigaretten-smokkelaars herinnerde hij zich nog op pijnlijke wijze, maar hij wist niet meer precies hoe het station was gebouwd.

Constance opende haar mail.

'Er is een onmisbaar hulpmiddel om te achterhalen waar die film is gedraaid,' zei ze en ze begon een mail te typen. Ze legde uit dat ze de opname aan een collega wilde sturen, commissaris Maréchal, de baas van de regionale vervoerspolitie, de bestuurlijke organisatie waar de spoorwegpolitie onder valt.

'Franck Maréchal kent de Parijse metro als zijn broekzak. Ik weet zeker dat hij weet welk station het is.'

'Haal geen geintjes uit!' zei Sebastian dreigend en hij keek mee over haar schouder. 'We hebben niets te verliezen. Als je probeert ons erin te luizen, dan... Nog geen drie uur geleden probeerde je ons te arresteren. Waarom ben je nu dan ineens bereid ons te helpen?'

Constance haalde haar schouders op en klikte op de verzendknop.

'Omdat ik jullie verhaal geloof. Maar laten we realistisch zijn: er rest jullie geen andere keus dan me te vertrouwen...'

50

Constance stak de ene sigaret na de andere op terwijl ze haar aantekeningen nog eens doorlas. Net als een student onderstreepte ze, zette ze cirkels, herschreef ze stukken tekst en maakte schema's met pijlen om haar gedachten te stimuleren en het licht te zien in deze duisternis. In haar hoofd tekende zich langzaam een spoor af, dat uiteindelijk uitgroeide tot een quasiwaarheid. De ringtone van haar mobiel onderbrak haar overpeinzingen. Ze keek op het scherm: het was commissaris Maréchal.

Ze nam op en zette het toestel op de luidspreker, zodat Nikki en Sebastian het gesprek konden volgen. De warme en geruststellende stem van Maréchal klonk door de ruimte. 'Hallo, Constance.'

'Hoi Franck.'

'Heb je eindelijk besloten om in te gaan op mijn uitnodiging om samen wat te gaan eten?'

'Ja, het lijkt me geweldig om je vrouw en kinderen eens te ontmoeten.'

'Eh, nee... Nou ja, je weet best wat ik bedoel...'

Constance schudde haar hoofd. Maréchal was haar instructeur geweest op de officiersopleiding van de politie in Cannes-Écluse, in het departement Seine-et-Marne. Tegen het einde van de opleiding hadden ze een relatie met elkaar gehad. De relatie was net zo gepassioneerd als destructief geweest. Elke keer als ze had gedreigd ermee te kappen, had Franck gezworen dat hij zou scheiden van zijn vrouw. Ze had hem twee jaar geloofd, maar toen vond ze dat ze lang genoeg had gewacht en had ze hem verlaten. Maar Franck was een volhouder. Er ging geen halfjaar voorbij of hij probeerde het weer opnieuw, ook al waren al zijn versierpogingen tot nu toe op niets uitgelopen.

'Luister, Franck, ik heb nu even geen tijd voor een gezellig kletspraatje.'

'Alsjeblieft, Constance, geef me een...'

'Ter zake, Franck... De opname die ik je zojuist heb gemaild is niet afkomstig van de bewakingscamera's van Barbès-Rochechouart, klopt dat?'

Maréchal zuchtte teleurgesteld voor hij het gesprek weer hervatte op een professionelere toon. 'Je hebt gelijk. Zodra ik je beelden zag, had ik de indruk dat ze zijn gemaakt op een "spookstation".'

'Een spookstation?'

'Maar weinig mensen weten dat de metro een paar haltes heeft die niet in de dienstregeling zijn opgenomen,' legde Maréchal uit. 'Het gaat vaak om stations die tijdens de Tweede Wereldoorlog zijn gesloten en daarna nooit meer zijn heropend. Wist je bijvoorbeeld dat er exact onder het Champ-de-Mars een station ligt?'

'Nee,' erkende Constance.

'Ik heb de opname een paar keer bekeken en ben tot de slotsom gekomen dat het bij dit betreffende station gaat om een "dood perron" van de Porte des Lilas.'

'En wat bedoel je met een "dood perron"?'

'Op het station Porte des Lilas ligt een perron dat sinds 1939 is afgesloten. Het wordt af en toe gebruikt bij de opleiding van nieuwe metrobestuurders en om nieuwe treinstellen te testen, maar het dient vooral voor filmopnames en reclamespotjes die zich zogenaamd afspelen in de Parijse metro.'

'Meen je dat echt?'

'Absoluut. In de loop der jaren is het eigenlijk een complete filmstudio geworden. De decorbouwers hoeven alleen maar de aankleding te veranderen en een ander naambord tegen de muur te schroeven om elk willekeurig metrostation uit een andere periode te creëren. Jeunet heeft daar de opnames gemaakt voor *Le Fabuleux Destin d'Amélie Poulain* en de gebroeders Coen hebben er hun korte film gedraaid over Parijs...'

Constance voelde de opwinding toenemen...

'Je weet zeker dat mijn video daar gemaakt is?'

'Helemaal zeker, want ik heb je bestand ook nog even doorgestuurd naar degene die bij de RATP verantwoordelijk is voor de filmopnames. Hij heeft het me bevestigd.'

Snel, slim en efficiënt: Franck was dan misschien een schoft, maar hij was ook een verdomd goede politieman...

'Die gast herinnerde zich de opname nog perfect, want hij is afgelopen weekend gemaakt,' voegde Maréchal eraan toe. 'Het perron stond twee dagen ter beschikking van de studenten van een filmacademie.'

'Heb je die ook gebeld?' vroeg Constance.

'Vanzelfsprekend. En het is me zelfs gelukt om de maker van je video te identificeren. Maar voordat ik je de naam van die mafkees geef, moet je eerst akkoord gaan met een etentje met mij.'

'Maar dat is je reinste chantage!' protesteerde Constance.

'Daar heeft het veel van weg,' gaf hij toe. 'Maar als je iets erg graag wilt, dan heiligt het doel toch de middelen?'

'Als je er zo over denkt, laat dan maar zitten! Ik kom er zelf wel achter.'

'Zoals je wilt, lieveling.'

Ze wilde de verbinding net verbreken, toen Sebastian haar bij haar schouder pakte en heftig door elkaar schudde en 'Accepteren!' mimede met zijn lippen. Nikki ondersteunde hem door vlak voor het gezicht van Constance met haar vingers op haar horloge te tikken.

'Nou, goed dan, Franck,' verzuchtte ze. 'Dan ga ik een keer met je uit eten.'

'Beloof je me dat?'

'Ik beloof het je en ik zweer je dat ik het doe,' voegde ze eraan toe.

Tevreden gaf Maréchal haar de resultaten van zijn onderzoek:

'De directrice van de filmacademie vertelde me dat haar opleiding momenteel een aantal Amerikaanse studenten op bezoek heeft in het kader van een studentenuitwisseling. Het zijn leerlingen van een school uit New York, waarmee ze een samenwerkingsverband hebben.'

'En een van die Amerikaanse studenten heeft die video gemaakt?'

'Ja. Een korte film in het kader van een hommage aan Alfred Hitchcock. *The 39 Seconds*. Een verwijzing naar de *The 39 Steps*...'

'Dank u wel voor uw uitleg, meneer de professor, maar ik ken mijn klassiekers... Heb je de naam van die student?'

'Hij heet Simon. Simon Turner. Hij verblijft op de internationale studentencampus, maar als je van plan bent om hem aan de tand te voelen, dan moet je opschieten: aan het begin van de avond vertrekt hij weer naar de Verenigde Staten.'

Toen ze de naam van de jongen hoorde, moest Nikki zich verbijten om het niet uit te schreeuwen.

Constance hing op en keek haar aan.

'Je kent hem?'

'Zeker! Simon Turner is de beste vriend van Jeremy!'

Met haar elleboog op de tafel steunend en haar rechterhand onder haar kin dacht Constance even na voordat ze haar gedachten uitsprak. 'Ik denk dat we er niet omheen kunnen. Jullie zoon heeft zijn eigen ontvoering in scène gezet.'

51

'Wat een onzin!' riep Sebastian woedend.

Constance wendde zich tot de Amerikaan.

'Denk eens goed na... Wie had er gemakkelijk toegang tot je creditcard en je kluis? Wie kende de maat van je pak?'

De vioolbouwer schudde zijn hoofd. Hij was niet in staat om de waarheid onder ogen te zien.

Constance ging verder met haar spervuur van vragen en keek Nikki en Sebastian om de beurt aan. 'Wie was er op de hoogte van jullie eerste romantische reisje naar Parijs? Wie wist genoeg van jullie vastbeslotenheid om te weten dat jullie het vliegtuig naar Parijs zouden nemen? En dat jullie in staat zouden zijn om het raadsel van de Pont des Arts en de hangsloten op te lossen?'

Nikki's gezicht betrok.

'Camille en Jeremy,' gaf ze toe. 'Maar waarom zouden ze dat hebben gedaan?'

Constance wendde haar gezicht af naar het raam en staarde in de verte. Haar stem klonk nu minder vast.

'Mijn ouders zijn gescheiden toen ik veertien was. Het was misschien wel de ergste tijd van mijn leven: alles waarin ik geloofde lag in stukken, mijn wereld was verscheurd...'

Langzaam stak ze een sigaret aan en inhaleerde diep voordat ze verderging. 'Ik denk dat het merendeel van de kinderen van gescheiden ouders stiekem hoopt dat hun ouders ooit weer bij elkaar komen en...'

Sebastian was het totaal niet eens met dit idee en onderbrak haar ruw. 'Dat slaat toch helemaal nergens op. Je vergeet de cocaïne, het verwoeste appartement en de dood van Drake Decker! En dan heb ik het nog niet eens over die geschifte reus die ons probeerde te doden!'

'Daar heb je gelijk in,' gaf de agente toe. 'Mijn theorie verklaart niet alles.'

52

'Kom binnen, inspecteur,' zei Keren White en ze keek op van haar papieren.

Santos duwde de deur van het kantoor van de juridisch antropologe open. De jonge vrouw kwam achter haar bureau vandaan om een capsule in de koffiemachine te doen die op een van de schappen stond.

'Een espresso?'

'Waarom ook niet,' antwoordde Santos terwijl hij naar de macabere foto's aan de muur keek.

Opgezwollen en ingekerfde gezichten, lichamen vol ringen en littekens, van pijn verwrongen monden... Santos wendde zijn blik van de afgrijselijke beelden af en keek naar de jonge vrouw, die bezig was met de twee koppen koffie. Met haar strakke jurk, haar kleine, ronde bril, haar afgemeten bewegingen en haar opgestoken haar, leek Keren White op een ouderwetse lerares. Ze mocht dan misschien wel de bijnaam Miss Skeleton hebben, maar desondanks bracht ze heel wat van zijn collega's het hoofd op hol. Binnen de NYPD was het haar taak om menselijke resten te identificeren die op een plaats delict waren gevonden: botten, tanden, verbrande of verrotte lichamen. Een moeilijke opgave, want moordenaars waren goed op de hoogte van de steeds betere methoden van de technische recherche, en verminkten hun slachtoffers zo veel mogelijk om hun identificatie onmogelijk te maken.

'Ik heb over tien minuten een autopsie,' waarschuwde ze hem en ze keek op haar horloge.

'Dan zullen we maar meteen van wal steken,' zei Santos en hij ging zitten.

Keren White deed de lampen uit. Het begon al licht te worden, maar de lucht was grijs en somber, dus bleef het relatief donker in de kamer. De antropologe drukte op de knop van een groot led-scherm aan de muur en startte de serie opnames die ze had gemaakt van de reusachtige Maori, van wie Sebastian Larabee in de bar van Drake Decker de keel had doorgesneden. De koperkleurige vleesmassa op de roestvrijstalen tafel zag er in het schelle licht van de lampen weerzinwekkend uit, maar Santos had dat al vaker gezien. Hij kneep zijn ogen tot spleetjes en verbaasde zich over de indrukwekkende hoeveelheid tatoeages op het lichaam van het slachtoffer. De afbeeldingen beperkten zich niet tot het gezicht, maar bedekten het hele lichaam: spiralen op de bovenbenen, een groot tribaal motief op de rug, strepen en slingers op het bovenlichaam.

Keren stond voor het scherm en begon met haar uitleg. 'Op grond van de patronen en de inkepingen van het gezicht, dacht ik in eerste instantie dat het slachtoffer van Polynesische afkomst was.'

'Maar dat is niet het geval...'

'Nee. De tekeningen lijken er veel op, maar voldoen toch niet helemaal aan de strenge regels van de Polynesiërs. Ik denk dat het hier gaat om een herkenningsteken van een bende.'

Santos kende het gebruik. Bij Midden-Amerikaanse bendes was een lid door zijn tatoeage herkenbaar als een van hen en voor de rest van zijn leven verbonden met de groep. Keren White richtte de afstandsbediening op het scherm, waarop een nieuwe serie foto's verscheen.

'De opnames zijn gemaakt in Californische gevangenissen. De gedetineerden horen bij verschillende bendes, maar het ritueel is steeds hetzelfde: als de leden een nieuwe misdaad begaan voor de gemeenschap, hebben ze recht op een nieuwe tatoeage. Een ster op je arm betekent bijvoorbeeld dat je iemand hebt gedood. Dezelfde ster op het voorhoofd betekent dat je er op zijn minst twee hebt vermoord...'

'Het lichaam wordt een soort cv van je criminele loopbaan,' stelde Santos vast.

De antropologe knikte instemmend en ging toen door naar een vergroting van de tatoeage van het slachtoffer.

'Bij onze "vriend" vinden we het symbool van de vijfpuntige rode ster. De tatoeage zit zo diep dat hij bijna in reliëf zichtbaar lijkt.'

'Heb je hem onderzocht?'

'Zeer nauwkeurig zelfs. Het instrument dat voor dit soort insnijdingen wordt gebruikt is zonder enige twijfel een traditioneel mes met een kort lemmet. Maar vooral het onderzoek naar de gebruikte inkt is interessant. Ik denk dat het een zeer bijzondere soort roet is, afkomstig van het sap van een boom die hoofdzakelijk in het zuiden van Brazilië groeit: de Paraná-den.' Keren wachtte een paar seconden voor ze verderging naar de andere foto's. 'Ik heb deze foto's gevonden van gedetineerden in de Braziliaanse gevangenis in Rio Branco.'

Santos stond op en liep naar het scherm. Op de lichamen van de gevangenen zag hij dezelfde figuren als op de 'Maori': dezelfde slingers en in elkaar gedraaide spiralen.

Keren ging verder: 'Deze gevangenen hebben allemaal iets gemeen: ze zijn allemaal lid van het drugskartel van de Seringueiros, dat zijn thuisbasis heeft in de regio Acre, een kleine provincie in het Amazone-gebied, op de grens van Peru en Bolivia.'

'De Seringueiros?'

'Zo werden vroeger de arbeiders genoemd die de rubber oogstten. Acre was een van de belangrijkste productiegebieden. Ik denk dat alleen de naam is overgebleven.'

De antropologe zette het scherm uit en deed het licht weer aan. Santos had nog allerlei brandende vragen, maar Miss Skeleton zette hem zonder pardon buiten de deur. 'Nu is het aan jou, inspecteur!' zei ze en ze liep samen met hem de gang in.

Santos stond voor de deur van het politiebureau op Ericsson Place. De zon stond nu aan een heldere hemel en scheen op het trottoir van Canal Street. De agent was nog onder de indruk van de ontdekkingen van Keren White en hij had tijd nodig om na te denken. Hij liep naar de Starbucks naast het bureau, bestelde een kop koffie en ging aan een tafeltje zitten om alles wat hij net gehoord had nog eens de revue te laten passeren.

Het Seringueiros-kartel...

Hij werkte weliswaar al tien jaar bij de narcoticabrigade, maar had er nog nooit van gehoord. Dat was op zich niet verbazingwekkend, want zijn dagelijks werk bestond vooral uit het oppakken van plaatselijke handelaren en niet uit het oprollen van internationale netwerken. Hij opende zijn laptop en zocht verbinding met de WiFi van het café. Na enig speurwerk kwam hij terecht op de website van de *Los Angeles Times*. Het kartel werd genoemd in een artikel dat vorige maand was verschenen.

De val van het Seringueiros-kartel

Na twee jaar onderzoek zijn de Braziliaanse autoriteiten erin geslaagd een drugskartel op te rollen dat zijn basis had in de provincie Acre, in het uiterste westen van het Amazonegebied. Het Seringueiros-kartel was op Colombiaanse wijze georganiseerd en was vertakt over bijna twintig Braziliaanse deelstaten. De cocaïne was afkomstig uit Bolivia en werd met vliegtuigen Brazilië binnengebracht, waarna de drugs via de weg werden vervoerd naar de grote steden van het land.

De leiding van de maffiose organisatie was in handen van Pablo 'Imperador' Cardoza, die nu in de gevangenis zit. Hij gaf leiding aan een leger huurlingen die ervan worden verdacht op uiterst gewelddadige wijze zeker vijftig tegenstanders te hebben vermoord. De Seringueiros zaten al lange tijd in de provincie Acre en importeerden jaarlijks ruim vijftig ton cocaïne via goed verstopte, clandestiene landingsbanen in het oerwoud van de Amazone. De tweemotorige vliegtuigjes van de drugshandelaren voerden in een ware pendeldienst duizenden kilo's pure cocaïne aan, die vervolgens werden versneden en afgevoerd naar de grote steden, hoofdzakelijk naar een uitgebreid netwerk van dealers in Rio en São Paulo.

Om zijn machtspositie te verstevigen had het kartel van Pablo Cardoza in de loop der tijd een organisatie van honderden mensen opgebouwd ten behoeve van corruptie en het witwassen van geld. Daartoe behoorden parlementsleden, grote ondernemers, burgemeesters, rechters en zelfs meerdere commissarissen van politie, die ervan worden beschuldigd vele onderzoeken naar moordpartijen van het kartel onder het tapijt te hebben geschoven. In het hele land zijn vele arrestaties verricht en het ziet ernaar uit dat er nog andere zullen volgen.

Santos nam de tijd om nog wat aanvullende informatie op te zoeken bij het artikel dat hij zojuist had gelezen.

Wat zou hij nu doen?

In het vuur van het onderzoek probeerde hij zijn ideeën op een rijtje te zetten. Het was duidelijk dat hij van zijn leidinggevenden nooit toestemming zou krijgen voor onderzoek in Brazilië. Daarvoor waren de administratieve en diplomatieke horden te hoog. In theorie zou hij contact op kunnen nemen met zijn Braziliaanse collega's en hun het rapport doorsturen, maar hij wist dat die werkwijze niets concreets zou opleveren.

Gefrustreerd keek hij toch op de websites van een paar vliegmaatschappijen. Rio Branco, de hoofdstad van Acre, lag niet bepaald naast de deur. Bovendien was de verbinding op zijn zachtst gezegd belabberd: drie keer overstappen na vertrek uit New York! De reis was duur, maar ook weer niet buitensporig duur: bijna achttienhonderd dollar bij een budgetmaatschappij. Dat bedrag had hij wel op zijn rekening staan.

Hij aarzelde niet lang.

Het beeld van Nikki verscheen opnieuw voor zijn ogen. Alsof hij werd bestuurd door een onzichtbare hand, pakte Santos zijn wagen, reed naar zijn appartement om wat spullen bij elkaar te rapen, en vertrok toen naar het vliegveld.

53

Constance deed het raampje van haar wagen omlaag om haar politiebadge te laten zien aan de dienstdoende bewaker van de Foundation
van de Verenigde Staten.

'Inspecteur Lagrange, opsporingsbrigade, wilt u alstublieft het hek
opendoen?'

Het onderkomen van de studenten lag in het veertiende arrondissement, tegenover het park Montsouris en het nieuwe tramstation
Maréchaux. Constance parkeerde haar coupé voor het indrukwekkende gebouw dat was opgetrokken uit okergele baksteen en witte stenen. Met Nikki en Sebastian in haar kielzog liep ze de hal binnen waar
zich de receptie bevond en vroeg naar het kamernummer van Simon
Turner. Toen ze de benodigde informatie hadden gekregen, ging het
drietal naar de vijfde verdieping, die in beslag werd genomen door een
lange rij kleine ateliers voor kunstenaars en geluiddichte kamers voor
muziekstudenten. Constance duwde de deur open zonder de moeite te
nemen eerst te kloppen. Gekleed in een modieus T-shirt, een strakke
broek en vintage sneakers, probeerde een jongeman van een jaar of
twintig met een opvallend kapsel een enorme koffer dicht te maken,
die op een onopgemaakt bed lag. Hij was broodmager en droeg een
piercing in zijn wenkbrauw. Met zijn slanke gestalte en zijn fijne gelaatstrekken had hij een androgyn en gekunsteld uiterlijk.

'Heb je hulp nodig, jongen?' vroeg Constance hem terwijl ze haar
politiebadge liet zien.

In minder dan een seconde was de student volledig van zijn stuk gebracht. Zijn gezicht werd lijkbleek en vertrok van angst.

'Ik... ik ben een Amerikaans staatsburger!' stamelde hij toen Constance hem bij zijn arm pakte.

'Die zin komt zo uit de film, grote vent! Maar in het echt heb je daar
niets aan,' zei ze en ze dwong hem te gaan zitten op de bureaustoel.

Toen Simon achter haar de Larabees zag staan, riep hij naar Nikki:

'Ik zweer u, mevrouw, dat ik heb geprobeerd Jeremy ervan te weerhouden!'

Ook Sebastian liep nu op de jongen af en greep hem stevig bij zijn schouders vast. 'Oké vent, we geloven je. Rustig aan nu maar en vertel ons het hele verhaal vanaf het begin, goed?'

Het hele verhaal kwam er hortend en stotend uit. Zoals Constance al had geraden, had Jeremy alles op touw gezet om zijn ouders, ondanks alles, weer bij elkaar te brengen.

'Hij was ervan overtuigd dat jullie gevoelens voor elkaar weer zouden ontluiken als jullie een paar dagen bij elkaar zouden zijn. Hij was er al een paar jaar mee bezig. De laatste tijd werd het zelfs een obsessie. Toen het hem lukte om zijn zus erbij te betrekken, bedacht hij een plan om jullie te verplichten samen naar Parijs te gaan.'

Sebastian luisterde stomverbaasd naar het verhaal van de jongeman, maar geloofde er geen woord van.

'De enige manier om tot jullie door te dringen was om jullie ervan te overtuigen dat jullie kinderen in groot gevaar verkeerden. Zo kwam hij op het idee om een ontvoering in scène te zetten.'

Simon wachtte een paar seconden en haalde diep adem.

'Doorgaan!' spoorde Nikki hem aan.

'Jeremy maakte gebruik van zijn passie voor films om jullie zover te krijgen dat jullie moesten samenwerken om hem te redden, en hij ontwikkelde een compleet scenario met aanwijzingen, valse sporen en onverwachte wendingen.'

Constance onderbrak hem. 'En wat was jouw rol in het geheel?'

'Mijn stage in Parijs was al een hele tijd geleden gepland. Jeremy maakte er gebruik van om me te vragen een korte film te maken van zijn ontvoering in de metro.'

'Heb jij ons die opname gestuurd?' vroeg Sebastian.

Simon knikte bevestigend en vervolgde: 'Maar het is niet Jeremy, die je ziet op de opname. Het is Julian, een van mijn vrienden. Hij lijkt wel wat op uw zoon, maar hij draagt vooral zijn kleren: de pet, het jasje en het Shooters-T-shirt. Daar zijn jullie toch mooi ingetrapt, niet?'

'En dat vind jij leuk, klootzak?' zei Sebastian kwaad en hij schudde Simon heftig door elkaar. Woedend probeerde hij terug te keren naar de tijdlijn van de gebeurtenissen.

'Dus jij belde ons op vanuit die bar, La Langue au chat?'

'Inderdaad. Een idee van Camille. Grappig toch?'

'En toen?' zei Constance ongeduldig.

'Ik heb alle instructies van Jeremy nauwgezet gevolgd: ik heb zijn rugzak in de kluis op het Gare du Nord gezet, het hangslot vastgemaakt op de Pont des Arts en ik heb de kleren, die ik van Camille moest kopen, afgeleverd bij uw hotel.'

Sebastian sprong bijna uit zijn vel van woede. 'Camille zou nooit meedoen aan dit soort streken!'

Simon haalde zijn schouders op.

'Maar toen jullie nog in New York waren, heeft zij mooi uw creditcard gebruikt om het hotel op Montmartre en de rondvaart op de Seine te reserveren.'

'Je liegt!'

'Het is de waarheid!' protesteerde de jongen. 'En wie heeft volgens u dan het boek uit uw kluis gestolen om het vervolgens op eBay te verkopen?'

De bewijzen stapelden zich op en Sebastian zweeg nu, met stomheid geslagen. Kalm legde Nikki haar hand op Simons arm.

'En hoe moet dit spelletje spoorzoeken eindigen?'

'Jullie hebben toch die foto gevonden?'

Ze knikte.

'Was dat het laatste stukje van de puzzel?'

'Inderdaad. Een afspraak in de Jardin des Tuileries. Camille en Jeremy waren van plan jullie daar te ontmoeten, vanavond om halfzeven, en om jullie daar de waarheid te onthullen, maar...'

Simon aarzelde even, hij zocht naar de juiste woorden.

'Maar wat?' zette Constance hem onder druk.

'Ze zijn niet naar Parijs gekomen, zoals de bedoeling was. Ik heb al een week niets meer van Jeremy gehoord en het mobieltje van Camille geeft al twee dagen geen teken van leven meer.'

Trillend van woede wees Sebastian dreigend met zijn wijsvinger in Simons richting.

'Ik waarschuw je! Als dit nog een van die leugentjes van je is...'

'Nee, ik zweer u, dit is de waarheid!'

'Maar die drugs dan en die moorden? Hoorden die ook bij dat verdomde plan van jullie?'

Simons gezicht veranderde in een groot vraagteken. 'Welke drugs? Welke moorden?' vroeg hij paniekerig.

54

Gek van woede greep Sebastian Simon vast bij zijn kraag en trok hem omhoog van zijn stoel.

'Er lag een kilo coke in de kamer van mijn zoon! Vertel me niet dat je dat niet wist!'

'Wat een onzin! Jeremy en ik hebben nog nooit een vinger uitgestoken naar cocaïne!'

'In elk geval heb jij hem ertoe aangezet om te gaan pokeren!'

'Nou en? Dat is toch geen misdaad?'

'Mijn zoon is pas vijftien, lul!' brulde Sebastian en hij duwde Simon tegen de muur.

Die beefde over zijn hele lichaam en had een van angst vertrokken gezicht. Bang om een klap te krijgen, bracht hij zijn armen gekruist omhoog en sloot zijn ogen.

'Je had hem moeten beschermen in plaats van hem mee te slepen naar Drake Decker!' ging Sebastian verder.

Simon opende zijn ogen en stamelde: 'De... Decker? Die vent van De Boemerang? Voor die gast had Jeremy mij echt niet nodig! Die heeft hij ontmoet in een cel op het politiebureau van Bushwick, toen de politie hem had opgepakt wegens diefstal van een videogame!'

Geschokt door dit verhaal liet Sebastian Simon los. Nikki nam het van hem over. 'Bedoel je dat Decker Jeremy heeft voorgesteld om te komen pokeren in zijn kroeg?'

'Ja, en die vette smeerlap heeft er spijt van gehad als haren op zijn hoofd. Jeremy en ik hebben hem meer dan vijfduizend dollar afhandig gemaakt, en nog op een eerlijke manier ook!'

Simon had weer een beetje zelfvertrouwen gekregen. Hij trok zijn T-shirt recht en vervolgde zijn verhaal. 'Decker kon die vernedering niet verdragen. Omdat hij weigerde ons te betalen, besloten we in te breken in zijn appartement om het koffertje te stelen waarin hij zijn poen bewaarde.'

Het metalen pokerkoffertje...

Nikki en Sebastian keken elkaar stomverbaasd aan. Op hetzelfde moment begrepen ze dat de diefstal van dit koffertje de oorzaak was van alle ellende.

'Er zat bijna een kilo coke in dat koffertje!'

Simons ogen werden groot van verbazing.

'Nee...'

'Het zat verstopt in de fiches,' legde Nikki uit.

'Daar wisten wij echt niets van!' verdedigde de jongen zichzelf. 'Wij wilden alleen maar het geld dat Drake ons verschuldigd was.'

Tijdens de hele woordenwisseling had Constance gezwegen en in gedachten geprobeerd de hele gang van zaken op chronologische volgorde te rangschikken. Beetje bij beetje vielen de stukjes van de legpuzzel op hun plek, maar iets zat haar nog dwars.

'Vertel eens, Simon, wanneer hebben jullie dat koffertje gestolen?'

De jongen dacht na. 'Dat was net voordat ik naar Frankrijk vertrok, ruim twee weken geleden.'

'En waren Jeremy en jij niet bang dat Decker wraak zou nemen als hij de diefstal ontdekte?'

Simon haalde zijn schouders op.

'Dat zou hem toch niet lukken. Afgezien van onze voornamen wist hij niets van ons. Geen namen, geen adressen. Brooklyn heeft tweeënhalf miljoen inwoners, weet u!' riep hij op arrogante toon.

Constance negeerde de opmerking.

'Je vertelde me dat Decker jullie vijfduizend dollar schuldig was, maar hoeveel geld zat er in dat koffertje?'

'Iets meer,' gaf Simon toe. 'Misschien zevenduizend dollar. Die hebben we verdeeld volgens de winst die we hadden behaald. We waren wel tevreden over die kleine bonus. Bovendien had Jeremy geld nodig om zijn plan te betalen en voor...'

Midden in zijn zin hield hij op.

'Waarvoor nog meer?' vroeg Constance.

Simon sloeg zijn ogen neer.

'Voordat hij jullie zou ontmoeten in Parijs, wilde hij nog een paar dagen naar Brazilië...'

Brazilië...

Opnieuw keken Nikki en Sebastian elkaar bezorgd aan. Twee dagen geleden hadden ze Thomas ondervraagd bij de uitgang van de school.

231

De jongen had hun toen verteld dat Jeremy een Braziliaanse had leren kennen op internet.

'Dat heeft hij mij ook verteld,' bevestigde Simon. 'Hij zat hele nachten te chatten met een mooie Flavia. Hij was met haar in contact gekomen via de Facebook-pagina van The Shooters.'

'Die rockband? Wacht even, knul, dat verhaal klopt van geen kanten,' zei Nikki. 'The Shooters zijn Coldplay niet. Ze spelen in kleine zaaltjes voor een handjevol mensen en in wat verlopen kroegen. Hoe kan een meisje uit Rio nu fan zijn van zo'n obscuur groepje?'

Simon maakte een vaag gebaar. 'Ach, tegenwoordig met internet...'

Sebastian slaakte een diepe zucht. Ondanks zijn woede vroeg hij zonder te schreeuwen: 'En ken jij dat meisje?'

'Ze heet Flavia. En naar de foto's te oordelen, is ze zo geil als boter.'

'Heb je foto's van haar?'

'Ja, Jeremy heeft er een paar op Facebook gezet,' legde Simon uit en hij pakte zijn laptop uit zijn tas. Hij zocht via WiFi verbinding met Facebook, toetste zijn toegangscodes in en haalde met een paar muisklikken een stuk of tien foto's van een prachtig meisje binnen. Ze was blond en had lichte ogen, zeer sensuele vormen en een licht getinte huid.

Constance, Nikki en Sebastian verdrongen zich voor het scherm om de jonge Braziliaanse met haar bijna té perfecte schoonheid beter te kunnen zien. Ze had het gezicht van een barbiepop, een slanke taille, mooie borsten en lang, golvend haar. Op de foto's was de pin-up zichtbaar in verschillende poses: Flavia op een surfplank, Flavia aan een cocktail, Flavia, die beachvolleybal speelt met haar vriendinnen, Flavia in bikini op het warme zand...

'Wat weet je nog meer van dat meisje?'

'Volgens mij werkt ze in een cocktailbar op het strand. Jeremy vertelde me dat hij smoorverliefd was op haar en dat ze hem had uitgenodigd om een paar dagen bij haar te komen logeren.'

Sebastian schudde zijn hoofd. Hoe oud was deze blonde schoonheid? Twintig? Tweeëntwintig? Hoe was het mogelijk dat dit meisje verliefd was geworden op zijn zoon van vijftien?

'Waar is dat strand precies?' vroeg Nikki.

Constance tikte op het scherm. 'Ipamena.'

Ze zoomde in op de foto om het landschap met de hoge heuvels achter de zee en het strand beter in beeld te brengen.

'Die tweelingbergen zijn de "Twee gebroeders". Daar gaat de zon onder aan het eind van het jaar,' legde de jonge agente uit. 'Ik ben er een paar jaar geleden op vakantie geweest.'

Door de foto wat te bewerken lukte het haar om de naam te ontcijferen van de bar waar Flavia werkte. Die stond op de parasols gedrukt en luidde Cachaça. Ze schreef hem op in haar notitieboekje.

'En Camille?' vroeg Nikki.

Simon schudde zijn hoofd.

'Omdat ze niets hoorde van Jeremy, werd ze bezorgd en wilde naar hem toe in Rio. Maar zoals ik al zei: sinds ze in Brazilië is, heb ik haar niet meer kunnen bereiken.'

In het hoofd van Sebastian ontstond een mengeling van ontgoocheling en verslagenheid. Hij stelde zich zijn beide kinderen voor, verdwaald, zonder geld, in die reusachtige en gewelddadige stad.

Nikki legde haar hand op zijn schouder.

'Kom, we gaan naar Rio!' stelde Nikki voor.

Maar Constance verzette zich onmiddellijk tegen dit plan. 'Ik vrees dat dat onmogelijk is. Mag ik jullie er even aan herinneren dat jullie voortvluchtig zijn en gezocht worden voor een internationaal aanhoudingsbevel. Jullie signalement is overal verspreid. Op Roissy zouden jullie het nog geen tien minuten volhouden...'

'Misschien kun jij ons helpen,' smeekte Nikki met tranen in haar ogen. 'Het gaat om onze kinderen!'

Constance zuchtte diep en staarde uit het raam. Ze dacht aan vierentwintig uur geleden, toen ze het dossier van de Larabees binnenkreeg op haar smartphone. Toen ze de eerste bladzijden doorlas, had ze geen moment gedacht dat dit onderzoek, dat er zo normaal uitzag, zo'n bijzondere wending zou nemen. Maar ze moest wel toegeven dat ze niet veel tijd nodig had gehad om medelijden en empathie te voelen voor dit opmerkelijke stel en hun bijzondere kinderen. Ze had hun verhaal geloofd en had geprobeerd hen zoveel als ze maar kon te helpen, maar nu liep ze tegen een onoplosbaar probleem op.

'Het spijt me, maar ik zie geen enkele mogelijkheid voor jullie om het land uit te komen,' zei ze verontschuldigend en ze probeerde de ogen van Nikki te ontwijken.

55

'Welkom aan boord, mevrouw Lagrange. Welkom aan boord meneer Botsaris.'

Nikki en Sebastian kregen hun boardingkaart terug en volgden de charmante stewardess van TAM, de grootste vliegmaatschappij van Latijns-Amerika, naar hun zitplaatsen in de businessclass. Sebastian gaf haar zijn jasje, maar hield de kostbare paspoorten bij zich, die Constance en haar assistent hun hadden gegeven.

'Ongelofelijk dat het heeft gewerkt,' verzuchtte hij terwijl hij naar de foto op het identiteitsbewijs van Nicolas Botsaris keek. 'Die gozer is minstens vijftien jaar jonger dan ik!'

'Ik weet best dat je er veel jonger uitziet dan je bent,' deed Nikki er nog een schepje bovenop, 'maar die gasten bij de controle zagen er niet al te slim uit.'

Angstig keek ze door het raampje naar buiten naar de lichtjes die glinsterden in de nacht. Het stortregende in Parijs. Het water stond op de startbanen en trok zilveren, lichtgevende lijnen op het asfalt. Het hondenweer was niet bevorderlijk voor haar vliegangst. Ze zocht in de toilettas die alle passagiers hadden gekregen en vond een slaapmasker. Ze deed het over haar ogen, sloot de oordopjes aan van de iPod die ze had meegenomen uit de kamer van haar zoon, en deed ze in haar oren, in de hoop dat ze zo snel mogelijk in slaap zou vallen.

Ze moest haar angst overwinnen.

Haar krachten sparen.

Ze wist dat hen in Brazilië een zware klus te wachten stond. Ze hadden veel tijd verloren in Parijs. Als ze nog een kans wilden hebben om hun kinderen terug te vinden, moesten ze snel zijn.

De muziek wiegde Nikki langzaam in slaap en bracht haar naar een ander bewustzijnsniveau, met een mengeling van dromen en herinneringen uit het verleden. Een bepaald gevoel kwam meerdere keren terug: de bijna tastbare herinnering aan haar bevalling. Dat was de eerste keer dat ze van haar kinderen was gescheiden, toen de navelstreng was doorgeknipt, na al die maanden waarin ze hen had voelen bewegen in haar buik.

De Boeing 777 was twee uur eerder opgestegen en vloog nu boven het zuiden van Portugal. Sebastian gaf zijn maaltijdplateau aan de stewardess, zodat ze het mee kon nemen. Hij draaide onrustig heen en weer op zijn stoel. Hij had graag willen slapen, maar was te gespannen. Om zich niet te vervelen pakte hij de reisgids die Constance hem had gegeven en las de eerste regels.

Rio de Janeiro is een metropool met twaalf miljoen inwoners en is over de hele wereld beroemd vanwege zijn carnaval, zijn prachtige zandstranden en zijn feestelijke stemming. Maar de tweede stad van Brazilië is ook een broeinest van geweld en criminaliteit. Met bijna vijfduizend geregistreerde moorden in het afgelopen jaar is de deelstaat Rio een van de gevaarlijkste plekken ter wereld. Het aantal moorden is in verhouding dertig keer meer dan in Frankrijk en...

Sebastian huiverde. Dit verhaal was niet goed voor zijn zenuwen en hij stopte midden in een zin. Hij stopte het boek weg in het net voor hem. Dit was niet het moment om in paniek te raken. Zijn gedachten dwaalden af naar Constance Lagrange. Nikki en hij hadden veel geluk gehad dat ze haar waren tegengekomen in hun avontuur. Zonder haar sliepen ze nu waarschijnlijk in een cel. Ze had hun vliegtickets betaald, hun paspoorten bezorgd en hun geld en een telefoon gegeven. Hij vond het lot dat deze vrouw door het leven was toebedeeld onrechtvaardig. Zo jong nog en zo levendig en dan worden geteisterd door die ziekte... Als hij haar medisch dossier en de gesprekken met haar goed had begrepen, dan was het spel gespeeld en had ze geen enkele kans meer om te overleven. Maar was dat allemaal echt zo definitief? Hij was tijdens zijn leven een paar keer mensen tegengekomen die hardnekkig tegen de dood hadden gevochten en die erin waren geslaagd de voorspellingen van hun doktoren te logenstraffen. In New York was dr. Garrett Goodrich, een beroemde kankerspecialist, erin geslaagd zijn moeder te genezen van een hersentumor. Het sloeg misschien nergens op, maar hij sprak met zichzelf af dat hij alles zou doen om Constance met hem in contact te brengen.

Toen hij aan zijn zoon dacht, werd hij heen en weer geslingerd tussen woede en een gevoel van bewondering. Woede over het onverantwoordelijke gedrag van de tiener, wat hem in gevaar had gebracht en het feit dat hij zijn zus had meegesleept in deze affaire. Maar Sebastian was ook diepgeraakt door de wijze waarop Jeremy erin was geslaagd zijn ontvoering in scène te zetten om Nikki en hem weer bij elkaar te brengen. De jongen had sinds hun scheiding in stilte geleden en Sebastian kon niet verhinderen dat hij nu trots was op het doorzettingsvermogen en de vasthoudendheid van zijn zoon. Jeremy had hem verrast, verbluft en indruk op hem gemaakt.

Sebastian sloot zijn ogen. Als hij dacht aan de afgelopen drie dagen, werd hij gek van angst. Binnen een paar uur tijd was zijn hele leven overhoopgegooid, was alles ontspoord en had hij de controle totaal verloren. Drie dagen van angst en onrust, maar ook van opwinding en euforie. Want hij kon het niet langer ontkennen en Jeremy had dat goed begrepen: samen met Nikki lééfde hij. Ze was half engel en half duivel en straalde een vitaliteit en een onvolwassen kwajongensachtigheid uit die hem, samen met een bijna dierlijke aantrekkingskracht, volledig van zijn stuk bracht. Uitgedaagd door het gevaar dat hun kinderen bedreigde, waren ze erin geslaagd om samen te werken en zo hun verschillen te overwinnen. Ondanks hun verleden, hun onverenigbare karakters en hun conflictbereidheid. Natuurlijk maakten ze nog steeds voortdurend ruzie en waren ze nog altijd vol wederzijdse rancunes, maar net als in het begin van hun relatie, was er tussen hen weer die chemie, die explosieve cocktail van aantrekkingskracht en sensualiteit.

Met Nikki kreeg het leven de allure van een *screwball comedy*, het Amerikaanse filmgenre uit de jaren dertig, met hem in de rol van Cary Grant en zij als Katharine Hepburn. Hij moest erkennen dat hij niets liever deed dan lachen met haar, kibbelen met haar en bekvechten met haar. Ze maakte het dagelijks leven waardevol en intens en ze was de vonk die zijn leven tot ontbranding bracht.

Sebastian zuchtte en dook weg in zijn stoel. Toch knipperde er een waarschuwingslampje in zijn hoofd om hem weer tot de orde te roepen. Als hij een kans wilde hebben om zijn kinderen terug te vinden, dan moest hij vooral niet opnieuw verliefd worden op zijn ex-vrouw.

Want Nikki was niet alleen zijn belangrijkste bondgenoot, maar ze was ook zijn grootste vijand.

Deel vier

The Girl from Ipamena

'Tussen twee mensen gaapt altijd een diepe kloof, hoe innig verbonden ze ook zijn. De liefde vormt slechts een wankele brug.'

– Herman Hesse

56

'*Táxi! Táxi! Um táxi para levá-lo ao seu hotel!*'

De nerveuse sfeer en het lawaai, de lange wachtrijen bij de bagageafhandeling en voor de douane: het gigantische vliegveld Galeão had de warme, drukkende vochtigheid van een stoombad.

'Táxi! Táxi! Um táxi para levá-lo ao seu hotel!'

Met de vermoeidheid op hun gezichten baanden Nikki en Sebastian zich een weg door de horde taxichauffeurs, die de toeristen bestormden zodra ze waren aangekomen in de aankomsthal, en liepen naar de balies van de autoverhuurders. De korte tussenstop in São Paulo had een eeuwigheid geduurd. Omdat de startbanen om de een of andere onduidelijke reden overvol waren geweest, was hun vlucht met tweeenhalf uur vertraging vertrokken en pas om halftwaalf geland.

'Ik ga wat geld wisselen terwijl jij een auto regelt,' stelde Nikki voor.

Sebastian ging akkoord met de taakverdeling en sloot aan bij de wachtrij. Hij haalde het rijbewijs van Botsaris tevoorschijn. Toen hij aan de beurt was, aarzelde hij over het model. Zou hun onderzoek zich beperken tot de stad of zouden ze misschien ook minder toegankelijk terrein moeten betreden? Omdat hij niet zeker wist wat hen te wachten stond koos hij voor een compacte Land Rover, die hij ophaalde op een door de zon geblakerde parkeerplaats. Druipend van het zweet trok hij zijn jasje uit en kroop achter het stuur, terwijl Nikki op 'haar' telefoon luisterde naar een bericht van Constance. Zoals ze hadden afgesproken, had de jonge agente voor hen een hotelkamer gereserveerd in de wijk Ipanema, dicht bij het strand waar Flavia werkte. Ze ging verder met haar eigen onderzoek en wenste hen veel succes bij dat van hen.

Uitgeput van de reis volgden ze zwijgzaam de verkeersborden (Zona Sul-Centro-Copacabana), die de route aangaven in zuidelijke richting, vanaf het Ilha do Governador tot in het centrum van de stad. Sebastian veegde het zweet van zijn voorhoofd en wreef in zijn ogen. De wolken hingen laag, het was benauwd, de lucht was vuil, de atmosfeer verstikkend en hij had last van brandende ogen, waardoor zijn gezichtsvermogen niet optimaal was. Door de getinte ruiten leek het landschap flets, en door de hoofdzakelijk oranje tinten leek het veel op de vettige schil van een enorme sinaasappel.

Slechts een paar kilometer verder kwamen ze terecht in de file. Gelaten keken ze door de ruiten naar het panorama om hen heen. Langs de snelweg stonden duizenden bakstenen huizen van twee verdiepingen, met dakterrassen vol waslijnen. De woningen leken schots en scheef tegen elkaar aan gebouwd en vormden een soort trossen, die in een delicaat evenwicht aan elkaar hingen. Een chaotische en gigantische doolhof: de *favela* domineerde het landschap, speelde met het perspectief en maakte van de horizon een verzameling kubistische structuren in rode, gele en bruine tinten.

Naarmate ze verder kwamen, veranderde het stedelijke landschap. De volkswijken maakten plaats voor industriegebieden. Elke honderd meter kondigden enorme posters het naderende wereldkampioenschap voetbal en de Olympische Spelen van 2016 aan. Met die twee sportieve hoogtepunten voor de deur leek de hele stad te zijn veranderd in een grote bouwput. Achter de hekken van lege terreinen veranderden kolossale bouwwerken het complete landschap. Bulldozers sloopten muren die overeind stonden, kranen woelden de grond om en vrachtwagens reden af en aan in een ballet zonder einde.

Daarna reed de auto door een woud van wolkenkrabbers van de zakenwijk naar het zuidelijke deel van de stad, waar het merendeel van de grote hotels en de warenhuizen zich bevond. Hier begon de stad van de Carioca, zoals de inwoners van Rio worden genoemd, wat meer op de ansichtkaarten te lijken, op de *Cidade maravilhosa*, de schitterende stad, gelegen tussen de zee en de omringende bergen. Aan het einde van de rit kwam de Land Rover uit bij de zee en reed langzaam over de beroemde Avenida Vieira Souto.

'Hier is het!' riep Nikki en ze wees naar een klein gebouw met een opvallende gevel van glas, hout en marmer. Ze lieten hun fourwheeldrive achter bij degene die voor de auto's zorgde en liepen het gebouw binnen. Geheel in stijl met de wijk was het hotel chic en stijlvol ingericht met meubilair uit de jaren vijftig en zestig, waardoor je de indruk kreeg dat je in een aflevering van *Mad Men* was beland.

De lobby straalde een prettige sfeer uit: rode baksteen, zachte muziek, parketvloer, zachte fauteuils, ouderwetse boekenkasten. Zenuwachtig leunden ze op de balie van de receptie, die was gemaakt van een boomstam uit het Amazonegebied, en schreven zich in onder de namen Constance Lagrange en Nicolas Botsaris.

Nikki en Sebastian bleven slechts kort op hun kamer. Ze namen alleen even de tijd om zich op te frissen en luisterden vanaf hun balkon naar het geluid van de branding die brak op het strand. De folder van het hotel bevestigde dat de naam Ipanema afstamde van een Zuid-Amerikaanse indianentaal en 'gevaarlijk water' betekende. Niet zo'n goed voorteken, maar ze besloten er niet al te veel belang aan te hechten. Vastbesloten om hun 'Girl van Ipanema' te vinden, verlieten ze hun kamer.

Zodra ze buiten kwamen, werden ze opnieuw overweldigd door de hitte, de uitlaatgassen en het verkeerslawaai. Een onophoudelijke stroom van joggers, skateboarders en wandelaars vocht om een plekje op het trottoir. De wijk bood onderdak aan een enorme hoeveelheid chique winkels, fitnesscentra en klinieken voor plastische chirurgie.

Nikki en Sebastian staken de straat over om op de wandelpromenade te komen die langs het strand liep. De voetgangerszone was het domein van de straatverkopers, die elkaar de loef afstaken met trucs om de aandacht te trekken van het winkelende publiek. Beladen met koeldozen, bakken ijs of vanuit een stand, verkochten ze kokosmelk, thee, watermeloenen, gebakken biscuits, knapperige en licht gebruinde *cocadas*, de bekende kokoskoekjes, en spiesen met gebakken rundvlees, waarvan de scherpe geuren je overal op de avenue tegemoetkwamen.

Het Amerikaanse stel nam een kleine betonnen trap naar beneden en kwam uit op het strand. Ipanema was een stuk chiquer dan de naastgelegen wijk Copacabana en het oogverblindend witte zand strekte zich uit over een lengte van drie kilometer. Rond lunchtijd was het er erg druk. De oceaan schitterde en vibreerde onder de kracht van de branding, die in felle golven op het strand te pletter sloeg in een veelkleurige waas van druppels. Nikki en Sebastian verlieten het privégedeelte van het strand dat hun hotel ter beschikking stelde aan zijn klanten. Ze liepen verder, op zoek naar de bar waar Flavia werkte.

Om de zevenhonderd meter stond er op het strand een hoge uitkijktoren voor de strandwachten. Die bouwsels dienden ook als herkenningspunt en meetingpoint voor zwemmers en bezoekers van het strand. Toren nummer 8 was voorzien van een regenboogvlag en was kennelijk de ontmoetingsplaats voor de homoscene. Nikki en Sebas-

241

tian liepen er voorbij en zochten verder. Het stuifwater van de oceaan kwam hen tegemoet. In de verte herkenden ze het silhouet van de Ilhas Cagarras, die aan alle kanten glinsterde, en de tweelingbergen de 'Twee gebroeders', die ze hadden gezien op de foto van Simon. Ze liepen verder over het uitgestrekte strand, tussen de voetballers en beachvolleyballers door. De lucht zinderde van de erotische spanning. Slanke en fijn gebouwde zwemsters toonden hun opgeleukte borsten en liepen heupwiegend rond in minuscule bikini's onder het oog van surfers met gebeeldhouwde bovenlichamen, die glansden van de zonnebrandolie.

Nikki en Sebastian liepen nu ter hoogte van toren 9, duidelijk het meest elitaire deel van het strand, waar de rijke jeugd van Rio zich ophield.

'Goed,' vatte Nikki de situatie nog eens samen. 'We zijn op zoek naar een blonde schoonheid, Flavia genaamd, die cocktails serveert in een bar, die...'

'La Cachaça heet,' verzuchtte Sebastian en hij wees naar een luxe strohut.

Ze liepen naar de bar. De Cachaça was een design beach bar voor rijke klanten in strandjurken van topmerken en met enorme zonnebrillen, die mojitos dronken van zestig real per stuk en luisterden naar remixen van de bossanova. Ze bekeken de serveersters een voor een. Ze zagen er allemaal hetzelfde uit: twintig jaar, slanke taille, minishort, zéér diep uitgesneden decolleté...

'Hello, my name is Betina. How may I help you?' vroeg een van de meiden.

'We zoeken een jonge vrouw,' zei Nikki, 'een zekere Flavia.'

'Flavia? Ja, die werkt hier, maar vandaag is ze er niet.'

'Weet je misschien waar ze woont?'

'Nee, maar dat kan ik wel navragen.'

Ze riep een van haar collega's, al net zo'n barbiepop: blond, lichte ogen, met een mooie glimlach.

'Dit is Christina. Ze woont in dezelfde wijk als Flavia.'

De jonge Braziliaanse begroette hen. Ze zag er mooi uit, maar ze had iets droevigs en kwetsbaars over zich. Een gracieuse, maar uitgebluste schoonheid.

'Flavia is al drie dagen niet meer op het werk verschenen,' vertelde ze.

'Weet je ook waarom?'

'Nee. Normaal gesproken gaan we altijd samen hierheen als we dezelfde werktijden hebben. Maar op dit moment is ze niet thuis.'

'Waar woont ze dan?'

Christina wees met een vaag armgebaar naar de heuvels. 'Bij haar ouders, in La Rocinha.'

'Heb je geprobeerd haar te bellen?'

'Ja, maar ik kreeg alleen haar voicemail.'

Nikki haalde een foto van Jeremy tevoorschijn.

'Heb je deze jongen weleens gezien?' vroeg ze terwijl ze het meisje de foto toonde.

Christina schudde haar hoofd.

'Nee, maar weet u, bij Flavia komen en gaan de jongens...'

'Kun je ons misschien haar adres geven? We willen graag een paar vragen stellen aan haar ouders.'

De jonge Braziliaanse grijnsde. 'La Rocinha is geen plaats voor toeristen. U kunt er absoluut niet alleen heen.'

Sebastian probeerde het ook, maar had evenmin succes.

'Kun je ons er dan heen brengen?' stelde Nikki voor.

De serveerster reageerde niet bepaald enthousiast op dit idee.

'Dat is onmogelijk, ik ben pas net begonnen met mijn werk.'

'Alsjeblieft, Christina. We betalen je je salaris van vandaag. Als Flavia je vriendin is, dan moet je haar helpen!'

Dat argument raakte een gevoelige snaar. Christina voelde zich blijkbaar enigszins schuldig.

'Goed, wacht hier.'

Ze liep weg om toestemming te vragen aan degene die kennelijk haar baas was: een jongeman in een nauwsluitende zwembroek, die caipirinha's dronk met een vrouw die twee keer zo oud was als hij.

'Het is oké,' knikte ze toen ze terugkwam. 'Hebben jullie een auto?'

57

De Land Rover was zwaar, maar reed soepeltjes over de slingerweg die naar de favela leidde. Sebastian zat achter het stuur van de SUV en volgde nauwgezet de aanwijzingen van Christina. De jonge Carioca zat op de achterbank en had hen vanaf het strand de weg gewezen. Eerst waren ze door de luxe woonwijken van het zuidelijke deel van de stad gereden, waarna ze uitkwamen op de Estrada da Gávea, een smalle weg, die langs de heuvel slingerde en de enige toegang vormde tot de grootste sloppenwijk van Rio. Net als het merendeel van de volkswijken, was La Rocinha gebouwd op de Morros, de enorme heuvels die uittorenden boven de stad. Nikki leunde over de rand van haar portier om naar de duizenden huizen te kijken die tegen de heuvels waren geplakt. Een opeenhoping van woningen van gele baksteen, zo ver als je kon kijken, die de indruk wekten dat ze elk moment konden instorten. Naarmate ze het 'asfalt' verder achter zich lieten, de woonwijken van het rijkere deel van de bevolking, werd de paradox alsmaar groter: vanuit de favela's had je het mooiste uitzicht over de stad. De adelaarsnesten waren moeilijk toegankelijk, maar boden een panoramisch uitzicht over de stranden van Leblon en Ipanema en hadden bovendien het voordeel van een hooggelegen vesting. Een ideaal uitkijkpunt over de lagergelegen stad en dat was dan ook precies de reden waarom de drugshandelaren hier hun hoofdkwartier hadden.

Sebastian schakelde terug. Het begin van de favela was niet ver meer, maar een dubbele haarspeldbocht vormde een flessenhals waarin het verkeer vastliep. Alleen wat oude brommertjes en motortaxi's baanden zich een weg langs het verkeer.

'Ik denk dat het handig is om hier te stoppen,' adviseerde Christina.

Sebastian parkeerde de wagen aan de rand van de weg en het groepje verliet de fourwheeldrive om de laatste paar honderd meter naar het begin van La Rocinha te lopen. Zo op het eerste gezicht leek de favela helemaal niet op de poel van ellende die in de reisgidsen werd beschreven. Nikki en Sebastian hadden zich erop voorbereid in een roversnest terecht te komen, maar liepen nu een ogenschijnlijk gezellige volkswijk binnen. De straten waren schoon. De huizen waren van beton en aangesloten op de waterleiding en hadden elektriciteit en kabeltelevisie. Een paar kleine gebouwen van maximaal drie verdiepingen waren beklad met graffiti, maar die was kleurrijk, vrolijk en gemaakt met een knipoog.

'In Rio is bijna een kwart van de Carioca's een *favelado*,' legde Christina uit. 'De meeste mensen die hier wonen zijn eerlijke arbeiders: kindermeisjes, werksters, buschauffeurs, verpleegkundigen en zelfs leraren...'

Nikki en Sebastian herkenden de geuren van kruiden, gegrild vlees en mais, die ze op het strand hadden ontdekt. De sfeer hield het midden tussen loomheid en een zekere drukte en kon je ook beschrijven als sereen. Uit de woningen klonk keiharde *baile funk*, een mengeling van rap en funk met rauwe teksten, die zo karakteristiek was voor de volkswijken van Rio. In de hoofdstraat trapten kinderen tegen een bal en deden alsof ze Neymar waren. Op de terrasjes zaten mannen van alle leeftijden aan tafeltjes flesjes Bamberg Pilsen te drinken, terwijl soms erg jonge vrouwen zich bezighielden met hun baby's of uit het raam leunend met elkaar kletsten.

'Het leger en de politie hebben kortgeleden een inval gedaan,' zei Christina verontschuldigend toen ze langs een enorme, veelkleurige muurschildering liepen, die was beschadigd door kogelgaten.

Daarna verlieten ze de hoofdweg en betraden een doolhof van nauwe en steile straatjes. Het was een labyrint van steegjes die veranderden in trappen en langzaamaan werd de sfeer in de favela grimmiger. De huizen hadden hier meer weg van schepen die waren opgelapt nadat ze gezonken waren. Huisvuil lag opgestapeld naast de deuren en elektriciteitskabels liepen kriskras boven de straat alle kanten op, wat wees op clandestiene aftappingen. Nikki en Sebastian werden nu toch wel ietwat bezorgd en hadden moeite om zich de meute kinderen van het lijf te houden die zich om hen heen verdrong en om een aalmoes bedelde.

Hier hadden de straten geen namen meer en de huizen geen nummers. De dreigende schaduwen van gebouwen vielen op de open riolen. Het sijpelende water trok wolken vliegen en muggen aan.

'De gemeente haalt vaak alleen het vuil op in de hoofdstraten,' vertelde Christina.

Geleid door de jonge serveerster liep het groepje nu snel door en joeg in het voorbijgaan verschillende ratten op de vlucht. Vijf minuten later kwamen ze uit aan de andere kant van de heuvel, waar de huizen er nog troostelozer uitzagen.

'Hier is het,' zei Christina en ze klopte op het venster van een woning waarvan de gevel op instorten stond. Even later deed een oude vrouw met een kromme rug open.

'Dit is de moeder van Flavia,' zei Christina.

Ondanks de hitte had ze een dikke sjaal om.

'*Bom dia, Senhora Fontana. Você já viu Flavia?*'

'*Olá, Christina,*' begroette de oude vrouw Christina voordat ze op de drempel van het huis antwoord gaf op de vraag.

Christina draaide zich om naar Nikki en Sebastian om haar woorden te vertalen. 'Mevrouw Fontana heeft al twee dagen niets van haar dochter gehoord en...'

De jonge vrouw kreeg niet de kans haar zin af te maken, want Flavia's moeder ging door met haar verhaal. De beide Braziliaanse vrouwen spraken snel in het Portugees en omdat Nikki en Sebastian er geen woord van verstonden, konden ze niets anders doen dan toekijken.

Hoe kon deze vrouw een dochter hebben van twintig? vroeg Nikki zich af terwijl ze naar de oude Carioca keek. Diepe rimpels liepen over haar gegroefde gezicht, dat getekend was door bezorgdheid en een gebrek aan slaap. Ze zou haar met gemak zeventig jaar geven. Haar woordenvloed was doorspekt van klagelijke zuchten en was nauwelijks verdraagbaar. Christina onderbrak de vrouw even om aan Nikki en Sebastian uit te leggen wat ze allemaal gezegd had. 'Ze zegt dat Flavia aan het begin van de week een jonge Amerikaan en zijn zus onderdak heeft geboden in haar huis...'

Nikki haalde een foto van de tweeling tevoorschijn en liet die aan de oude vrouw zien.

'*Eles são únicos! Eles são únicos!*' Ze herkende hen.

Sebastian voelde dat zijn hart sneller ging kloppen. Ze waren nog niet eerder zo dicht bij hun doel geweest...

'Waar zijn ze heen gegaan?' onderbrak hij haar.

Christina ging verder. 'Eergisteren kwamen in alle vroegte meerdere gewapende mannen naar haar huis. Ze hebben Flavia en uw kinderen meegenomen.'

'Mannen? Wat voor mannen?'

'*Os Seringueiros!*' schreeuwde de oude vrouw. '*Os Seringueiros!*'
Nikki en Sebastian keken Christina gespannen aan.
'De... de Seringueiros,' stamelde ze. 'Ik weet niet wie dat zijn.'

Het geschreeuw van de vrouw had de aandacht getrokken van de buurt. De bewoners van de sloppenwijk waren achter hun televisie vandaan gekomen en hingen nu uit de ramen om naar het schouwspel op straat te kijken. Rond het huis joegen mannen met sombere blikken in hun ogen de kinderen weg van het gebeuren. Christina wisselde nog een paar woorden met de oude vrouw.

'Ze wil ons wel de kamer van Flavia laten zien. Het schijnt dat uw kinderen daar hun spullen hebben achtergelaten.'

Nerveus liepen Nikki en Sebastian achter de vrouw aan het krot in. Het zag er vanbinnen net zo armoedig uit als de buitenkant al deed vermoeden. Haastig aan elkaar getimmerde stukken multiplex dienden als wanden. De kamer van Flavia was niets meer dan een gemeenschappelijke kamer met aan beide kanten een stapelbed. Op een van de bedden herkende Sebastian de karamelkleurige leren reistas die Camille gebruikte als ze ergens heen ging. Ongeduldig greep hij de tas en gooide hem op het bed leeg: een spijkerbroek, twee truien, ondergoed, een toilettas. Niets bijzonders, behalve misschien... het mobieltje van zijn dochter. Hij zette het toestel aan, maar de accu was leeg en de lader was verdwenen. Gefrustreerd stak hij het toestel in zijn zak om het later verder te onderzoeken. Hoe dan ook, nu hadden ze tenminste een spoor. Voordat ze waren ontvoerd door die geheimzinnige Seringueiros, waren Camille en Jeremy dus inderdaad samen met de jonge Braziliaanse hier geweest...

De oude vrouw hervatte haar klaagzang. Ze schreeuwde, huilde, jammerde en riep God aan als getuige, zwaaiend met haar vuist. Christina vond het beter dat Nikki en Sebastian naar buiten gingen, maar daar liep de spanning inmiddels ook op. Buren, die niets met de zaak te maken hadden, kwamen dichterbij en hadden er onmiskenbaar veel plezier in om nog wat olie op het vuur te gooien. Er stond nu een kleine menigte voor het huis die dreigende taal uitsloeg. De spanning nam voelbaar toe en de sfeer werd vijandig. Ze waren niet langer welkom in deze buurt. De oude vrouw ging plotseling tegen hen tekeer.

'Ze zegt dat Flavia ontvoerd is vanwege jullie kinderen,' vertaalde Christina. 'Ze beschuldigt jullie ervan onheil over haar huis te hebben afgeroepen.'

De sfeer verslechterde nog verder: een enigszins aangeschoten fave-lado liep tegen Nikki op en Sebastian kon ternauwernood een emmer schillen ontwijken die uit een raam werden gegooid.

'Ik zal proberen ze te kalmeren. Gaan jullie maar snel terug naar de auto! Ik kom wel terug op eigen gelegenheid.'

'Bedankt, Christina, maar...'

'Ga nu maar snel!' herhaalde ze. 'Volgens mij zijn jullie je niet bewust van het gevaar...'

Met een hoofdbeweging stemden Nikki en Sebastian toe en verlieten de jonge Carioca terwijl er allerlei bedreigingen en scheldwoorden hun kant uit werden geslingerd. Snel liepen ze terug en probeerden in de wirwar van nauwe en steile straatjes van de favela hun weg terug te vin-den. Toen ze terugkwamen bij de dubbele haarspeldbocht waar ze hun auto hadden geparkeerd, hadden hun achtervolgers er ontmoedigd de brui aan gegeven. Maar hun auto was verdwenen.

58

De hitte, het stof, de vermoeidheid en de angst.

Nikki en Sebastian liepen meer dan een uur voordat ze een taxichauffeur vonden, die misbruik maakte van hun benarde situatie en hen tweehonderd real uit de zak klopte om hen naar het hotel terug te brengen. Toen ze eindelijk de deur van hun kamer openden, waren ze totaal ontredderd en dropen ze van het zweet.

Terwijl Nikki onder de douche stond, belde Sebastian de receptie en vroeg om een oplader om het toestel van Camille weer op te kunnen laden. Vijf minuten later kwam de bediende. Sebastian stak de stekker in het stopcontact maar aangezien de accu helemaal leeg was, duurde het een paar minuten voordat hij het toestel kon gebruiken. Ongeduldig beet hij op zijn nagels en zette de ijskoude luchtstroom van de airco zachter. Daarna pakte hij het mobieltje en toetste de toegangscode in. Die kende hij dankzij zijn maandenlange gespioneer in de kamer van zijn dochter en dat kwam nu goed van pas. Plotseling vertrok hij zijn gezicht in een grimas en voelde een pijnscheut in zijn borst. Door de lange voettocht terug naar het hotel had hij weer last gekregen van zijn oude blessures. Hij was uitgeput, voelde overal pijn, had een gebroken rug en een stijve nek. Zijn ribben deden nog zeer van de klappen die hij van Youssef en zijn kornuiten had gekregen. Hij keek op naar de spiegel en wat hij zag was niet bepaald een aantrekkelijk beeld: een ruige baard, van het zweet plakkende haren en vermoeide ogen. Zijn overhemd was vochtig en plakkerig, en zat vol gele transpiratievlekken. Hij vluchtte weg van zijn spiegelbeeld en deed de deur van de badkamer open.

Met een handdoek om haar bovenlichaam geknoopt kwam Nikki net onder de douche vandaan. Haar natte haren hingen door elkaar op haar schouders als lange slingerplanten. Ze rilde. Sebastian had gerekend op een stortvloed aan verwijten in de trant van: 'Hé, geneer je niet, hoor!', 'Je had wel even mogen kloppen!' en 'Doe alsof je thuis bent!' Maar in plaats daarvan deed ze een stap in zijn richting en keek hem lang en diep in zijn ogen. Haar absintgroene ogen glansden als plassen water op het ijs. De waterdamp versterkte de bleke kleur van haar gezicht, dat was bezaaid met nauwelijks zichtbare rossige sproeten, die lagen uitgestrooid als sterren aan de hemel.

Met een heftige beweging greep Sebastian haar bij haar hals en drukte zijn lippen op de hare. Nikki's handdoek gleed op de grond en haar naakte lichaam werd zichtbaar. Ze bood geen enkele weerstand en gaf zich volledig over aan de heftige omhelzing. Een golf van verlangen schoot in Sebastian omhoog en brandde als een fakkel in zijn buik. Toen hun adem zich vermengde, proefde hij weer de mond van zijn vrouw en rook hij de frisse mentholgeur van haar huid. Het verleden haalde het heden in en oude gevoelens kwamen weer naar boven. Een stortvloed aan tegenstrijdige herinneringen kwam vrij en schoot als bliksemschichten heen en weer. In dit vurige lijf-aan-lijfgevecht klampten ze zich aan elkaar vast, in een heftige worsteling waarin troost en angst met elkaar in botsing kwamen en een veilige haven in gevecht was met de vlucht. In hun hartstocht betraden ze verboden terrein, wierpen ze hun boeien af, die hen al jaren gevangenhielden in hun frustratie en hun rancunes. Beetje bij beetje verdween de grond onder hun voeten en verloren ze de controle, op weg naar...

Een helder, zilveren, bijna muzikaal geluid klonk op en drong langzaam door in hun lichamen. De betovering werd bruusk verbroken.

Camilles mobieltje!

Snel kwamen ze weer bij hun positieven. Sebastian knoopte zijn hemd dicht en Nikki greep haar handdoek. Ze liepen de kamer in en knielden neer bij het toestel. Op het scherm gaf een icoontje aan dat er twee mailtjes waren binnengekomen. Twee foto's, die via de mail waren gestuurd en nu langzaam op het scherm verschenen.

Twee close-ups van Camille en Jeremy, beiden vastgebonden en met een prop in hun mond.

Van hetzelfde nummer kwam meteen nog een derde bericht:

Willen jullie de kinderen nog levend terugzien?

Geschokt keken ze elkaar aan.

Voordat ze ook maar de kans hadden gehad om na te denken over een antwoord, zette een nieuwe sms hen nog verder onder druk:

Ja of nee?

Nikki greep het toestel en antwoordde:

Ja.

Het digitale gesprek ging verder:

Kom dan morgenvroeg om drie uur naar de vrachthaven van Manaus, ter hoogte van de wijk Lacruste. Neem de kaart mee. Kom alleen en waarschuw niemand, anders...

'Een kaart? Welke kaart? Wat bedoelen ze?' schreeuwde Sebastian.
   Nikki's vingers gleden over het toetsenbord:

Welke kaart?

Het duurde lang voordat het antwoord kwam. Erg lang. Gek van angst bleven Nikki en Sebastian roerloos zitten in het surrealistische licht van de kamer. Buiten begon het al donker te worden: de lucht, het strand en de gebouwen werden één in een symfonie van kleuren die alle mogelijke nuances liet zien: van zachtroze tot donkerrood. Na twee minuten herhaalde Nikki het bericht:

Over welke kaart hebben jullie het?

De seconden tikten voorbij. Met ingehouden adem keken ze naar het scherm, maar er kwam geen antwoord. Plotseling steeg er een applaus op van het strand. Net als elke avond klapten toeristen en Carioca's luid als de zon onderging achter de 'Twee gebroeders'. Een bijzondere gewoonte om de vuurbal te bedanken voor een mooie dag.
   Woedend probeerde Sebastian het nummer te bellen, maar hij kreeg geen gehoor. Kennelijk wisten ze iets waarvan ze zich niet bewust waren. Hij dacht hardop: 'Over welke kaart hebben ze het? Een chipkaart? Een bankpas? Een landkaart? Een ansichtkaart?'
   Ondertussen had Nikki de kaart van Brazilië, die het hotel al haar klanten ter beschikking stelde, opengevouwen op het bed gelegd. Met een viltstift markeerde ze de plaats van de afspraak, die de ontvoerders

hun hadden opgegeven. Manaus is de grootste stad van het Amazone-gebied en is een enorm stedelijk gebied midden in het grootste oer-woud ter wereld, op meer dan drieduizend kilometer van Rio.

Sebastian keek op de klok aan de muur. Het was bijna acht uur. Hoe kwamen ze voor drie uur 's nachts naar Manaus? Toch belde hij de receptie om te informeren naar de vluchttijden van Rio naar de hoofd-stad van het Amazonegebied. Na een paar minuten wachten vertelde de receptionist hem dat de volgende vlucht stond aangekondigd voor acht minuten over halfelf.

Zonder ook maar een moment te aarzelen boekten ze hun tickets en bestelden een taxi naar het vliegveld.

59

'*Boa noite senhoras e senhores.* Ik ben uw gezagvoerder en mijn naam is José Luís Machado. Ik heet u welkom aan boord van deze Airbus 320 met bestemming Manaus. De vlucht duurt zoals nu gepland staat vier uur en vijftien minuten. Iedereen is nu aan boord. Onze start stond oorspronkelijk gepland voor acht minuten over halfelf, maar is ongeveer een halfuur vertraagd in verband met...'

Nikki zuchtte en keek uit het raampje. Als gevolg van de internationale sportevenementen die voor de deur stonden, werd de terminal voor binnenlandse vluchten verbouwd en vonden overal werkzaamheden plaats. Bij de startbaan stond een tiental grote vliegtuigen op de taxibaan in de rij te wachten op toestemming om op te stijgen.

In een soort pavlovreactie sloot Nikki haar ogen en deed haar oortjes in. Dit was de derde keer in drie dagen tijd dat ze in een vliegtuig zat en in plaats van dat haar vliegangst afnam, werd hij bij elke vlucht alleen maar groter. Ze zette het geluid van haar iPod harder om weg te kunnen vluchten in de muziek. In haar hoofd heerste complete chaos. Door de lichamelijke en geestelijke uitputting werden haar hersenen overspoeld door beelden en emoties die over elkaar heen buitelden: de verse herinnering aan haar omhelzing met Sebastian, het onbekende gevaar dat hun kinderen bedreigde, de angst voor wat hen in de Amazone te wachten stond.

Terwijl het vliegtuig wachtte op de start, opende Nikki haar ogen, in verwarring gebracht door de muziek die in haar oren galmde. Ze kende dit nummer... Een mengeling van elektro en Braziliaanse hiphop. Het was de muziek die ze in de favela had gehoord! De baile funk die uit de ramen had geklonken. Braziliaanse muziek... Ze liet de verschillende nummers de revue passeren: een mix van samba, bossanova, remixen van reggae, rapnummers in het Portugees. Dit was niet de iPod van haar zoon! Waarom had ze dat nog niet eerder opgemerkt? Opgewonden trok ze de oordopjes uit haar oren en gebruikte de menuknop om door de bestanden op het toestel te navigeren: muziek, video's, foto's, spelletjes, contacten... Niets opvallends, tot ze het laatste bestand opende, een tamelijk groot pdf-bestand.

'Volgens mij heb ik iets ontdekt!' zei ze tegen Sebastian en ze liet hem haar vondst zien. Hij bekeek het toestel, maar het bestand was onleesbaar op het minuscule scherm.

'We moeten hem aansluiten op een computer.' Hij maakte zijn gordel los en liep door het gangpad naar voren tot hij bij een zakenman kwam die op zijn notebook zat te werken. Hij slaagde erin de man te overtuigen van de noodzaak hem zijn computer voor een paar minuten uit te lenen. Terug op zijn plaats sloot hij de iPod aan op de notebook, plaatste het pdf-bestand op het bureaublad en klikte hem aan om hem te openen.

De eerste foto's waren schokkend. Je zag het wrak van een propellervliegtuig, overdekt door de plantengroei van de Amazone. Het vliegtuig was onmiskenbaar midden in de jungle neergestort. Sebastian liet de beelden voorbijkomen. Die waren hoogstwaarschijnlijk met een mobieltje gemaakt en waren niet van al te beste kwaliteit, maar voldoende scherp om het tweemotorige, metalen toestel te herkennen als een DC-3 met turbopropmotoren. Als kind had hij meerdere modelvliegtuigen van dit beroemde vliegtuigtype in elkaar gezet. Het was het symbool van de Tweede Wereldoorlog en deze metalen vogel had geschiedenis geschreven in de luchtvaart. Hij had troepen vervoerd naar alle fronten, waaronder Zuidoost-Azië, Noord-Afrika en Vietnam, voordat het was 'gerecycled' naar de burgerluchtvaart. Het was een eenvoudig en sterk toestel, dat gemakkelijk te onderhouden was en waarvan meer dan tienduizend exemplaren waren gebouwd. Dit type vliegtuig werd nog steeds gebruikt in Zuid-Amerika, Afrika en Azië.

Als gevolg van de crash waren de neus van het toestel en de staartvleugel zwaar beschadigd. De noodlanding was ook de voorruit fataal geworden. De vleugels waren versplinterd en de propellers waren verdwenen in een bos lianen. Alleen de romp, met in het midden twee grote deuren, was nog vrijwel geheel intact.

De volgende foto was een macaber plaatje met daarop de lijken van de piloot en copiloot. Hun vliegoveralls waren zwart van het bloed en hun gezichten verkeerden in verregaande staat van ontbinding. Sebastian klikte door naar de volgende foto. Het toestel was gemaakt voor vrachtvervoer. Op de plaats van de passagiersstoelen stonden houten kisten op elkaar gestapeld en geopende metalen koffers bevatten wapens van groot kaliber, automatische wapens en granaten. Maar vooral... een onvoorstelbaar grote hoeveelheid cocaïne. Honderden rechthoekige pakken in doorzichtig plastic en plakband. Hoeveel was het? Vierhonderd kilo? Vijfhonderd kilo? Moeilijk te zeggen, maar de waarde van de lading bedroeg waarschijnlijk tientallen miljoenen dollars.

De volgende beelden waren nog duidelijker. De maker van de foto's had een selfie gemaakt door zijn mobieltje met gestrekte arm van zich af te houden. Het was een lange kerel van een jaar of dertig met een grote bos dreadlocks. De euforie was zichtbaar op zijn uitgemergelde gezicht, dat droop van het zweet en een baard had van meerdere dagen. Zijn bloeddoorlopen ogen glansden en zijn pupillen waren groot. Hij had zichzelf blijkbaar een paar lijntjes coke cadeau gedaan. Hij had oordopjes in zijn oren en op zijn rug droeg hij een grote rugzak. Om zijn middel had hij een veldfles aan de riem van zijn korte broek bevestigd. Hij had het vliegtuigwrak duidelijk niet per toeval ontdekt.

'We gaan dadelijk opstijgen, meneer. Wilt u uw gordel vastmaken en uw laptop uitzetten.'

Sebastian keek op en knikte naar de stewardess die hem had gewaarschuwd. Snel bekeek hij de rest van het bestand om te zien hoe het verhaal eindigde. De laatste pagina's bevatten een satellietbeeld van het Amazonegebied, een bestand met gps-coördinaten en gedetailleerde aanwijzingen en een routebeschrijving waarmee het tweemotorige toestel kon worden teruggevonden.

Een echte schatkaart...

'Dit is die beruchte kaart die we voor hen mee moeten nemen. Dit is waar ze vanaf het begin naar op zoek zijn geweest!'

Dat had Nikki al begrepen. Snel pakte ze haar mobieltje en nam een paar foto's van het scherm van de laptop: het vliegtuig, de kaart, de vreemde vent met het rastakapsel.

'Wat doe je?'

'Ik wil dit naar Constance sturen. Misschien kan zij uitzoeken wie de smokkelaars zijn.'

Het vliegtuig taxiede nu naar het begin van de startbaan. Opgewonden kwam de stewardess opnieuw voorbij en beval hen op strenge toon hun mobieltje uit te zetten. Voordat ze gehoorzaamde, selecteerde Nikki nog even snel de foto's die ze had genomen en verzond ze als bijlage bij haar mail. Op het moment dat ze het adres van Constance invulde profiteerde ze van het feit dat Sebastian met de stewardess ruziede om er het e-mailadres van Lorenzo Santos aan toe te voegen.

60

Het was na negen uur 's avonds toen het vliegtuig van Lorenzo Santos landde op de baan van het vliegveld van Rio Branco. Het had hem ruim dertig uur gekost om de hoofdstad van de provincie Acre te bereiken. Een vermoeiende reis met tussenlandingen in São Paulo en Brasília, op een smalle stoel van een lowbudgetmaatschappij, te midden van luidruchtige passagiers. Bij de lopende band wreef hij over zijn oogleden en vervloekte de purser die hem had verplicht zijn tas in de bagageruimte te zetten. Terwijl hij op zijn spullen wachtte, zette hij zijn telefoon aan om zijn mail te bekijken en zag dat hij een mail had gekregen van Nikki. Die was echter leeg: geen onderwerp, geen tekst of uitleg. Alleen een stuk of tien foto's. Naarmate de foto's binnenkwamen, voelde Santos de opwinding toenemen. Hij bekeek alle beelden. Ze waren niet scherp, maar langzaam vielen de stukjes van de puzzel in zijn hoofd op hun plaats en bevestigden wat hij al had gedacht. Hij had gelijk gehad door toe te geven aan zijn instinct, dat hem naar Brazilië had gestuurd! Hij merkte dat zijn handen licht beefden.

De opwinding, de spanning, het gevaar, de angst...

De lievelingscocktail van een smeris.

Hij probeerde Nikki te bellen, maar kreeg haar voicemail. Daar was hij al bang voor. Deze mail was een schreeuw om hulp. Hij wachtte niet langer op zijn tas, maar bekeek hoe hij bij de helikopterhaven kon komen. De kansen waren gekeerd. Vannacht zou hij twee vliegen in één klap slaan: de grootste zaak uit zijn loopbaan oplossen én de vrouw terugwinnen van wie hij hield.

Op hetzelfde moment werkte Constance zich in Parijs een slag in de rondte. Sinds vanmorgen had ze alles in beweging gezet om Nikki en Sebastian te helpen. Ze had de foto's van Flavia van de Facebookpagina van Simon gehaald en ze doorgestuurd naar haar contactpersonen bij meerdere afdelingen van de politie. Dat had verbijsterende informatie opgeleverd. Haar ogen waren droog, een veelvoorkomend probleem bij mensen die de hele dag achter een beeldscherm zitten. Ze bewoog haar oogleden een paar keer op en neer om het prikkende gevoel weg te krijgen. Ze keek op het digitale klokje van haar laptop: drie uur 's nachts. Ze besloot zichzelf een pauze te gunnen en stond op om naar de keuken te lopen en een snee brood met Nutella te maken. Ze at haar broodje op terwijl ze naar de tuin keek en genoot bij elke hap van de smaken die ze herkende uit haar kindertijd. De oktoberlucht streelde haar wangen. Ze sloot haar ogen en voelde onverwacht een diep gevoel van rust vanbinnen. Alsof ze zich had bevrijd van haar woede en van het terroriserende gevoel van de dood. Ze hoorde het ruisen van de wind, die door het open raam naar binnen kwam en rook de zoete geur van herfstcamelia's. Dit bijzondere, serene gevoel dat haar op dit moment bekroop, was uitzonderlijk intens. Het was misschien raar, maar al haar angst was plotseling verdwenen, alsof het einde niet langer onvermijdelijk was.

Een metalen geluid waarschuwde haar dat er een nieuwe mail was binnengekomen. Constance opende haar ogen en ging weer achter haar computerscherm zitten.

Een mail van Nikki! Ze opende de bijlage en de foto's verschenen vrijwel meteen op het scherm. Beelden van een vliegtuigwrak, dat midden in de jungle was neergestort, een lading M-16- en AK-47-geweren, honderden kilo's cocaïne, een hiker met wel zeer vrolijke ogen, een kaart van het Amazonegebied... De drie daaropvolgende uren keek Constance nauwelijks op van haar scherm. Ze stuurde tientallen mails naar allerlei mensen binnen haar netwerk om meer informatie over de foto's te krijgen. Het was bijna halfzeven toen haar telefoon ging.

Het was Nikki.

61

Een betonnen vlakte in het hart van de Amazone.

De stad Manaus lag in het noordwesten van Brazilië en strekte zijn stedelijke tentakels diep uit in het oerwoud.

Na een vlucht van ruim vier uur arriveerden Nikki en Sebastian in de aankomsthal van het vliegveld. Ze negeerden de horde illegale taxichauffeurs die in de ruimte voor de bagageafhandeling op zoek waren naar potentiële klanten en liepen naar het loket van de officiële taxibedrijven om daar een rit te regelen.

Het regende.

Toen ze de terminal verlieten, voelde de vochtige, tropische hitte als een klap in het gezicht. De lucht was smerig en verzadigd van het vocht. Het regenwater vermengde zich met het stof, de vuile dampen en olieresten, waardoor de lucht bijna te slecht was om in te ademen. Ze liepen langs de rij taxi's en lieten hun reserveringsbewijs zien aan een medewerker van het taxibedrijf, die hen naar een Mercedes 240D bracht die was overgespoten in de kleuren rood en groen. Dit model auto was erg populair geweest aan het eind van de jaren zeventig. De cabine rook scherp en muf. Er hing een geur van rotte eieren, zwavel en braaksel. Snel draaiden ze de raampjes omlaag, voordat ze de chauffeur vertelden waar ze heen wilden. Het was een jonge Métis met steil haar en een slecht gebit, die was gekleed in het geel-groene shirt van het nationale voetbalelftal. Op de radio klonk keihard de Braziliaanse variant van de *Macarena*.

Oorverdovend en onverdraaglijk.

Nikki zette haar telefoon aan en probeerde verbinding te krijgen met Frankrijk, terwijl Sebastian de chauffeur dringend vroeg zijn radio zachter te zetten. Na een paar vergeefse pogingen, nam Constance eindelijk op. In een paar woorden bracht Nikki haar op de hoogte van de situatie.

'Ik ben op zoek gegaan naar informatie en ik heb slecht nieuws,' zei de jonge agente.

'We hebben erg weinig tijd,' waarschuwde Nikki en ze zette het toestel op de luidspreker, zodat Sebastian het gesprek kon volgen.

'Goed, luister dan aandachtig. Ik heb de foto's van Flavia rondgestuurd naar al mijn contacten. Een paar uur geleden kreeg ik een telefoontje van een van mijn collega's bij OCTRIS, het bureau dat zich bezighoudt met de bestrijding van de drugshandel. Hij herkende de jonge vrouw op de foto's. Ze heet niet Flavia, maar Sophia Cardoza, en staat ook bekend als "Barbie Narco". Het is de enige dochter van Pablo Cardoza, een machtige Braziliaanse drugsbaron en de baas van het Seringueiros-kartel.'

Nikki en Sebastian keken elkaar vol verbazing aan. De Seringueiros... Die naam hadden ze al eens gehoord, in Rio.

'Pablo Cardoza zit sinds een maand in een federale gevangenis, een extra beveiligde inrichting,' ging Constance verder. 'Officieel is het kartel opgerold tijdens een enorme invalactie van de Braziliaanse autoriteiten, maar de beruchte "Flavia" heeft duidelijk de ambitie om het koninkrijk van haar vader over te nemen. Haar werk als serveerster op het strand van Ipanema is slechts een dekmantel. Ze heeft nooit in de favela gewoond... Jullie tocht door La Rocinha was slechts een toneelstukje.'

Ondanks de stank deed Nikki het raampje weer dicht vanwege het lawaai dat uit de stad kwam. De hitte was verstikkend. Het vocht en de luchtvervuiling drongen overal doorheen. Troosteloze wolkenkrabbers en oude, monumentale gebouwen, overblijfselen van het rijke verleden van de stad wisselden elkaar af, toen de hoofdstad van de Amazone nog een dominante positie had in de wereldproductie van rubber. Zelfs midden in de nacht was het hier druk op straat, het krioelde van de mensen en het was lawaaierig.

'En het vliegtuig?' vroeg Nikki.

'Ik heb de foto's van de DC-3 aan mijn collega van OCTRIS laten zien. Hij wist me te vertellen dat het tweemotorige toestel eigendom was van het kartel en een lading drugs vervoerde vanuit Bolivia. Waarschijnlijk tussen de vierhonderd en vijfhonderd kilo pure cocaïne, met een straatwaarde van rond de vijftig miljoen dollar. Het vrachtvliegtuig is in de problemen gekomen voordat het is neergestort in de jungle, ongeveer twee tot drie weken geleden. Sindsdien zijn Flavia en de leden van het kartel die zijn ontsnapt aan arrestatie, actief op zoek naar het toestel.'

'Zo moeilijk kan het toch niet zijn om zo'n groot toestel te vinden?' vroeg Sebastian.

'In de Amazone wel. Afhankelijk van de plek waar het is neergestort, is het zelfs onmogelijk te vinden. Het overgrote deel van het gebied ligt zo afgelegen en is ontoegankelijk omdat er geen wegen lopen, niets. Het vliegtuig was waarschijnlijk niet uitgerust met een noodsignaal. Ik heb wat onderzoek gedaan: vorig jaar had het Braziliaanse leger meer dan een maand nodig om een neergestorte Cessna van het Rode Kruis te vinden, die in het oerwoud was neergestort. En dan waren ze ook nog op het juiste spoor gezet door een indianenstam.'

De Française wachtte een ogenblik voordat ze verderging. 'Maar het meest verrassende is misschien wel de identiteit van de man die het vliegtuig heeft gevonden...'

'Dat begrijp ik niet.'

'De foto's van het vliegtuig zijn gemaakt met een mobieltje,' legde Constance uit. 'Afgaand op zijn kampeeruitrusting, die op een paar foto's zichtbaar is, zou je denken dat een rondtrekkende wandelaar het wrak per toeval heeft ontdekt. Ik denk echter het tegenovergestelde: hij was op zoek naar het toestel en heeft die gasten van het kartel ingehaald. Volgens mij was hij alleen, gezien de manier waarop de foto's zijn gemaakt waar hij op staat: met gestrekte arm. Omdat hij een T-shirt droeg met een Amerikaanse vlag erop, durf ik te wedden dat hij geen Braziliaan is. Ik heb dan ook wat rondgesnuffeld in de databank van Interpol en hou je vast: die vent wordt al vijf jaar gezocht door de NYPD. Hij is uit Brooklyn verdwenen nadat hij was veroordeeld tot een zeer lange gevangenisstraf. Zijn naam is Memphis Decker en hij is de broer van Drake Decker, de eigenaar van De Boemerang...'

Verbluft luisterden Nikki en Sebastian naar de nieuwe informatie. Sinds ze het vliegveld hadden verlaten, reed de chauffeur over dezelfde weg: de Avenida Constantino Nery, de plaatselijke variant van The Strip, die het noordwesten van Manaus met de haven verbond, en die dwars door het centrum liep. Plotseling verlieten ze de Avenida en namen een afslag die leidde naar een hele rij kades en opslagplaatsen, waar de weg tussendoor liep. De reusachtige haven van Manaus strekte zich uit tot de horizon en domineerde het water van de Rio Negro.

'Die vent die de DC-3 ontdekte was de broer van Drake Decker? Weet je dat zeker?' vroeg Sebastian.

'Absoluut zeker,' bevestigde Constance. 'Hij heeft de foto's en de kaart overgezet op zijn iPod en het apparaat daarna naar zijn broer in New York gestuurd. Drake heeft het vervolgens in het pokerkoffertje verstopt dat Jeremy heeft gestolen...'

'En weet je waar die Memphis Decker op dit moment uithangt?' vroeg Nikki.

'Ja, op het kerkhof. Zijn lijk is gevonden in de parkeergarage van het busstation van Coari, een klein plaatsje langs de oever van de Amazone. Volgens het politierapport vertoonde zijn lichaam sporen van marteling en verminking.'

'De mannen van Flavia?'

'Ongetwijfeld. Die hebben vast en zeker geprobeerd de exacte positie van het vliegtuig van hem los te krijgen.'

De taxi reed langs de eerste schepen: gigantische boten met honderden kleurige hangmatten op het bovendek. Toen reed hij door de vrachthaven, waar de schepen vertrokken op weg naar de belangrijkste steden van de Amazone: Belém, Iquitos, Boa Vista en Santarém. Daar reed de wagen langs een immense ijzeren hangar. Onder een monumentale metalen constructie stonden de stands van de handelaren, vol vis, geneeskrachtige kruiden, grote stukken rundvlees, huiden en tropisch fruit. De lucht was benauwd en doordrongen van maniok. Chaotisch, kleurrijk en druk had deze markt veel weg van Rungis, de groothandelsmarkt voor verse waar onder Parijs. In de chaotische drukte leverden vissers verse vis af bij de marktkramen, waaronder nog spartelende kreeften.

Terwijl de taxi verder reed over de verroeste kades, wreef Sebastian in zijn ogen en probeerde alles wat hij zojuist gehoord had op een rijtje te zetten. Nadat de mannen van het kartel Memphis hadden gedood, hadden ze een van hen, ongetwijfeld de 'Maori', eropuit gestuurd om contact op te nemen met Drake Decker. Onder bedreiging had Drake bekend dat het koffertje met de iPod van hem was gestolen door een jongen, Jeremy. Maar zoals Simon hun had verteld, wist Drake noch de naam noch het adres van Jeremy. De enige informatie die hij had waren zijn voornaam en zijn belangstelling voor The Shooters van wie hij vaak het T-shirt droeg. Flavia was er via de Facebook-pagina van de band in geslaagd om Jeremy te vinden en hem te verleiden tot een reisje naar Brazilië, met de iPod.

Een idioot plan. Een pervers en machiavellistisch complot.

'*Aqui é a cidade à beira de lago,*' waarschuwde de chauffeur, toen de hangars en containers langzaam plaatsmaakten voor illegaal gebouwde huizen.

De wijk Lacruste was een soort favela aan de oever van het donkere water. Een sloppenwijk op palen, met huisjes met houten wanden en golfplaten daken. Een oord van vette, kleverige modder, waarin de Mercedes elk moment kon blijven steken.

'Ik moet ophangen, Constance. Bedankt voor je hulp.'

'Ga niet naar die afspraak, Nikki. Jullie zijn gek! Jullie weten niet waartoe die kerels in staat zijn...'

'Ik heb geen andere keus, Constance. Ze hebben mijn kinderen!'

De agente wachtte even en vervolgde toen: 'Als jullie hun de coördinaten van de plek van het vliegtuig geven, schieten ze jullie à la minute dood, jullie én jullie kinderen. Dat staat als een paal boven water.'

Nikki weigerde nog langer te luisteren en hing op. Zonder een spier te vertrekken wierp ze een blik op haar ex-man. Ze realiseerden zich maar al te goed dat ze het laatste spelletje speelden van een wedstrijd die ze niet konden winnen.

De chauffeur zette de wagen stil, nam het geld van de rit in ontvangst en maakte snel rechtsomkeer, zijn passagiers achterlatend in een troosteloos landschap. Nikki en Sebastian bleven lange tijd alleen staan, rechtop, doodsbang. In de stikdonkere nacht doorweekten de mist en de motregen de verwoeste aarde, om die te veranderen in een enorme modderpoel, bezaaid met struiken.

Om drie uur precies doken twee reusachtige Hummers op in het duister en reden op hen af. Verblind door de koplampen stapten ze opzij om niet te worden overreden door de gigantische terreinwagens. De wagens stopten, maar de motoren bleven lopen. De portieren gingen open. Drie zwaarbewapende mannen, gekleed in camouflagepakken, met patroontassen aan hun gordels en IMBEL-semiautomatische geweren in de hand, stapten uit. *Guerrilleros* die waren omgeschoold tot drugssmokkelaars.

Zonder pardon sleepten ze Camille en Jeremy uit een van de fourwheeldrives en gooiden de kinderen in de modder, met gebonden handen en een prop in hun mond. Toen Nikki en Sebastian hun kinderen zagen, draaiden hun magen zich om en ze voelden hun hart in hun kelen bonken. Aan het einde van deze tocht door de hel hadden ze Camille en Jeremy eindelijk gevonden.

Levend.

Maar voor hoe lang nog?

Een jonge, blonde en slanke vrouw sloeg het portier van de Hummer dicht en ging triomfantelijk in het licht van de koplampen staan.

Sophia Cardoza, alias Barbie Narco.

Flavia.

62

Onweerstaanbaar, katachtig en scherp als een mes.

Het slanke silhouet van Flavia tekende zich af in de nevel en het felle licht van de koplampen van de fourwheeldrives. Blonde golven hingen over haar schouders en haar fonkelende ogen weerspiegelden het licht.

'Jullie hebben iets wat van mij is!' schreeuwde ze door het duister.

Nikki en Sebastian stonden tien meter bij haar vandaan en bleven stokstijf staan, zwijgend. Een automatisch pistool glom in de handen van de Braziliaanse. Ze greep Camille bij haar haren en drukte de loop van de Glock tegen haar slaap.

'Vooruit! Geef me die verdomde kaart!'

Sebastian deed een stap naar voren en probeerde zijn dochter aan te kijken om haar gerust te stellen. Hij zag haar gezicht, bleek van angst, met haarlokken die door de wind opzij werden geblazen. Wanhopig spoorde hij Nikki met zachte stem aan: 'Geef haar die iPod terug, Nikki.'

Een windvlaag, vermengd met regendruppels, waaide door de hoge struiken die langs de kant van de weg stonden.

'Wees nu verstandig,' riep Flavia ongeduldig. 'Geef me die verdomde kaart en dan kunnen jullie binnen no time samen met jullie kinderen terug naar de Verenigde Staten!'

Het voorstel klonk aantrekkelijk, maar ongeloofwaardig. De waarschuwing van Constance echode nog door Nikki's hoofd: 'Als jullie hun de coördinaten van de plek van het vliegtuig geven, schieten ze jullie à la minute dood, jullie én jullie kinderen. Dat staat als een paal boven water.'

Ze moesten tijd winnen, hoe dan ook.

'Ik heb hem niet meer!' schreeuwde Nikki.

IJselijke stilte.

'Hoe bedoel je, ik heb hem niet meer?'

'Ik heb hem weggegooid.'

'Waarom zou je dat risico hebben genomen?' vroeg Flavia.

'Waarom zou je ons nog in leven houden zodra ik je de kaart heb gegeven?'

Flavia's gezicht veranderde in een emotieloos masker. Met een hoofdbeweging gaf ze haar mannen opdracht de Amerikanen te fouilleren. Onmiddellijk wierpen de drie guerrilleros zich op hun gevangenen en doorzochten hun zakken en kleding zonder iets te vinden.

'Ik weet de exacte plek van het wrak!' riep Nikki en ze probeerde haar angst te verbergen. 'Ik ben de enige die jullie erheen kan brengen!'

Flavia aarzelde. In de plannen die ze had uitgebroed, was geen plaats ingeruimd voor gijzelaars. Twee weken geleden was ze ervan overtuigd geweest dat martelingen Memphis Decker wel aan het praten zouden brengen, maar de Amerikaan was gestorven zonder de coördinaten van het vliegtuig te geven. Door die tegenslag stond ze nu met de rug tegen de muur. Ze keek op haar horloge en probeerde haar kalmte te bewaren. De tijd tikte weg. Met elk verloren uur nam de kans toe dat de politie het wrak van de DC-3 eerder zou vinden dan zij.

'Leva-los!' schreeuwde ze tegen haar mannen.

Meteen duwden de guerrilleros Nikki en Sebastian en hun kinderen naar de voertuigen. Nikki en Sebastian werden ruw achter in een van de fourwheeldrives geduwd, terwijl Camille en Jeremy in de andere werden opgesloten. Daarna verlieten de twee terreinwagens het havengebied even snel als ze waren gekomen.

Gedurende een halfuur reden ze in oostelijke richting. Het konvooi reed over verlaten wegen door de nacht en sloeg uiteindelijk een modderige zijweg in. Het wagenspoor liep langs een diep meer en kwam een stuk verder uit op een groot, open veld waar een indrukwekkende Black Hawk stond te wachten. De drugssmokkelaars en hun gijzelaars werden verwacht. Ze waren nauwelijks uitgestapt of de piloot van de helikopter startte de motor. Onder bedreiging van wapens klom het hele gezin in het toestel, gevolgd door Flavia en haar mannen. De jonge vrouw zette een helm op en nam plaats op de stoel van de copiloot.

'Tiramos!' beval ze.

De piloot gehoorzaamde met een hoofdknikje. Hij manoeuvreerde de Black Hawk tegen de wind in en gaf tegelijkertijd gas om op te stijgen. Flavia wachtte tot de helikopter op snelheid was gekomen om zich tot Nikki te richten.

'Waar gaan we heen?' vroeg ze op scherpe toon.

'Eerst richting Tefé.'

Flavia keek haar lang en indringend aan en probeerde kalmte uit te stralen, maar de gloed in haar ogen verraadde ongeduld en wanhoop. Nikki gaf geen andere informatie. Tijdens de hele vlucht van Rio naar Manaus had ze nauwkeurig de kaart en de routebeschrijving bestudeerd die naar het vliegtuigwrak vol cocaïne leidde. In gedachten had ze de hele route in zo veel mogelijk stukken geknipt om zo langzaam mogelijk vooruit te komen.

Achter in het toestel kon Sebastian op geen enkele manier contact krijgen met zijn kinderen. De drie kleerkasten waren zo gaan zitten dat ze een soort scheidingswand vormden, die elk oogcontact en andere vormen van communicatie onmogelijk maakte.

Tijdens het tweede uur van de vlucht voelde Sebastian de eerste symptomen. Plotselinge koorts, benauwdheid en gewrichtspijn in zijn benen. Hij had een ijskoude rug, zijn nek was stijf en hij had hoofdpijn. Een tropische griep? Hij dacht aan de muggen die hem in de favela hadden gestoken. Die brachten dengue over, maar de incubatietijd leek hem erg kort. Het vliegtuig dan? Hij dacht aan een passagier die vlak voor hem had gezeten in het vliegtuig van Parijs naar Rio, die in een niet al te beste conditie had verkeerd. Die man had de hele reis onder een deken liggen rillen. Misschien had hij van hem iets smerigs opgelopen...

Dit was echter niet het goede moment om ziek te worden. Maar hij kon weinig uitrichten tegen de oplopende koorts. Hij rolde zich op en wreef over zijn borstkas om zichzelf wat op te warmen, en hoopte dat het niet erger zou worden.

Tefé lag ruim vijfhonderd kilometer van Manaus. De helikopter deed nog geen drie uur over die afstand, vliegend over een oceaan van bomen, een oneindige, sombere vlakte, die zich uitstrekte tot aan de horizon. Tijdens de hele vlucht moest Nikki van Flavia in de cabine blijven om op het scherm de positie van de Black Hawk te volgen.

'En nu?' vroeg de drugsbazin, toen de zon opkwam aan de roze en blauwe hemel. Nikki trok de mouw van haar trui op. Net als een scholier had ze op haar onderarm een hele serie cijfers en letters geschreven:

S 4 3 21
W 64 48 30

Ze had de lessen van Sebastian over het uitdrukken van een plek in geografische coördinaten goed onthouden. Lengte en breedte, graden, minuten en seconden.

Flavia kneep haar ogen tot spleetjes en vroeg de piloot de gegevens in te voeren in het navigatiesysteem.

De Black Hawk vloog nog een halfuur door en landde toen op een kleine open plek midden in het oerwoud. Snel stapte iedereen uit het toestel. De guerrilleros namen zware rugzakken, veldflessen en kapmessen mee. Ze bonden de handen van Nikki, Sebastian en de kinderen met nylon tiewraps voor het lichaam vast en bonden hen een veldfles om hun middel. Daarna liep de hele groep het oerwoud in.

63

'Gaat het, pap?' vroeg Jeremy bezorgd.

Sebastian gaf hem een geruststellende knipoog, maar zijn zoon was niet gek. Zijn vader was drijfnat en rilde van de koorts. In zijn hals en zijn gezicht had hij overal rode vlekken. Twee uur lang ploeterden ze door het oerwoud. Gewapend met machetes baanden twee guerrilleros een pad, terwijl de derde de gevangenen onder schot hield. Nikki sloot de rij onder bedreiging van Flavia. Ze had de jonge smokkelaarster de nieuwe coördinaten gegeven, en die had ze onmiddellijk opgeslagen in haar draagbare gps-systeem. Ze maakte gebruik van de nabijheid van Flavia om regelmatig een blik op het scherm te werpen en zo te zien hoe de groep vorderde. Volgens de kaart die ze in het vliegtuig had bestudeerd, waren ze nog vele kilometers van het wrak van de DC-3 verwijderd.

Hier waren ze ver verwijderd van elke vorm van beschaving, verloren in een doolhof van dichte begroeiing. Het gevaar lag overal op de loer. Je moest boomstronken, wortels en gaten vol water ontwijken. Ontsnappen aan slangen en vogelspinnen. Ze moesten vermoeidheid, de hitte en hele zwermen muggen die zelfs door je kleren heen staken, verdragen.

Hoe verder ze kwamen, des te vijandiger, dichter en ondoordringbaarder de vegetatie werd. Het oerwoud leek wel een gigantische snelkookpan, die gonsde, kookte en ruiste van alle kanten. De lucht was verzadigd van de dikke, lauwwarme geur van rottende aarde.

Terwijl ze zich voortbewogen door een tunnel van takken, daalde plotseling een tropische stortbui neer over de jungle. Flavia weigerde echter te stoppen. De regen hield twintig minuten aan en doorweekte de bodem. Met als gevolg dat ze nog moeilijker vooruitkwamen. Na vijf uur lopen namen ze tegen het middaguur een pauze. Sebastian wankelde en dacht dat hij flauwviel. De vochtigheid drong overal doorheen en in combinatie met de koorts putte dat hem uit. Hij had al zijn water inmiddels opgedronken en stierf van de dorst. Camille had het in de gaten en bood hem haar veldfles aan, maar hij weigerde. Hij leunde tegen een stam en keek omhoog naar de boomtoppen, veertig meter boven hem. Hij ijlde en de stukken blauwe lucht zagen er zo vredig uit... Als verre flarden van het paradijs...

Plotseling voelde hij een verschrikkelijke jeuk: een hele kolonie rode mieren liep over zijn arm en kroop in de mouw van zijn overhemd. Hij probeerde ze weg te krijgen door langs de stam te schuren: de kleine insecten werden vermorzeld tot een rode vloeistof. Een van de bewakers kwam naar hem toe en zwaaide zijn kapmes omhoog. Sebastian kroop in paniek in elkaar. De man sloeg met het mes tegen de stam en maakte Sebastian duidelijk dat hij het sap van de boom moest drinken. Uit het hout liep een dik, wit sap. Een plantaardige melk die leek op kokosmelk. De guerrillero sneed zijn boeien door, zodat hij zijn veldfles kon vullen. Ze liepen nog een uur voordat ze het punt bereikten dat Memphis Decker had aangegeven op zijn kaart.

Niets.

Op deze plek was niets bijzonders te zien.

Alleen dichte vegetatie. Eindeloze variaties groen, zo ver als ze konden kijken.

'*Você acha que eu sou um idiota!*' schreeuwde Flavia.

'Er moet hier een rivier zijn!' verdedigde Nikki zich.

Ongerust controleerde ze de coördinaten op het scherm van de gps. Het zeer gevoelige toestel werkte zelfs onder de bomen. Een icoontje gaf aan dat de satellietontvangst goed was. Wat was dus het probleem? Ze keek om zich heen naar het landschap. Blauwe vogels met dikke verenpakken kwetterden als papegaaien. Een groepje luiaards zocht naar een paar takken in de zon om na de regen hun natte vacht te drogen. Opeens wees Nikki naar een stam waarop een pijl stond. Om zijn weg terug te vinden, had Memphis met zijn machete de boom ingekerfd! Flavia gaf de groep opdracht van koers te veranderen. Na een minuut of tien kwamen ze bij een modderig riviertje. Ondanks het droge seizoen stond het water niet laag genoeg om erdoorheen te kunnen waden. Ze liepen langs het water in noordelijke richting en keken goed uit naar kaaimannen, die onbeweeglijk aan de wateroppervlakte lagen. Ondanks het struikgewas op de oevers, was het terrein minder bebost dan wat ze eerder hadden gezien. Ze kwamen sneller vooruit en kwamen uit bij een hangbrug. Dikke lianen waren aan elkaar geknoopt en voorzien van dikke takken. Wie had die brug gebouwd? Memphis? Niet zo waarschijnlijk, want het bouwwerk had veel tijd gekost. Indianen misschien. Flavia waagde zich als eerste op de treden van de loopbrug. Daarna liepen de anderen een voor een voorzichtig naar de overkant. De brug slingerde zeker tien meter boven de rivier. Bij elke oversteek kraakte het breekbare bouwsel harder en dreigde in te storten. Na dit obstakel liepen ze nog een uur verder door het smaragdgroene bos, voordat ze opnieuw bij een van de schaarse open plekken kwamen, die groot genoeg was om de zonnestralen tot op de grond te laten doordringen.

'Hier is het!' riep Nikki. 'Volgens de kaart ligt het wrak van de DC-3 hier nog geen driehonderd meter vandaan in noordwestelijke richting.'

'*Siga a seta!*' riep een van de guerrilleros en hij wees naar een boom met een nieuwe pijl erop.

'*Vamos com cuidado!*' beval Flavia en ze trok haar Glock.

Het leek onwaarschijnlijk dat de plek zou wemelen van de politie, maar sinds de arrestatie van haar vader was ze behoorlijk paranoïde. Ze liep nu voorop in de groep en maande haar mannen tot de grootst mogelijke voorzichtigheid. Sebastian had moeite met de laatste meters. Zijn ogen plakten en er liep bloed uit zijn neus. Hij rilde over zijn hele lichaam, baadde in het zweet en dreigde flauw te vallen. Deze keer was het de verschrikkelijke migraine waardoor hij bijna van zijn stokje ging. Op de rand van uitputting viel hij op zijn knieën.

'*Levante-se!*' brulde een van de mannen en hij liep naar hem toe. Sebastian wiste het zweet van zijn gezicht en kwam moeizaam overeind. Hij dronk een paar slokken uit zijn veldfles en keek naar Nikki en zijn kinderen. De beelden waren vaag, maar hij zag dat de leden van zijn gezin dicht bij elkaar stonden en nog steeds onder schot werden gehouden door de lijfwacht van Flavia.

Terwijl Jeremy een teken gaf aan zijn vader, werd hij verblind door een lichtflits. Half verborgen onder de struiken glinsterde iets. Heimelijk pakte de jongen het op, ondanks zijn geboeide handen. Het was een witgouden stormaansteker, bekleed met leer. Hij bekeek het etui en zag dat op het zilverkleurige deksel de initialen L.S. waren gegraveerd.

Lorenzo Santos...

Dit was de aansteker die zijn moeder aan Lorenzo Santos cadeau had gedaan! Hij stak hem in zijn zak en vroeg zich af hoe die hier in vredesnaam midden in de jungle terecht was gekomen.

De groep zette zich weer in beweging en liep over het vage spoor dat Memphis Decker een paar weken eerder had uitgehakt. Na een minuut of tien sloeg Flavia weer met haar machete en duwde een laatste tak aan de kant.

En daar was hij dan eindelijk... het vliegtuigwrak.

Enorm, indrukwekkend en afgrijselijk.

64

Voorzichtig liepen ze verder.

De zilveren romp van de DC-3 glinsterde onder de plantenbegroeiing. Het landingsgestel was door de klap afgebroken en de cockpit was tegen een grote, liggende boom versplinterd. De bekleding van de romp was ingedeukt en de rondvliegende brokstukken hadden tientallen gaten geslagen. De beide vleugels waren afgebroken, twee grote, metalen pijlen. Van het vliegtuig was niet veel meer over dan een oud wrak, dat snel zou verroesten.

Alleen zat er in dat wrak nog vijftig miljoen dollar.

Eindelijk, de coke...

Een flauwe glimlach van opluchting gleed over Flavia's gezicht. De spanning viel van haar af. Eindelijk was ze erin geslaagd haar cocaïne terug te vinden. De miljoenen die ze met de verkoop van de lading zou verdienen, zouden haar in staat stellen het kartel van de Seringueiros weer op poten te zetten! Ze had dit allemaal niet voor het geld gedaan, maar om de eer van haar familie te redden. Haar vader, Pablo Cardoza, had haar nooit serieus genomen. Voor hem telden alleen haar twee imbeciele broers, die nu voor de rest van hun leven achter de tralies zaten. Alleen zij was slim genoeg geweest om uit handen van de politie te blijven. Alleen zij was intelligent genoeg geweest om het vliegtuig terug te vinden. Haar vader werd vaak de Imperador, de keizer, genoemd. Maar vanaf nu was zij de keizerin van de cocaïne! En haar keizerrijk strekte zich uit van Rio en Buenos Aires tot aan Caracas en Bogotá...

Twee schoten knalden door de jungle en rukten Flavia weg uit haar megalomane dromen. Zonder een beweging te maken, vielen de beide guerrilleros die vooropliepen, op de grond. Ze waren beiden geraakt door een kogel in hun hoofd. In het wrak van het vliegtuig zat een scherpschutter verstopt, die een van de raampjes gebruikte als schietgat! Een derde kogel floot door de lucht en miste de jonge Braziliaanse op een haar. Ze wierp zich op de grond om een van de machinepistolen van haar helpers te pakken. Ook de Larabees doken op de grond en rolden onder de struiken. Ze maakten zich klein om niet geraakt te worden door eventuele verdwaalde kogels.

De reactie was ongelofelijk heftig. Flavia en haar lijfwacht besproeiden het vliegtuig met kogels in een verschrikkelijk kruisvuur. Vlammen en een regen van vonken spoten uit de geweren. De kogels vlogen alle kanten op en ketsten in een oorverdovend lawaai tegen het wrak.

Toen maakte het gedonder plaats voor stilte.

'Ik heb hem gedood!' riep de soldaat.

Flavia twijfelde. De guerrillero was echter zeker van zijn zaak en liep op de romp af om via de zijdeur naar binnen te gaan. Na een paar seconden kwam hij opgetogen naar buiten.

'*Ele esta morto!*' riep hij triomfantelijk.

Met haar vinger om de trekker had Flavia de Larabees bij elkaar gedreven en hield hen onder schot met haar IMBEL.

'Dood ze!' riep ze tegen haar helper.

'Alle vier?'

'Ja, en schiet een beetje op!' zei ze en ze liep toen zelf het wrak binnen.

De guerrillero trok een pistool uit zijn holster en stak er een vol magazijn in. Het was duidelijk niet de eerste keer dat hij zo'n opdracht uitvoerde. Zonder blikken of blozen, beval hij de gevangenen naast de struiken op hun knieën te gaan zitten.

Sebastian, Nikki, Camille en Jeremy...

Hij zette de koude loop tegen de hals van Jeremy. De doodsbange jongen transpireerde enorm en hij schokte over zijn hele lichaam. Zijn gezicht was vertrokken van angst. Hij werd verteerd door schuldgevoelens en spijt over de gevolgen van wat hij had gedaan, en hij barstte in huilen uit. Hij had zijn ouders weer bij elkaar willen brengen, maar zijn naïeve idealisme was uitgelopen op een ramp. Door hem zouden zijn zus, zijn vader en zijn moeder sterven. Hij stikte bijna in zijn tranen.

'Sorry,' zei hij toen de moordenaar zijn vinger om de trekker legde.

65

Flavia liep door de cabine van het vliegtuig. Het rook er naar kruit, aarde, benzine en de dood. Ze baande zich een weg tussen de kisten met cocaïne en vond een smalle doorgang naar het lijk van Santos. De agent was doorzeefd met kogels. Een stroom dik, zwart bloed liep uit zijn mond. Zonder enige vorm van gevoel keek Flavia naar het lichaam en vroeg zich af wie deze man was en hoe hij het wrak van de DC-3 nog vóór haar had kunnen vinden. Ze knielde bij hem neer en overwon haar weerzin om in de binnenzak van het jasje van de dode man te zoeken. Ze zocht naar een portefeuille, maar vond een leren etui met een badge van de NYPD. Ongerust wilde ze weer opstaan, maar toen ontdekte ze een metalen armbandje om de rechterpols van de agent.

Handboeien?

Te laat. Met zijn allerlaatste krachten opende Santos zijn ogen en greep Flavia bij haar pols. Hij stak haar pols in de tweede ring van de boeien en klikte die dicht. De jonge Braziliaanse zat in de val. In paniek probeerde ze zich te bevrijden, maar ze zat muurvast.

'Aurélio! Help me!' schreeuwde ze haar handlanger om hulp.

De kreten van Barbie Narco onderbraken het werk van de guerrillero. Net op het moment dat hij Jeremy zou executeren, bracht hij zijn wapen omhoog en verliet de gevangenen om zich naar het vliegtuig te haasten. Hij liep door het wrak naar Flavia toe.

'Bevrijd me!' hijgde ze.

Aurélio had snel in de gaten hoe hij de situatie in zijn voordeel kon uitbuiten. Zijn ogen glansden fel. Alles was voor hem! De drugs, de miljoenen dollars, de macht, het aanzien. De opwinding over een leven zonder zorgen... Hij hief zijn pistool en zette de loop op Flavia's voorhoofd.

'Het spijt me,' mompelde hij voordat hij schoot.

De knal van het schot overstemde het geluid waarmee Sebastian de deur van de romp van het wrak dichtgooide. Hij draaide zich om naar

Nikki en met een hoofdbeweging vroeg hij haar hun kinderen in veiligheid te brengen. Toen stak hij de stormaansteker van Santos aan en gooide hem door een van de raampjes naar binnen. De salvo's van de machinepistolen hadden niet alleen de romp doorzeefd, maar ook de grootste kerosinetank. Het vliegtuig droop van de kerosine en brandde meteen als een fakkel. De vlammen schoten omhoog tot de onderste takken van de bomen.

Toen explodeerde het toestel.

Als een bom.

Twee jaar later

Alles was begonnen met bloed.
Alles eindigde met bloed.

De kreten.
Het geweld.
De angst.
De pijn.

De martelende pijn duurde nu al meerdere uren, maar de tijd gleed voorbij en vervaagde de herinneringen, net als in een koortsige droom.

Uitgeput, gespannen en hijgend, opende Nikki haar ogen en probeerde haar ademhaling weer onder controle te krijgen. Ze lag op haar rug en voelde de verstikkende warmte op haar huid, het heftige kloppen van haar hart in haar borstkas en het zweet, dat over haar gezicht liep. Het bloed klopte in haar slapen, veroorzaakte pijn in haar hoofd en maakte haar blik wazig. In het felle licht van de tl-buizen zag ze flarden van verschrikkelijke beelden: injectienaalden, metalen instrumenten, gemaskerde mannen die haar martelden in een stil ballet en die elkaar zwijgend en veelbetekenend aankeken.

Een nieuwe pijnscheut trok door haar buik. Op de rand van uitputting, onderdrukte ze een kreet. Ze had zuurstof nodig en tijd om te herstellen, maar nu moest ze doorgaan tot het einde. Ze greep zich vast aan de armleuningen en vroeg zich af hoe ze dit zeventien jaar geleden voor de eerste keer had kunnen verdragen. Naast haar sprak Sebastian een paar troostende woorden, maar ze hoorde ze niet. De vruchtvliezen braken en het ritme van de weeën nam sterk toe. De gynaecoloog stopte het infuus met oxytocine en legde zijn handen op haar buik. De verloskundige hielp haar met haar ademhaling en herinnerde haar eraan om haar adem vast te houden zodra er een wee kwam. Nikki liet de pijn voorbijgaan en perste toen met alle kracht die ze in zich had. Langzaam bevrijdde de verloskundige het hoofdje van de baby en daarna voorzichtig de schouders en de rest van het lijfje. Terwijl de nieuwgeborene begon te krijsen, glimlachte Sebastian breed, pakte zijn vrouw bij haar hand en feliciteerde haar.

De verloskundige wierp een blik op de monitor om Nikki's hartritme te controleren. Daarna boog ze zich voorover om te kijken of de tweede baby van de tweeling het hoofdje naar beneden had en klaar was voor de volgende geboorte.

Ik bedank Ingrid voor haar ideeën, haar betrokkenheid en haar steun.

– Guillaume Musso

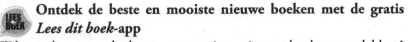

Ontdek de beste en mooiste nieuwe boeken met de gratis _Lees dit boek_-app

Wilt u als eerste de beste en mooiste nieuwe boeken ontdekken? Vaak nog voordat die boeken zijn verschenen en de pers erover heeft geschreven? Download dan gratis de _Lees dit boek_-app voor Android-telefoons en -tablets, iPhone en iPad via www.leesditboek.nl.

Blijft u graag op de hoogte van de nieuwste spannende boeken? Volg ons dan via www.awbruna.nl, ▪f en ▪ en meld u aan voor de spanningsnieuwsbrief.